HIGH TOP

하이탑

과학 고수들의 필독서

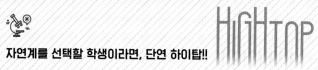

자연계를 선택할 학생이라면, 단연 하이탑!!

High Top

3권

물리학 II

이 책의 구성과 특징

지금껏 선생님들과 학생들로부터 고등 과학의 바이블로 명성을 이어온 하이탑의 자랑거리는 바로,

- 기초부터 심화까지 이어지는 튼실한 내용 체계
- 백과사전처럼 자세하고 빈틈없는 개념 설명
- 내용의 이해를 돕기 위한 풍부한 자료
- 과학적 사고를 훈련시키는 논리정연한 문장

이었습니다. 이러한 전통과 장점을 이 책에 이어 담았습니다.

1 개념과 원리를 익히는 단계

● 개념 정리
여러 출판사의 교과서에서 다루는 개념들을 체계적으로 다시 정리하여 구성하였습니다.

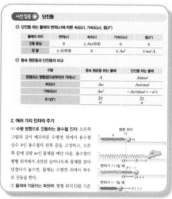

● 시선 집중
중요한 자료를 더 자세히 분석하거나 개념을 더 잘 이해할 수 있도록 추가로 설명하였습니다.

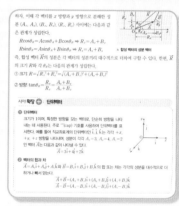

● 시야 확장
심도 깊은 내용을 이해하기 쉽도록 원리나 개념을 자세히 설명하였습니다.

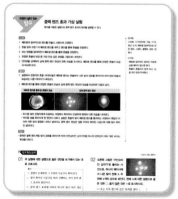

● 탐구
교과서에서 다루는 탐구 활동 중에서 가장 중요한 주제를 선별하여 수록하고, 과정과 결과를 철저히 분석하였습니다.

● 집중 분석
출제 빈도가 높은 주요 주제를 집중적으로 분석하고, 유제를 통해 실제 시험에 대비할 수 있도록 하였습니다.

● 심화
깊이 있게 이해할 필요가 있는 개념은 따로 발췌하여 심화 학습할 수 있도록 자세히 설명하고 분석하였습니다.

●개념 모아 정리하기
각 단원에서 배운 핵심 내용을 빈칸에 채워 나가면서 스스로 정리하는 코너입니다.

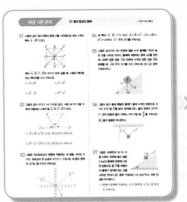

●개념 기본 문제
각 단원의 기본적이고 핵심적인 내용의 이해 여부를 평가하기 위한 코너입니다.

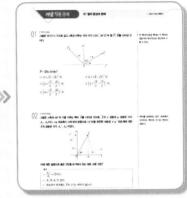

●개념 적용 문제
기출 문제 유형의 문제들로 구성된 코너입니다. '고난도 문제'도 수록하였습니다.

●통합 실전 문제
대단원별로 통합된 개념의 이해 여부를 확인함으로써 실전을 대비할 수 있도록 구성하였습니다.

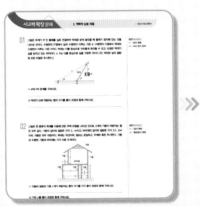

●사고력 확장 문제
창의력, 문제 해결력 등 한층 높은 수준의 사고력을 요하는 서술형 문제들로 구성하였습니다.

●논구술 대비 문제
논구술 시험에 출제되었거나, 출제 가능성이 높은 예상 문제로서, 답변 요령 및 예시 답안과 함께 제시하였습니다.

●정답과 해설
정답과 오답의 이유를 쉽게 이해할 수 있도록 자세하고 친절한 해설을 담았습니다.

> **"**
> 하이탑은
> 과학에 대한 열정을 지닌 독자님의
> 실력이 더욱 향상되길 기원합니다.
> **"**

1권

역학적 상호 작용

1. 힘과 운동
01 힘의 합성과 분해 ·········· 10
02 힘의 평형과 안정성 ·········· 24
03 평면상의 등가속도 운동 ·········· 46

2. 행성의 운동과 상대성
01 등속 원운동과 단진동 ·········· 76
02 행성의 운동 ·········· 94
03 일반 상대성 이론 ·········· 110

3. 열과 에너지
01 일·운동 에너지 관계와 역학적 에너지 보존 ··· 132
02 열과 일의 전환 ·········· 154

• 논구술 대비 문제 ·········· 178

• 정답과 해설 ·········· 184
• 용어 찾아보기 ·········· 219

전자기장

1. 전기장
01 전기장과 정전기 유도 ──────── 10
02 저항의 연결과 전기 에너지 ──────── 30
03 트랜지스터 ──────── 54
04 축전기 ──────── 70

2. 자기장
01 전류에 의한 자기장 ──────── 94
02 전자기 유도 ──────── 114
03 상호유도 ──────── 134

• 논구술 대비 문제 ──────── 160

• 정답과 해설 ──────── 166
• 용어 찾아보기 ──────── 192

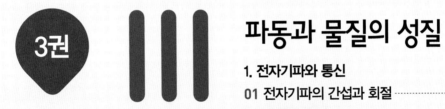

파동과 물질의 성질

1. 전자기파와 통신
01 전자기파의 간섭과 회절 ──────── 10
02 도플러 효과 ──────── 32
03 전자기파의 발생과 수신 ──────── 46
04 볼록 렌즈에 의한 상 ──────── 66

2. 빛과 물질의 이중성
01 빛의 입자성 ──────── 86
02 입자의 파동성 ──────── 104
03 불확정성 원리 ──────── 118

• 논구술 대비 문제 ──────── 146

• 정답과 해설 ──────── 152
• 용어 찾아보기 ──────── 180

III

파동과 물질의 성질

1 전자기파와 통신

2 빛과 물질의 이중성

1
전자기파와 통신

01 전자기파의 간섭과 회절

02 도플러 효과

03 전자기파의 발생과 수신

04 볼록 렌즈에 의한 상

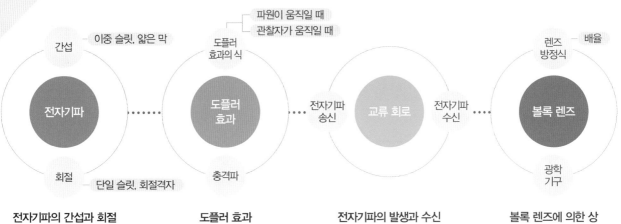

단원
Preview

간섭 ── 이중 슬릿, 얇은 막

파원이 움직일 때
관찰자가 움직일 때

도플러
효과의 식

렌즈 ── 배율
방정식

전자기파 · · · · · 도플러
효과 · · · · · 전자기파
송신 교류 회로 전자기파
수신 · · · · · 볼록 렌즈

회절 ── 단일 슬릿, 회절격자

충격파

광학
기구

전자기파의 간섭과 회절   도플러 효과   전자기파의 발생과 수신   볼록 렌즈에 의한 상

01 전자기파의 간섭과 회절

학습 Point 파동의 표시 〉 간섭, 이중 슬릿에 의한 빛의 간섭 〉 회절, 단일 슬릿에 의한 빛의 회절 〉 간섭과 회절에 의한 현상

 파동의 표시와 하위헌스 원리

우리 주변에는 다양한 형태의 파동이 있고 파동이 전파됨에 따라 매질 각 지점의 위치가 변한다. 이러한 파동을 표시할 때에는 진폭, 파장, 주기, 진동수 등을 이용한 파동 함수로 나타내면 편리하다. 또, 파동이 특정한 형태를 유지하며 전파되는 모습은 하위헌스 원리로 설명되는데, 이 원리는 파동의 회절, 간섭을 설명하는 데도 유용하게 이용된다.

1. 파동의 표시

파동의 형태는 매우 다양하여 사각형 모양의 파동도 있을 수 있고, 삼각형 모양의 파동도 있을 수 있다. 이 가운데 용수철을 일정하게 단진동시킬 때 만들어지는 횡파와 같이 사인(sine) 또는 코사인(cosine) 함수로 나타낼 수 있는 파동을 조화 파동이라고 한다. 조화 파동은 연속적인 파동의 가장 간단한 예로, 더 복잡한 파형은 서로 다른 조화 파동을 중첩하여 나타낼 수 있다.

(1) 파동 함수

① **파수**: 파동이 전파될 때 매질 각 지점의 변위는 시간에 따라 변한다. 아래 그림은 줄을 따라 어떤 사인형 파동이 전파될 때 시간 $t=0$인 순간의 모습으로, 이와 같이 파동의 진동 중심이 원점에 있고 진폭이 A인 사인형 파동은 다음과 같은 식으로 나타낼 수 있다.

$$y=A\sin kx$$

위 식에서 파동의 마루는 $kx=\dfrac{\pi}{2},\ \dfrac{5\pi}{2},\ \dfrac{9\pi}{2},\ \cdots$일 때로 kx 값이 2π씩 증가할 때 마다 나타난다. 파동의 이웃한 마루와 마루 사이의 거리는 파장 λ이므로, k는 다음과 같다.

$$k\lambda=2\pi \implies k=\frac{2\pi}{\lambda}\ (\text{단위: rad/m})$$

여기서 k를 각파동수 또는 파수라고 한다.

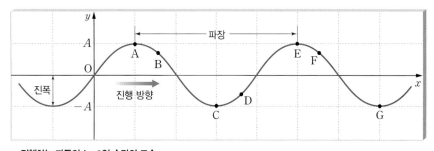

▲ **진행하는 파동의 $t=0$인 순간의 모습**

단진동하는 물체의 변위

그림과 같이 반지름 A인 원궤도를 따라 각속도 ω로 등속 원운동을 하는 물체에 평행 광선을 비출 때 스크린상에 나타난 그림자는 직선을 따라 단진동을 한다. 그림자의 운동은 진폭 A, 각속도 ω인 사인 함수로 나타난다.

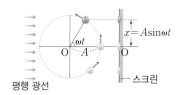

라디안(rad)

원에서 호의 길이가 반지름과 같은 각도가 1 rad이다. 원둘레가 $2\pi r$이므로 360°는 $2\pi(\text{rad})$이다. $1\ \text{rad}=\dfrac{360°}{2\pi}≒57.3°$이다.

- **위상이 같은 점:**
  변위와 운동 방향이 같다.
  ➡ A와 E, B와 F, C와 G
- **위상이 반대인 점:**
  변위와 운동 방향이 반대이다.
  ➡ A와 C, B와 D, D와 F, E와 G

② 위치와 시간에 따른 파동 함수: 파동이 $+x$ 방향으로 v의 속력으로 움직일 때 시간 t 동안 파동이 이동한 거리는 vt이다. 0초일 때 $x=x_0$에서 변위 $y=A\sin kx_0$인 파동은 t초일 때 $x=x_0+vt$인 위치에서 같은 변위를 갖게 되므로, $x_0=x-vt$가 되어 t초 후의 파동 함수는 다음과 같이 나타낼 수 있다.

$$y=A\sin kx_0=A\sin k(x-vt)$$

$k=\dfrac{2\pi}{\lambda}$, $v=\dfrac{\lambda}{T}$ (T: 주기)이므로 이를 대입하면 위 식은 $y=A\sin\left(kx-\dfrac{2\pi}{\lambda}\cdot\dfrac{\lambda t}{T}\right)$가 되고, 각진동수 ω로 나타내면 파동 함수는 다음과 같다.

> $$y=A\sin(kx-\omega t) \text{ (A: 진폭, k: 파수, ω: 각진동수)}$$

$t=0$을 대입하면 파동 함수는 $y=A\sin kx$이고, 이는 $t=0$인 순간 파동의 형태를 보여 준다. 또, $x=0$을 대입하면 파동 함수는 $y=-A\sin\omega t$이고, 이는 $x=0$인 점에서 시간에 따라 매질의 변위가 어떻게 변하는지 알려 준다.

(2) 파동의 위상

파동 함수 $y=A\sin(kx-\omega t)$에서 $kx-\omega t$를 위상 또는 위상각이라고 하며, 위상이 같은 점들은 같은 시간에 매질의 변위와 운동 방향이 같다. 마루와 이웃한 마루 사이의 위상은 2π만큼 차이가 나고, 마루와 이웃한 골은 π만큼 차이가 난다. 따라서 두 점의 위상차가 π의 짝수 배일 때는 같은 위상이 되고, π의 홀수 배일 때는 반대 위상이 된다.

2. 하위헌스 원리

(1) 파면

그림과 같이 잔잔한 수면을 긴 막대로 두드리면 직선 형태의 파동이 전파되는 것을 볼 수 있다. 우리 눈에 선으로 보이는 부분은 위상이 같은 점들로, 이처럼 파동의 진행이 2차원 또는 3차원 공간에서 이루어질 때 위상이 같은 점을 연결한 선이나 면을 파면이라고 한다.

① 파동의 모양과 관계없이 파동의 진행 방향은 항상 파면에 수직이다.
② 위상이 같은 이웃한 파면 사이의 거리는 파장이 된다.

(2) 하위헌스 원리

파동이 진행할 때 파면 위의 모든 점들은 독립적으로 점파원의 역할을 하여 원래의 파동과 같은 진동수의 새로운 구면파를 만들면서 진행한다. 이렇게 만들어진 수많은 구면파에 공통으로 접하는 면이 다음 순간의 새로운 파면이 되는데, 이것을 하위헌스 원리라고 한다.

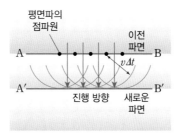

▲ 하위헌스 원리

오른쪽 그림과 같이 시각 t일 때 어떤 파면이 AB의 위치에 속력 v로 도달했을 때, 이 새로운 파원에서 발생한 각 구면파의 반지름은 시간 Δt 후에는 $v\Delta t$가 된다. 이 구면파들에 공통으로 접하는 면 A′B′가 새로운 파면이 된다.

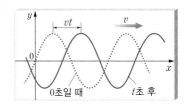

▲ 0초일 때와 t초 동안 vt만큼 이동한 순간의 파동의 모습

각진동수 ω

단위 시간 동안의 위상 변화를 나타내는 물리량으로, $\omega=\dfrac{2\pi}{T}=2\pi f$ (f: 진동수)이다. 단위는 rad/s를 사용한다.

$$kv=\frac{2\pi}{\lambda}\cdot\frac{\lambda}{T}=\frac{2\pi}{T}=\omega$$

위상 상수

파동 함수가 $y=A\sin(kx-\omega t)$이면 $t=0$일 때 $x=0$에서 $y=0$이지만, y가 0이 아닌 경우 파동 함수는 일반적으로 다음과 같이 나타낼 수 있다.

$$y=A\sin(kx-\omega t+\phi)$$

이때 ϕ를 위상 상수라고 한다. ϕ가 $(+)$일 때는 파동이 x축에서 왼쪽으로 평행 이동하고, $(-)$일 때는 x축에서 오른쪽으로 평행 이동하게 된다.

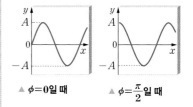

▲ $\phi=0$일 때   ▲ $\phi=\dfrac{\pi}{2}$일 때

하위헌스(Huygens, C., 1629~1695)

네덜란드의 물리학자로, 원심력의 식을 유도하였다. 1678년에 하위헌스 원리를 발표하여 빛의 파동설의 기반을 마련하였으며, 빛의 반사, 굴절, 복굴절, 편광 현상을 설명하였다.

2 간섭

입자는 여러 개가 동시에 같은 지점에 존재할 수 없지만, 파동은 동시에 같은 지점에 여러 개가 중첩될 수 있다. 이처럼 파동이 중첩되면 파동의 고유한 성질인 간섭 현상이 나타난다.

1. 파동의 중첩과 독립성

(1) **중첩 원리**: 동일한 지점에서 2개 이상의 파동이 서로 중첩될 때 합성파의 변위는 각각의 파동 변위의 합과 같다. 즉, 한 지점에서 변위가 y_1, y_2인 두 파동이 중첩될 때 합성파의 변위 y는 다음과 같다. 이를 중첩 원리라고 한다.

$$y=y_1+y_2$$

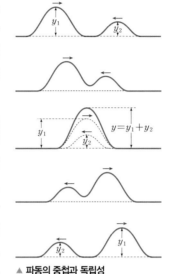

(2) **파동의 독립성**: 중첩 원리의 한 가지 결과는 파동이 서로 중첩되더라도 서로 영향을 주지 않는다는 것이다. 즉, 입자는 서로 충돌하면 충돌 전후 운동 상태가 달라지지만, 파동은 중첩되는 동안만 파형이 달라질 뿐이고, 서로 지나치고 나면 중첩되기 전의 상태를 그대로 유지하며 진행한다. 이러한 성질을 파동의 독립성이라고 한다.

▲ **파동의 중첩과 독립성**

2. 파동의 간섭

(1) **간섭**: 여러 파동이 중첩되어 합성 파동을 만드는 것을 간섭이라고 한다. 이때 합성파는 두 파동의 위상차에 따라 진폭이 커지기도 하고 작아지기도 한다.

(2) **보강 간섭과 상쇄 간섭**

팽팽한 줄에서 같은 방향으로 동일한 두 파동이 전파되어 간섭할 때 같은 위상으로 중첩되면 합성파의 진폭은 커질 것이다. 반면, 두 파동이 서로 반대 위상으로 중첩되면 두 파동의 변위가 모든 지점에서 서로 반대가 되어 상쇄되므로, 합성파의 진폭은 0이 될 것이다. 이처럼 두 파동이 간섭할 때 합성파의 진폭이 중첩 전 각 파동의 진폭보다 커지는 것을 보강 간섭이라고 하고, 작아지는 것을 상쇄 간섭이라고 한다.

보강 간섭	상쇄 간섭
두 파동이 같은 위상으로 중첩되어 합성파의 진폭이 중첩 전 각 파동의 진폭보다 커지는 간섭	두 파동이 반대 위상으로 중첩되어 합성파의 진폭이 중첩 전 각 파동의 진폭보다 작아지는 간섭
중첩되는 두 파동 A, B의 위상차가 0이거나 π의 짝수 배일 때 합성파의 진폭은 최대가 된다.	중첩되는 두 파동 A, B의 위상차가 π의 홀수 배일 때 합성파의 진폭은 최소가 된다.
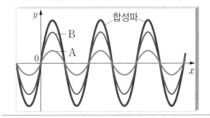	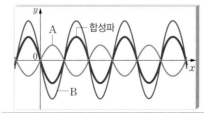

(3) 물결파의 간섭

수면 위의 두 점 S_1, S_2를 일정한 주기로 두드려 진동수와 진폭이 같은 두 물결파를 같은 위상으로 발생시키면, 서로 간섭하여 오른쪽 그림과 같이 크게 진동하는 지점과 거의 진동하지 않는 지점이 나타난다.

① 간섭 조건: 파동은 한 파장 진행할 때마다 같은 위상이 되고, 반파장 진행할 때마다 반대 위상이 된다. 따라서 두 물결파가 간섭하여 P점과 같이 보강 간섭이 일어나려면 S_1, S_2로부터의 경로차가 반파장의 짝수 배가 되어야 하고, 반대로 R점과 같이 상쇄 간섭이 일어나려면 경로차가 반파장의 홀수 배가 되어야 한다.

$$\text{경로차: } |\overline{S_1P} - \overline{S_2P}| = \frac{\lambda}{2}(2m) \ (m=0, 1, 2, \cdots) \ \cdots\cdots\cdots \text{보강 간섭}$$

$$|\overline{S_1R} - \overline{S_2R}| = \frac{\lambda}{2}(2m+1) \ (m=0, 1, 2, \cdots) \ \cdots\cdots \text{상쇄 간섭}$$

② 마디선의 개수: 마디선은 상쇄 간섭이 일어나는 지점을 연결한 선이므로, S_1, S_2로부터의 경로차 $\Delta = \frac{\lambda}{2}(2m+1)$이다. $\overline{S_1S_2} = d$일 때 선분 $\overline{S_1S_2}$상의 지점은 $|\Delta| < d$가 되므로 두 파원 S_1, S_2 사이에는 다음의 식을 만족하는 정수 m의 개수만큼 마디선이 생긴다.

$$\left| \frac{\lambda}{2}(2m+1) \right| < d \ \Rightarrow \ -d < \frac{\lambda}{2}(2m+1) < d$$

두 점파원에서 발생한 물결파의 간섭

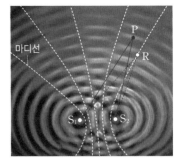

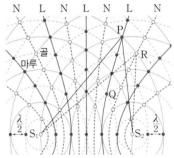

P점에서는 보강 간섭이 일어나 밝기가 뚜렷하게 변하고, 마디선상의 R점에서는 상쇄 간섭이 일어나 밝기가 거의 변하지 않는다.

시야 확장 ➕ 파동 함수를 이용한 간섭 조건 구하기

그림과 같이 진동수 f, 파장 λ, 진폭 A인 동일한 두 파동이 파원 S_1, S_2에서 같은 위상으로 각각 발생하여 P 지점에 도달한다고 하자. 이때 S_1, S_2에서 전파된 두 파동의 P에서의 변위를 각각 y_1, y_2라고 하면 진행파의 파동 방정식은 다음과 같다.

$$y_1 = A\sin(kx_1 - \omega t) = A\sin\left(\frac{2\pi x_1}{\lambda} - 2\pi ft\right) \qquad y_2 = A\sin(kx_2 - \omega t) = A\sin\left(\frac{2\pi x_2}{\lambda} - 2\pi ft\right)$$

중첩 원리에 의해 P에서 합성파의 변위 y는 다음과 같다.

$$y = y_1 + y_2 = A\sin\left(\frac{2\pi x_1}{\lambda} - 2\pi ft\right) + A\sin\left(\frac{2\pi x_2}{\lambda} - 2\pi ft\right)$$

$$= 2A\sin\left[\frac{\pi}{\lambda}(x_1 + x_2) - 2\pi ft\right]\cos\left[\frac{\pi}{\lambda}(x_1 - x_2)\right]$$

이 식에서 합성파의 진폭을 A'라고 하면 A'는 시간 t에 무관하므로 다음과 같이 나타낼 수 있다.

$$A' = 2A\cos\left[\frac{\pi}{\lambda}(x_1 - x_2)\right]$$

따라서 위 식에서 보강 간섭과 상쇄 간섭이 일어날 조건은 다음과 같다.

• 보강 간섭 조건: $\cos\left[\frac{\pi}{\lambda}(x_1 - x_2)\right] = \cos\pi m \ (m=0, 1, 2, \cdots)$

$$\frac{\pi}{\lambda}(x_1 - x_2) = \pi m \ \Rightarrow \ x_1 - x_2 = m\lambda = \frac{\lambda}{2}(2m) \ (m=0, 1, 2, \cdots)$$

➡ 경로차 $x_1 - x_2$가 반파장의 짝수 배일 때 진폭 $A' = 2A$로 최대이다.

• 상쇄 간섭 조건: $\cos\left[\frac{\pi}{\lambda}(x_1 - x_2)\right] = \cos\frac{\pi}{2}(2m+1) \ (m=0, 1, 2, \cdots)$

$$\frac{\pi}{\lambda}(x_1 - x_2) = \frac{\pi}{2}(2m+1) \ \Rightarrow \ x_1 - x_2 = \frac{\lambda}{2}(2m+1) \ (m=0, 1, 2, \cdots)$$

➡ 경로차 $x_1 - x_2$가 반파장의 홀수 배일 때 진폭 $A' = 0$이다.

$\sin a + \sin b = 2\sin\frac{a+b}{2}\cos\frac{a-b}{2}$ 이므로

$a = \frac{2\pi x_1}{\lambda} - 2\pi ft$, $b = \frac{2\pi x_2}{\lambda} - 2\pi ft$이면,

$\frac{a+b}{2} = \frac{\pi}{\lambda}(x_1 + x_2) - 2\pi ft$,

$\frac{a-b}{2} = \frac{\pi}{\lambda}(x_1 - x_2)$이다.

3. 이중 슬릿에 의한 빛의 간섭

물결파와 같은 파동에서 나타나는 간섭 현상이 빛에서도 나타난다. 1803년에 영은 이중 슬릿을 통과한 빛이 스크린에 밝고 어두운 간섭무늬를 만드는 것을 보여 줌으로써 빛의 간섭 현상을 확인하였다.

(1) 영의 간섭 실험

그림과 같이 영은 단색 광원 앞에 단일 슬릿과 이중 슬릿을 장치하였다. 광원에서 나온 빛은 단일 슬릿을 통과하며 회절하여 이중 슬릿에 같은 위상으로 도달하고, 두 슬릿 S_1, S_2에서는 같은 위상의 빛이 회절하여 퍼져 나가게 된다. 따라서 스크린에서는 두 슬릿 S_1, S_2로부터 나온 빛이 서로 간섭하여 그 경로차에 따라 보강 간섭이 일어나거나 상쇄 간섭이 일어나는 지점이 나타난다.

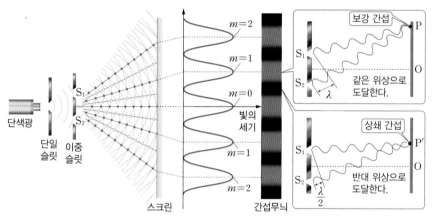

▲ **영의 이중 슬릿에 의한 빛의 간섭 실험** 두 슬릿 S_1, S_2에서 나온 빛이 스크린 위에 간섭무늬를 만든다. 스크린에서 보강 간섭이 일어나는 영역은 밝은 무늬가 나타나고, 상쇄 간섭이 일어나는 영역은 어두운 무늬가 나타난다.

① **두 빛의 경로차(Δ):** 단색광의 파장이 λ이고, 슬릿 S_1, S_2 사이의 간격을 d, 이중 슬릿에서 스크린까지의 거리를 L, 스크린의 중심 O에서 임의의 점 P까지의 거리를 x, 중심각을 θ라고 하자. $\overline{S_1P}=\overline{QP}$가 되도록 Q를 잡으면, d가 L에 비해 매우 작으므로 θ도 매우 작아 $\angle S_1QS_2$는 거의 직각이 된다. 따라서 P점에 닿은 두 빛의 경로차는

$$\Delta=|\overline{S_1P}-\overline{S_2P}|=d\sin\theta$$

로 나타낼 수 있다. 또, θ가 매우 작을 때 $\sin\theta\approx\tan\theta$로 근사할 수 있고, $\tan\theta=\dfrac{x}{L}$이므로, P에서 두 빛의 경로차 Δ는 다음과 같다.

$$\Delta=|\overline{S_1P}-\overline{S_2P}|=d\sin\theta\approx d\tan\theta=d\frac{x}{L}$$

▲ **P점에 도달하는 두 빛의 경로차**

영의 간섭 실험의 의미
17세기에 뉴턴이 활동하던 당시 빛의 본성에 관한 논쟁이 벌어졌다. 뉴턴은 빛이 입자라고 주장하였고, 하위헌스는 빛이 파동이라고 주장하였다. 그런데 19세기 초 영이 이중 슬릿을 통과한 빛이 간섭무늬를 만드는 것을 보임으로써, 빛의 파동성을 지지하는 강력한 증거가 되었다.

영의 간섭 실험에서 단일 슬릿
영이 실험할 당시에는 레이저가 없었기 때문에 단색광을 만들기 위해 필터를 사용하였고, 단일 슬릿을 이중 슬릿 앞에 장치하여 이중 슬릿에 도달하는 두 빛의 위상을 같게 하였다.

슬릿을 통과하는 빛의 회절
좁은 슬릿을 통과하는 빛은 (가)와 같이 원래의 방향으로만 진행하는 것이 아니라, (나)와 같이 슬릿으로부터 퍼져 나간다. 이것은 빛이 좁은 슬릿을 지나며 회절하기 때문이며, 이에 대해 20쪽에서 자세히 다룬다.

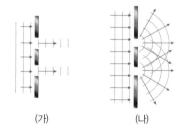

② 간섭 조건: 스크린의 한 점에서 두 빛의 경로차가 반파장의 짝수 배가 되면, 두 빛은 보강 간섭을 하여 밝은 무늬로 나타난다. 반면, 두 빛의 경로차가 반파장의 홀수 배가 되는 지점에서는 두 빛이 상쇄 간섭을 하여 어두운 무늬로 나타나므로, 간섭 조건은 다음과 같다.

- 보강 간섭(밝은 무늬): $\Delta=d\dfrac{x}{L}=\dfrac{\lambda}{2}(2m)\ (m=0,\ 1,\ 2,\ \cdots)$
- 상쇄 간섭(어두운 무늬): $\Delta=d\dfrac{x}{L}=\dfrac{\lambda}{2}(2m+1)\ (m=0,\ 1,\ 2,\ \cdots)$

(2) 이웃한 밝은 무늬 사이의 간격(Δx)과 빛의 파장(λ)의 관계

이웃한 밝은 무늬 사이의 간격(또는 어두운 무늬 사이의 간격)을 Δx라고 하면, Δx는 스크린의 중심 O에서 m번째 밝은 무늬와 $m-1$번째 밝은 무늬 사이의 거리와 같다. 스크린의 중심에서 m번째 밝은 무늬의 위치 x_m은

$$d\dfrac{x_m}{L}=\dfrac{\lambda}{2}(2m) \Rightarrow x_m=\dfrac{L}{d}\dfrac{\lambda}{2}(2m)=\dfrac{mL\lambda}{d}$$

이므로, 이웃한 밝은 무늬 사이의 간격 Δx는 다음과 같다.

$$\Delta x=x_m-x_{m-1}=\dfrac{L\lambda}{d}\ (\text{일정, 등간격})$$

따라서 이중 슬릿에 의한 빛의 간섭무늬에서 밝은 무늬 사이의 간격은 빛의 파장 λ와 이중 슬릿에서 스크린까지의 거리 L에 비례하고, 이중 슬릿 사이의 간격 d에 반비례한다.

파장이 긴 빛을 사용하면 간섭무늬 간격이 넓어진다.($\Delta x\propto\lambda$)

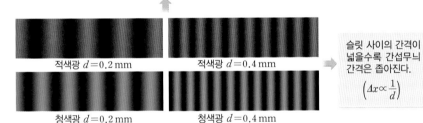

| 적색광 $d=0.2\,\mathrm{mm}$ | 적색광 $d=0.4\,\mathrm{mm}$ |

슬릿 사이의 간격이 넓을수록 간섭무늬 간격은 좁아진다.
$\left(\Delta x\propto\dfrac{1}{d}\right)$

청색광 $d=0.2\,\mathrm{mm}$ \qquad 청색광 $d=0.4\,\mathrm{mm}$

▲ 빛의 파장과 슬릿 사이의 간격에 따른 간섭무늬의 변화

(3) 빛의 광로 부분을 얇은 막(굴절률 n)으로 가릴 때

그림과 같이 한쪽 슬릿 S_1의 뒤에 두께 a, 굴절률 n인 투명한 얇은 막을 놓으면 얇은 막 속을 지나는 빛의 파장이 짧아져 S_1에서 회절한 빛의 광학적 거리가 길어진다.

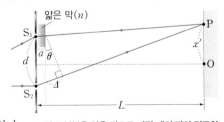

① 중앙($m=0$, 광로차가 0인 위치)의 위치가 O에서 얇은 막을 가린 쪽으로 x'만큼 이동한다.

▲ 광로 부분을 얇은 막으로 가릴 때의 빛의 경로차

② 두께 a인 얇은 막을 빛이 지나는 동안 공기 속의 빛은 na의 거리를 이동한다. 새로운 중앙점 P에서 두 빛의 광로차는 0이므로, $\overline{\mathrm{OP}}$의 거리 x'는 다음과 같이 구할 수 있다.

$$(\overline{S_2P}-na)-(\overline{S_1P}-a)=\overline{S_2P}-\overline{S_1P}-a(n-1)=0$$

$$\Delta=\overline{S_2P}-\overline{S_1P}=a(n-1)=d\sin\theta=\dfrac{dx'}{L} \Rightarrow x'=\dfrac{aL}{d}(n-1)$$

③ 무늬 간격은 얇은 막에 관계없이 같고, 무늬는 전체적으로 위쪽으로 치우친다.

공기 중이 아닌 매질에서 실험할 때

굴절률 n인 매질 속에서 동일한 실험을 하면, 공기 중에서 파장 λ인 빛은 파장이 $\lambda'=\dfrac{\lambda}{n}$로 감소한다. 따라서 보강 간섭이 일어나는 조건은

$$\Delta=\dfrac{\lambda'}{2}(2m)=\dfrac{\frac{\lambda}{n}}{2}(2m)$$

$$n\Delta=\dfrac{\lambda}{2}(2m)$$

으로 바뀐다. 이때 매질의 굴절률을 고려하여 구한 광학적 거리의 차 $n\Delta$를 광로차라고 한다.

예를 들어 다음 그림과 같이 파장이 $0.8L$인 파동이 $n=1$인 매질에서 L만큼 진행하면 마루가 되지만, $n=2$인 매질을 지나면 변위가 0이 된다. 이는 파동이 $n=1$인 곳에서 nL의 거리만큼 진행할 때의 위상과 같다.

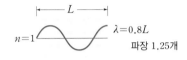

$n=1$ \qquad $\lambda=0.8L$ \qquad 파장 1.25개

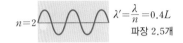

$n=2$ \qquad $\lambda'=\dfrac{\lambda}{n}=0.4L$ \qquad 파장 2.5개

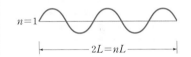

$n=1$

$2L=nL$

4. 얇은 막에 의한 빛의 간섭

물 위에 뜬 기름막이나 공기 중의 비눗방울에 햇빛이 비치면 아름다운 무지갯빛이 보이는 경우가 있다. 이것은 백색광이 얇은 막의 윗면과 아랫면에서 각각 반사되며 간섭하여 나타나는 현상이다. 이때 두 빛의 광로차에 따라 보강 간섭하거나 상쇄 간섭하는 빛의 파장이 달라지므로, 얇은 막에서 여러 가지 색깔의 빛이 보이게 된다.

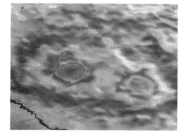
▲ 기름막에 나타난 무지갯빛

(1) 얇은 막의 윗면과 아랫면에서 반사한 빛의 광로차($\varDelta$)

그림과 같이 공기 중에서 진행하던 빛이 두께가 d이고 굴절률이 n인 얇은 막에 비스듬히 입사하여 일부는 윗면에서 반사하고 일부는 굴절하여 들어가 아랫면에서 반사하여 D에서 다시 만나 간섭하는 경우를 생각해 보자. 파면 BB′에서 B′가 D에 도달하는 동안 B는 H에 도달하므로, 두 빛이 D에 도달하는 동안 경로차는 다음과 같다.

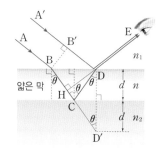
▲ 얇은 막에서의 광로차

$$\overline{HC}+\overline{CD}=\overline{HC}+\overline{CD'}=\overline{HD'}=2d\cos\theta$$

빛은 굴절률이 n인 매질 속에서 이동하였으므로, 두 빛의 광로차는 다음과 같다.

$$\varDelta=2nd\cos\theta$$

(2) 반사에 의한 위상 변화

빛이 얇은 막의 경계면에 입사하면 일부는 굴절하여 들어가고 일부는 반사한다. 이때 굴절하는 빛은 위상이 변하지 않지만, 반사하는 빛은 경계면 양쪽 물질의 굴절률에 따라 위상차가 생길 수 있다.

① 굴절률이 작은 매질에서 큰 매질로 빛이 진행하여 반사할 때 (고정단 반사): π만큼 위상이 변한다.

② 굴절률이 큰 매질에서 작은 매질로 빛이 진행하여 반사할 때 (자유단 반사): 반사에 의한 위상 변화가 없다.

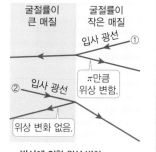
▲ 반사에 의한 위상 변화

따라서 빛이 얇은 막의 윗면의 D와 아랫면의 C에서 반사할 때 얇은 막을 이루는 물질과 얇은 막 양쪽 물질의 굴절률에 따라 반사에 의한 위상 변화가 다르게 나타난다. 두 지점에서 빛이 반사할 때 위상 변화에 의한 광로차를 생각해 보면 다음과 같다.

굴절률	$n_1, n_2 < n$	$n_1, n_2 > n$	$n_1 < n < n_2$	$n_1 > n > n_2$
D 지점	$\frac{\lambda}{2}$	0	$\frac{\lambda}{2}$	0
C 지점	0	$\frac{\lambda}{2}$	$\frac{\lambda}{2}$	0
반사에 의한 전체 광로차와 빛의 간섭 조건	$\frac{\lambda}{2}$	$\frac{\lambda}{2}$	λ	0
	빛의 간섭 조건이 변함.		빛의 간섭 조건에 영향을 주지 않음.	

고정단 반사의 예

줄을 따라 진행하는 펄스가 고정된 끝에 도달하면, 이 줄은 벽에 위쪽으로 힘을 가한다. 이에 대한 반작용으로 벽이 줄에 아래쪽으로 힘을 가하여 줄에는 위상이 반대인 반사 펄스가 생긴다.

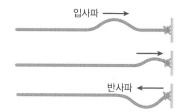

자유단 반사의 예

줄을 따라 진행하는 펄스가 수직으로 자유롭게 움직이는 고리에 도달하면, 고리가 움직이며 뒤집어지지 않은 반사 펄스가 생긴다.

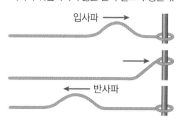

(3) 얇은 막에 의한 빛의 간섭 조건

얇은 막의 윗면과 아랫면에서 반사하는 두 빛의 광로차는 얇은 막에 의한 광로차와 반사에 의한 위상 변화를 모두 고려하여야 한다. 따라서 빛의 간섭 조건은 다음과 같이 두 가지 경우로 나뉜다.

① 고정단 반사가 1회일 때($n_1, n_2 < n$ 또는 $n_1, n_2 > n$일 때)

햇빛이 공기 중의 비눗방울 막에서 반사할 때와 같이 고정단 반사가 1회만 일어나는 경우 반사에 의한 광로차 $\dfrac{\lambda}{2}$를 고려하면 빛의 간섭 조건은 다음과 같다.

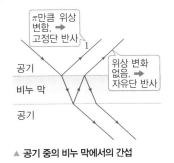

$$\varDelta = 2nd\cos\theta + \dfrac{\lambda}{2} = \dfrac{\lambda}{2}(2m) \ \cdots\cdots \ \text{보강 간섭}$$

$$= \dfrac{\lambda}{2}(2m+1) \ \cdots \ \text{상쇄 간섭}$$

▲ 공기 중의 비누 막에서의 간섭

위 식을 정리하면 다음과 같다.

• 보강 간섭: $\varDelta = 2nd\cos\theta = \dfrac{\lambda}{2}(2m+1) \ (m=0, 1, 2, \cdots)$

• 상쇄 간섭: $\varDelta = 2nd\cos\theta = \dfrac{\lambda}{2}(2m) \ (m=0, 1, 2, \cdots)$

② 고정단 반사가 없거나 2회일 때($n_1 < n < n_2$ 또는 $n_1 > n > n_2$일 때)

햇빛이 물 위에 뜬 기름 막에서 반사할 때와 같이 반사에 의한 광로차가 λ이거나 0이면 빛의 간섭 조건에 영향을 주지 않는다.

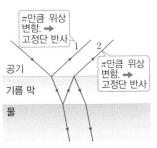

• 보강 간섭: $\varDelta = 2nd\cos\theta = \dfrac{\lambda}{2}(2m) \ (m=0, 1, 2, \cdots)$

• 상쇄 간섭: $\varDelta = 2nd\cos\theta = \dfrac{\lambda}{2}(2m+1)$

$(m=0, 1, 2, \cdots)$

▲ 물 위에 뜬 기름 막에서의 간섭

입사광이 백색광이고 얇은 막의 두께가 일정한 경우 빛의 입사각 θ에 대하여 위의 간섭 조건을 만족하는 파장 λ가 결정된다. 따라서 θ에 따라 얇은 막이 여러 가지 색깔을 띠게 된다.

(4) 투과 광선의 간섭 조건(수직 입사 $\theta=0°$)

빛이 얇은 막의 경계면에 수직으로 입사할 때 투과 광선의 간섭 조건은 반사 광선의 간섭 조건과 반대가 된다. 예를 들어 얇은 막을 이루는 물질과 얇은 막 양쪽 물질의 굴절률이 $n_1, n_2 < n$인 경우 반사 광선과 투과 광선의 간섭 조건은 다음과 같다.

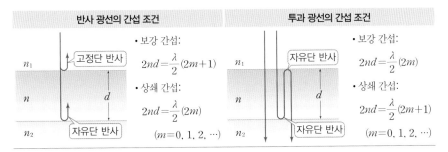

반사 광선의 간섭 조건	투과 광선의 간섭 조건
• 보강 간섭: $2nd = \dfrac{\lambda}{2}(2m+1)$ • 상쇄 간섭: $2nd = \dfrac{\lambda}{2}(2m)$ $(m=0, 1, 2, \cdots)$	• 보강 간섭: $2nd = \dfrac{\lambda}{2}(2m)$ • 상쇄 간섭: $2nd = \dfrac{\lambda}{2}(2m+1)$ $(m=0, 1, 2, \cdots)$

비누 막에 의한 여러 가지 색의 간섭무늬

위 그림과 같이 비누 막을 연직으로 세우면 중력 때문에 비누 막의 두께가 높이에 따라 달라진다. 비누 막의 윗부분 O는 아주 얇아서 경로차는 무시되고, 반사에 의한 위상차만 남으므로 두 빛은 상쇄 간섭하여 어둡게 보인다. 아래로 갈수록 비누 막의 두께가 t_1, t_2, t_3로 점점 두꺼워지면 보강 간섭하는 빛의 파장이 달라지므로, 백색광을 비누 막에 비추면 여러 가지 색으로 된 간섭무늬를 볼 수 있다.

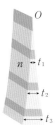

렌즈의 무반사 코팅

플루오린화 마그네슘(MgF_2, $n=1.38$) 또는 빙정석($n=1.36$) 등을 사용하여 유리 렌즈의 표면에 얇은 막을 입혀서 막의 윗면과 아랫면에서 반사한 두 빛이 상쇄 간섭을 하도록 만들면 더 선명한 상을 얻을 수 있다. 이 경우 $1 < n < n_2$이므로 상쇄 간섭 조건에 $m=0$을 대입하여 막의 최소 두께 d를 구할 수 있다.

$$2nd = \dfrac{\lambda}{2}(2m+1) \Rightarrow d = \dfrac{\lambda}{4n}$$

5. 두 장의 평면 유리 사이에서의 간섭

두 장의 평면 유리를 포개고 한쪽 끝에 머리카락을 끼워 넣으면 두 유리판 사이에 쐐기 모양의 공기층이 생긴다. 여기에 수직으로 단색광을 비추면 유리판 사이 공기층의 양쪽 면에서 반사한 두 빛이 간섭하여 오른쪽 그림과 같이 평행한 등간격의 밝고 어두운 간섭무늬를 볼 수 있다.

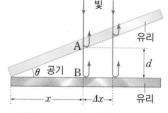
▲ 평면 유리 사이의 간섭무늬

(1) 빛의 간섭 조건

왼쪽 끝에서 x만큼 떨어진 지점의 공기층의 두께를 d라고 할 때 반사한 두 빛의 광로차 $\Delta=2d$가 된다. 공기층의 양쪽에서 반사하는 빛은 공기층의 윗면 A에서는 자유단 반사를 하고 아랫면 B에서는 고정단 반사를 하므로, 두 빛의 간섭 조건은 다음과 같다.

- 보강 간섭: $\Delta=2d=\dfrac{\lambda}{2}(2m+1)$ ($m=0, 1, 2, \cdots$)

- 상쇄 간섭: $\Delta=2d=\dfrac{\lambda}{2}(2m)$ ($m=0, 1, 2, \cdots$)

▲ 평면 유리 사이의 간섭 원리

(2) 간섭무늬 간격(Δx)

m번째와 $m+1$번째 상쇄 간섭하는 두 지점의 공기층 두께를 각각 d_1, d_2라고 하면

$$2d=\frac{\lambda}{2}(2m)=\lambda m \Rightarrow 2(d_2-d_1)=\lambda$$

이다. $d=x\tan\theta$이므로, 상쇄 간섭하는 이웃한 두 지점 사이의 거리 Δx는

$$d_2-d_1=\Delta x\tan\theta=\frac{\lambda}{2} \Rightarrow \Delta x=\frac{\lambda}{2\tan\theta}$$

가 된다. 따라서 간섭무늬 간격 Δx는 일정하고 유리판에 입사한 빛의 파장 λ에 비례한다.

6. 전자기파의 간섭 실험

그림 (가)와 같이 마이크로파 송신기와 수신기를 금속판으로 만든 이중 슬릿의 양쪽에 설치하고, 송신기에서 마이크로파를 발생시킨다. 수신기의 각도 θ를 0°에서 90°로 점차 증가시키며 마이크로파의 세기를 측정하면, 그림 (나)와 같이 세기가 최대인 지점과 최소인 지점이 교대로 나타난다. 이것은 이중 슬릿을 지나면서 회절한 마이크로파가 서로 간섭하여 보강 간섭하는 지점과 상쇄 간섭하는 지점이 생기기 때문이다.

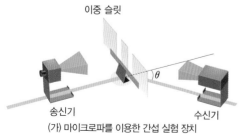
(가) 마이크로파를 이용한 간섭 실험 장치
(나) 각도 θ에 따른 마이크로파의 세기
▲ 전자기파의 간섭 실험

구조색

공작의 화려한 깃털이나 모르포 나비의 날개는 색소가 없이도 화려한 색을 띤다. 공작의 깃털과 나비의 날개를 확대하면 나노 구조물들이 반복되어 쌓여 있는 것을 볼 수 있다. 이 구조물과 공기층에서 반사된 여러 빛들이 중첩되어 특정 파장의 빛이 보강 간섭을 하면 그 색이 우리 눈에 관찰되는데, 이러한 원리로 나타나는 색을 구조색이라고 한다.

▲ 공작의 깃털

▲ 모르포 나비의 날개

전파의 간섭

휴대 전화 기지국이나 방송국에서 송출한 전파는 직접 휴대 전화나 라디오로 오기도 하지만, 옆 건물에서 반사되거나 회절하여 올 수도 있다. 이 전파들이 중첩되어 상쇄 간섭을 일으키면 전파가 약해져 수신 상태가 나빠지기도 한다. 이러한 문제를 해결하기 위해 통신 회사나 방송국이 서로 다른 진동수 대역을 사용하도록 하고, 중간에 중계기를 설치한다.

방송과 통신에 이용되는 정지 위성도 인접한 국가끼리 비슷한 진동수 대역의 전파를 사용하면 서로 간섭을 일으켜 방송과 통신에 지장을 줄 수 있다. 이러한 문제를 해결하기 위해 국제기구를 만들어 진동수를 적절히 분배하고, 정지 위성의 위치를 조정한다.

③ 회절

담장 밖에서 나는 소리를 들을 수 있는 것은 소리가 담장을 넘어 휘어져 들어오기 때문이다. 이렇게 파동이 장애물을 지날 때 장애물 뒤쪽까지 전파되는 현상을 회절이라고 한다. 회절은 소리나 물결파뿐만 아니라 빛에서도 일어나는데, 빛이 회절하는 현상은 빛이 파동이라는 증거이다.

1. 파동의 회절

파동이 진행 도중 장애물을 만날 때 장애물의 뒤쪽까지 휘어져 들어가거나, 좁은 틈을 지날 때 뒤쪽까지 퍼져 나가는 현상을 회절이라고 한다.

(1) 좁은 틈을 지나는 파동의 회절

그림과 같이 물결파가 장애물 사이의 좁은 틈을 지나는 경우에도 회절이 일어난다. 장애물 사이의 간격이 같을 때는 물결파의 파장이 길수록 회절이 잘 일어나고, 물결파의 파장이 같을 때는 장애물의 틈이 좁을수록 회절이 잘 일어난다.

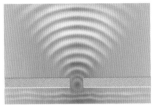

(가) 파장이 짧을 때 　　　(나) 파장이 길 때

▲ **파장에 따른 회절** 장애물 사이의 간격이 같을 때 물결파의 파장이 길수록 회절이 잘 일어난다.

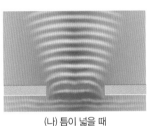

(가) 틈이 좁을 때 　　　(나) 틈이 넓을 때

▲ **장애물의 틈의 폭에 따른 회절** 물결파의 파장이 같을 때 장애물의 틈이 좁을수록 회절이 잘 일어난다.

(2) 하위헌스 원리로 설명한 파동의 회절

평면파 AB가 좁은 틈 PQ에 도달하면 PQ 사이의 각 점에서 구면파가 발생하고, 그 구면파에 공통으로 접하는 새로운 파면 CD가 만들어진다. 또, CD에서 만들어진 구면파에 공통으로 접하는 새로운 파면 EF가 만들어지면서 파동이 점점 좌우로 퍼져 나가는 회절이 일어난다.

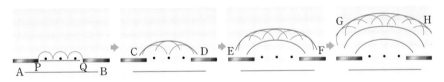

▲ 하위헌스 원리로 설명한 파동의 회절 원리

2. 빛의 회절

물결파나 소리는 장애물에 부딪쳐 회절하는 모습을 쉽게 관찰할 수 있다. 그러나 우리가 일상생활에서 보는 빛은 장애물 뒤쪽에 선명한 그림자를 만든다. 이것은 빛의 파장이 매우 짧기 때문에 직진성이 커서 일어나는 현상이다.

단색광을 아주 작은 구멍에 통과시키면 빛이 회절하는 모습을 볼 수 있는데, 이때 회절한 빛들이 간섭하여 오른쪽 그림과 같이 밝고 어두운 영역으로 이루어진 회절 무늬가 나타난다. 또, 단색광을 바늘에 비추어도 바늘 구멍과 둘레를 지나는 빛들에 의한 회절 무늬를 볼 수 있다.

작은 구멍에 의한 빛의 회절 ▶

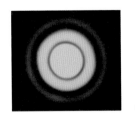

> **소리의 회절**
> 소리도 파동이므로 회절이 일어난다. 예를 들어 스피커에서 발생한 소리는 구멍을 통과하여 나오는 과정에서 회절이 일어나 사방으로 퍼진다. 또, 문을 닫아 두어도 바깥의 소리가 문틈에서 회절하여 방 안으로 퍼지므로, 방안 어디에서도 바깥의 소리를 들을 수 있다.

◀ 바늘에 의한 빛의 회절

3. 단일 슬릿에 의한 빛의 회절

단일 슬릿에 단색광을 비추면 스크린에 아래 그림과 같은 회절 무늬가 나타난다. 단일 슬릿에 의한 회절 무늬는 넓고 밝은 중앙의 밝은 무늬를 중심으로 양쪽에 약한 밝은 무늬가 어두운 무늬와 교대로 나타나는 모습이다. 이중 슬릿에 의한 빛의 간섭 실험에서는 슬릿을 점광원으로 가정하였지만, 단일 슬릿에 의한 빛의 회절 무늬를 설명하기 위해서는 슬릿이 일정한 폭을 가지며, 하위헌스 원리에 의해 슬릿상의 각 지점이 점파원이 되어 각 점에서 나온 빛이 다른 빛과 간섭을 일으킨다고 가정한다.

(1) **경로차(Δ):** 그림과 같이 파장이 λ인 단색광이 폭이 a인 단일 슬릿을 지나며 회절하여 스크린의 중심 O에서 x만큼 떨어진 P 지점에 도달했다고 하자. 슬릿과 스크린 사이의 거리 L이 슬릿의 폭 a에 비해 매우 클 때 슬릿을 지난 빛은 거의 평행하다고 볼 수 있으므로, 슬릿의 양 끝에서 나와 P에 도달한 빛의 경로차 Δ는 다음과 같다.

$$\Delta = |\overline{\mathrm{AP}} - \overline{\mathrm{BP}}| = a\sin\theta \fallingdotseq a\tan\theta = \frac{ax}{L}$$

빛의 회절

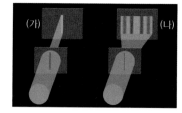

만약 빛이 회절하지 않는다면 단일 슬릿을 통과한 빛은 (가)와 같이 직진하여 스크린에 도달할 것이다. 그러나 단일 슬릿의 폭이 충분히 작아 빛이 회절하면 스크린에 (나)와 같은 회절 무늬가 나타난다.

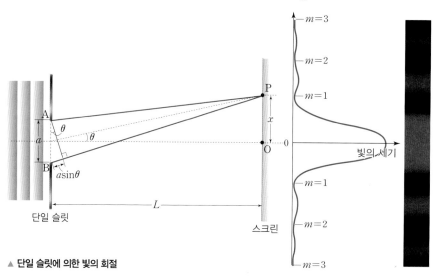

▲ 단일 슬릿에 의한 빛의 회절

(2) **어두운 무늬가 생기는 경우**

① 첫 번째 어두운 무늬: 오른쪽 그림과 같이 슬릿을 2등분 했을 때 슬릿의 중앙 B와 아래 C에서 나온 광선은 P에서 $\frac{a}{2}\sin\theta$만큼 경로차가 생긴다. 비슷하게 슬릿의 AB 부분과 BC 부분에서 위로부터 차례대로 대응되는 점에 입사한 빛들은 모두 경로차가 $\frac{a}{2}\sin\theta$가 된다. 이 경로차가 $\frac{\lambda}{2}$가 되는 각도 θ에서 AB 부분과 BC 부분의 빛이 모두 상쇄 간섭하여 첫 번째 어두운 무늬가 나타난다.

$$\frac{a}{2}\sin\theta = \frac{\lambda}{2} \implies a\sin\theta = \frac{\lambda}{2} \times 2 \implies a\sin\theta = \lambda$$

▲ 첫 번째 어두운 회절 무늬를 만들 때

어두운 무늬

슬릿의 위와 아래를 통과한 빛의 경로차가 λ, 2λ, 3λ, ⋯ 일 때 모두 상쇄 간섭이 일어나 어두운 무늬가 생긴다.

따라서 빛의 파장 λ가 일정할 때 슬릿의 폭 a가 작을수록 첫 번째 어두운 무늬가 나타나는 각도 θ가 커진다. 즉, 슬릿의 폭이 좁을수록 회절이 잘 일어난다.

② 두 번째 어두운 무늬: 슬릿을 4등분 했을 때 슬릿상에서 $\frac{a}{4}$만큼 떨어진 점파원에서 나온 빛의 경로차가 $\frac{\lambda}{2}$가 되는 각도 θ에서 두 번째 어두운 무늬가 나타난다.

$$\frac{a}{4}\sin\theta=\frac{\lambda}{2} \implies a\sin\theta=\frac{\lambda}{2}\times 4$$

③ 어두운 무늬가 생기는 일반적인 조건: 슬릿을 $2m$등분 했을 때 어두운 무늬가 생기는 조건은 다음과 같다.

· 어두운 무늬: $\frac{a}{2m}\sin\theta=\frac{\lambda}{2} \implies a\sin\theta=\frac{ax}{L}=\frac{\lambda}{2}(2m)\,(m=1,\,2,\,3,\,\cdots)$

(3) 밝은 무늬가 생기는 경우

오른쪽 그림과 같이 슬릿을 3등분 했을 때 슬릿상에서 $\frac{a}{3}$만큼 떨어진 두 점파원에서 나온 광선은 P에서 $\frac{a}{3}\sin\theta$만큼 경로차가 생긴다. 이 경로차가 $\frac{\lambda}{2}$가 되는 각도 θ에서는 이웃한 두 부분에서 나온 빛은 상쇄 간섭하지만, 짝이 맞지 않는 한 부분이 남게 되어 P에 밝은 무늬가 생긴다. 이와 같이 슬릿을 $(2m+1)$등분 하여 이웃한 두 부분의 경로차가 $\frac{\lambda}{2}$가 될 때 밝은 무늬가 생긴다.

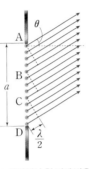

▲ 중앙에서 첫 번째 밝은 회절 무늬를 만들 때

· 밝은 무늬: $\frac{a}{2m+1}\sin\theta=\frac{\lambda}{2} \implies a\sin\theta=\frac{ax}{L}=\frac{\lambda}{2}(2m+1)\,(m=1,\,2,\,3,\,\cdots)$

(4) 중앙의 밝은 무늬의 폭

회절 무늬의 중앙 O에서 첫 번째 어두운 무늬까지의 거리를 Δx라고 하면, 이 지점은 슬릿의 양끝에서 나온 빛의 경로차가 λ인 곳이므로 $\Delta=a\sin\theta=\frac{a\Delta x}{L}=\lambda$에서 $\Delta x=\frac{L\lambda}{a}$이다. 중앙에서 두 번째 어두운 무늬까지의 거리는 경로차가 2λ인 곳이므로 $\frac{a\Delta x_2}{L}=2\lambda$이고, $\Delta x_2=\frac{2L\lambda}{a}=2\Delta x$이다. 따라서 중앙에 있는 밝은 무늬의 폭 D는 $2\Delta x$이고, 그 다음 밝은 무늬 사이의 간격은 Δx로, 중앙의 밝은 무늬 폭이 다른 밝은 무늬 사이 간격의 2배가 된다.

· 중앙의 밝은 무늬의 폭: $D=2\Delta x=\frac{2L\lambda}{a}$

➡ 빛의 파장 λ가 길수록, 슬릿의 폭 a가 좁을수록, 슬릿에서 스크린까지의 거리 L이 멀수록 중앙의 밝은 무늬의 폭은 커진다.

(가) 슬릿의 폭이 넓을 때

(나) 슬릿의 폭이 좁을 때

▲ 슬릿의 폭에 따른 회절 무늬

밝은 무늬
슬릿의 위와 아래를 통과한 빛의 경로차가 1.5λ, 2.5λ, 3.5λ, $\cdots$ 일 때 상쇄되지 않은 빛이 남아 밝은 무늬가 생긴다.

단일 슬릿에 의한 회절 무늬의 밝기
중앙에서 m번째 밝은 무늬는 단일 슬릿을 지난 전체 빛 세기의 $\frac{1}{2m+1}$배만 남아 밝은 무늬가 되므로, 중앙에서 멀어질수록 무늬의 밝기는 중앙의 밝은 무늬에 비해 어두워진다.

단일 슬릿에 의한 빛의 회절 무늬

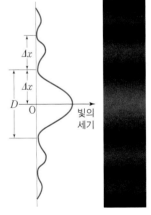

단일 슬릿에 의한 빛의 회절 무늬는 이중 슬릿에 의한 간섭 무늬와 달리 스크린상의 중앙($m=0$)에 무늬 폭이 2배인 밝은 무늬가 생긴다.

❶ 이중 슬릿에 의한 간섭무늬와 단일 슬릿에 의한 회절 무늬 비교

구분	이중 슬릿에 의한 간섭무늬	단일 슬릿에 의한 회절 무늬
모습	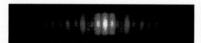	
밝은 무늬	$\varDelta=\dfrac{dx}{L}=\dfrac{\lambda}{2}(2m)\,(m=0,\,1,\,\cdots)$	$\varDelta=\dfrac{ax}{L}=\dfrac{\lambda}{2}(2m+1)\,(m=1,\,2,\,\cdots)$
어두운 무늬	$\varDelta=\dfrac{dx}{L}=\dfrac{\lambda}{2}(2m+1)\,(m=0,\,1,\,\cdots)$	$\varDelta=\dfrac{ax}{L}=\dfrac{\lambda}{2}(2m)\,(m=1,\,2,\,\cdots)$
무늬 간격	밝은 무늬 사이 간격은 모두 같다.	중앙의 밝은 무늬의 폭이 다른 밝은 무늬 간격의 2배이다.

❷ 이중 슬릿에 의한 회절 무늬

이중 슬릿에 의한 간섭무늬에서 밝은 무늬 사이의 간격은 $\varDelta x=\dfrac{L\lambda}{d}$($d$: 슬릿 사이의 간격)이고, 단일 슬릿에 의한 회절 무늬에서 중앙을 제외한 나머지 밝은 무늬 사이의 간격은 $\varDelta x=\dfrac{L\lambda}{a}$($a$: 슬릿의 폭)로, 두 식이 비슷하게 표현된다.

그러나 이중 슬릿 사이의 간격 d가 단일 슬릿의 폭 a에 비해 크기 때문에 간섭무늬의 간격이 회절 무늬의 간격보다 더 작다. 따라서 이중 슬릿에 의한 간섭무늬를 자세히 보면 그림 (가)와 같이 간격이 넓은 회절 무늬 속에 간격이 좁은 간섭무늬가 나타나는 것을 볼 수 있다. 그림 (나)는 이중 슬릿에서 한 슬릿을 가렸을 때 나머지 슬릿 하나에 의한 회절 무늬이다.

▲ 이중 슬릿

(가) 이중 슬릿에 의한 무늬

(나) 한 슬릿을 가렸을 때

4. 회절격자

(1) 회절격자의 원리

투명한 판에 1 cm당 3000~20000개 정도의 가는 줄을 일정한 간격으로 평행하게 그은 것을 회절격자라고 하고, 줄 사이의 간격 d를 격자 상수라고 한다. 그림과 같이 회절격자에 수직으로 빛을 입사시키면 줄 사이의 평면부가 아주 좁은 슬릿의 역할을 하여, 각각의 슬릿에서 회절한 빛이 간섭하여 무늬가 나타난다. 각 θ 방향으로 회절한 광선들이 간섭할 때 인접한 광선과의 광로차 $\varDelta=d\sin\theta$이고, 광로차가 반파장의 짝수 배가 될 때 인접 광선이 모두 보강 간섭을 하여 밝은 무늬가 나타난다.

• 밝은 무늬: $\varDelta=d\sin\theta=\dfrac{\lambda}{2}(2m)\,(m=0,\,1,\,2,\,\cdots)$

① 같은 m에 대하여 빛의 파장에 따라 보강 간섭하는 θ의 값이 달라지므로, 백색광이 회절격자에 입사하면 스크린에 여러 가지 색이 나타난다.

② 회절격자는 빛의 파장을 측정하거나 빛의 스펙트럼을 분석하는 데 이용된다.

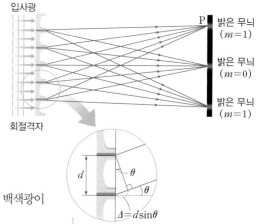

▲ 회절격자의 원리

(2) **CD 표면에 의한 빛의 간섭**: CD 뒷면에는 $0.75\ \mu m \sim 1.6\ \mu m$ 간격의 미세한 줄무늬 홈이 있는데, 이 홈들이 회절격자의 역할을 한다. 따라서 CD 뒷면에 백색광을 비추면 각각의 홈에서 반사된 빛들이 간섭하여 아름다운 무지갯빛이 나타난다.

(3) **결정의 원자 구조 파악**: 원자의 배열이 규칙적인 결정은 X선에 대해 회절격자의 역할을 할 수 있으므로, 회절 무늬를 분석하면 원자 사이의 간격과 결정 구조의 특징 등을 알 수 있다. 왓슨과 크릭은 이러한 회절 무늬를 분석한 자료를 이용하여 DNA가 이중 나선 구조임을 밝히기도 했다.

▲ **CD의 뒷면**　　　　　　　▲ **DNA의 X선 회절 사진**

5. 그 외의 회절에 의한 현상

(1) **라디오 방송**: 라디오 방송에는 약 $500\ \text{kHz} \sim$ $1600\ \text{kHz}$의 낮은 주파수 대역을 사용하는 AM 방송과 $90\ \text{MHz} \sim 110\ \text{MHz}$의 높은 주파수 대역을 사용하는 FM 방송이 있다. 산이나 계곡과 같이 장애물이 많은 지형에서는 AM 방송은 수신되나 FM 방송은 수신되지 않는 경우가 있다. 이는 파장이 긴

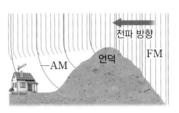

▲ **AM 방송과 FM 방송의 전파의 회절**

AM 방송의 전파가 파장이 짧은 FM 방송의 전파보다 회절이 잘 되기 때문이다. 이러한 곳에서 FM 방송을 수신하려면 안테나를 높이 설치하여야 한다. 아파트의 경우 대부분 옥상에 공청 안테나가 설치되어 있다.

(2) **망원경의 분해능**: 망원경으로 별을 관측할 때 충분히 멀리 떨어진 2개의 별은 쉽게 구별할 수 있다. 그러나 두 별이 가까이 있으면, 별에서 온 빛이 망원경을 지나며 회절하여 두 별의 상이 겹쳐서 구별하기 어렵게 된다. 따라서 구경이 큰 망원경을 사용할수록 회절이 잘 일어나지 않아 선명한 상을 얻을 수 있으므로, 분해능을 높일 수 있다.

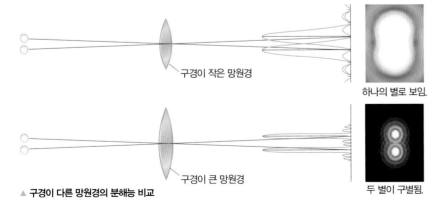

▲ **구경이 다른 망원경의 분해능 비교**

구경이 작은 망원경　　하나의 별로 보임.

구경이 큰 망원경　　두 별이 구별됨.

01 전자기파의 간섭과 회절

1. 전자기파와 통신

① 파동의 표시와 하위헌스 원리

1. **파동 함수** $+x$ 방향으로 진행하는 사인 모양의 파동 함수는 다음과 같다.

$$y = A\sin(kx - \omega t) \, (A: 진폭, \, k: 파수, \, \omega: 각진동수)$$

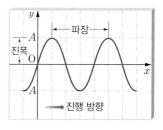

- (**①**): 파동 함수에서 $kx - \omega t$로, 마루와 이웃한 마루는 2π, 마루와 이웃한 골은 (**②**)만큼 위상 차이가 난다.

- 진동수(f)와 주기(T): $f = \dfrac{\omega}{(\text{❸} \quad)} = \dfrac{1}{T}$

2. (**④**) **원리** 파동이 진행할 때 파면 AB 위의 모든 점들은 독립적으로 점파원의 역할을 하여 새로운 구면파를 발생시키고, 이렇게 생긴 수많은 구면파에 공통으로 접하는 면 A′B′가 다음 순간의 새로운 파면이 된다.

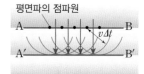
평면파의 점파원

② 간섭

1. **파동의 간섭**

보강 간섭	상쇄 간섭
두 파동이 (**❺**) 위상으로 중첩되어 합성파의 진폭이 중첩 전 각 파동의 진폭보다 커지는 간섭	두 파동이 반대 위상으로 중첩되어 합성파의 진폭이 중첩 전 각 파동의 진폭보다 (**❻**)지는 간섭

- 물결파의 간섭 조건: 점파원 S_1, S_2에서 동일한 두 파동이 같은 위상으로 발생할 때 간섭 조건은 다음과 같다.

  보강 간섭: $|\overline{S_1P} - \overline{S_2P}| = \dfrac{\lambda}{2}(2m) \, (m = 0, 1, 2, \cdots)$

  상쇄 간섭: $|\overline{S_1R} - \overline{S_2R}| = \dfrac{\lambda}{2}(2m+1) \, (m = 0, 1, 2, \cdots)$

- 마디선의 개수: 마디선은 (**❼**) 간섭하는 지점을 연결한 선이므로, 간격 d인 두 파원 사이에는

  $-d < \dfrac{\lambda}{2}(2m+1) < d$를 만족하는 정수 m의 개수만큼 마디선이 생긴다.

2. **이중 슬릿에 의한 빛의 간섭** 위상이 동일한 단색광이 이중 슬릿을 지나며 회절하여 간섭하면 스크린에 일정한 간격의 밝고 어두운 간섭무늬가 나타난다.

- P점에서 두 빛의 경로차: $\varDelta = |\overline{S_1P} - \overline{S_2P}| = d\sin\theta = d\dfrac{x}{L}$

- 간섭 조건

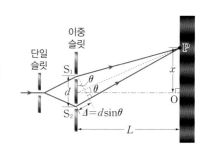

구분	경로차
보강 간섭(밝은 무늬)	$\varDelta = d\dfrac{x}{L} = \dfrac{\lambda}{2}(2m) \, (m = 0, 1, 2, \cdots)$
상쇄 간섭(어두운 무늬)	$\varDelta = d\dfrac{x}{L} = \dfrac{\lambda}{2}(2m+1) \, (m = 0, 1, 2, \cdots)$

- 밝은 무늬 사이의 간격($\varDelta x$): 이웃한 밝은 무늬 사이의 간격은 빛의 파장 λ와 이중 슬릿에서 스크린까지의 거리 L에 (**❽**)하고, 이중 슬릿 사이의 간격 d에 반비례한다. ➡ $\varDelta x = (\text{❾} \quad)$ (일정)

3. 얇은 막에 의한 빛의 간섭

- 굴절률이 n인 얇은 막의 윗면과 아랫면에서 반사한 빛의 광로차:

$$\Delta = (❿ \qquad)$$

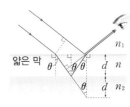

- 간섭 조건: 반사에 의한 위상 변화를 고려하면, 세 매질의 굴절률에 따라 간섭 조건은 다음과 같이 달라진다. (단, $m = 0, 1, 2, \cdots$이다.)

구분	고정단 반사가 (⓫)회일 때 ($n_1, n_2 < n$ 또는 $n_1, n_2 > n$)	고정단 반사가 없거나 (⓬)회일 때 ($n_1 < n < n_2$ 또는 $n_1 > n > n_2$)
보강 간섭	$\Delta = 2nd\cos\theta = \dfrac{\lambda}{2}(2m+1)$	$\Delta = 2nd\cos\theta = \dfrac{\lambda}{2}(2m)$
상쇄 간섭	$\Delta = 2nd\cos\theta = \dfrac{\lambda}{2}(2m)$	$\Delta = 2nd\cos\theta = \dfrac{\lambda}{2}(2m+1)$

4. 두 장의 평면 유리 사이에서의 간섭

- 간섭 조건: 두께가 d인 공기층의 양쪽에서 반사하는 두 빛이 (⓭   ) 간섭할 조건은 $\Delta = 2d = \dfrac{\lambda}{2}(2m)$이다.

- 이웃한 어두운 무늬 사이의 간격:

$$d_2 - d_1 = \Delta x\tan\theta = \frac{\lambda}{2} \Rightarrow \Delta x = (⓮ \qquad)$$

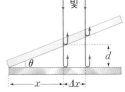

③ 회절

1. 파동의 회절
슬릿의 폭이 좁을수록, 파동의 파장이 (⓯   )수록 회절이 잘 일어난다.

2. 단일 슬릿에 의한 빛의 회절
단색광이 단일 슬릿을 통과하면 스크린에 중앙의 넓고 밝은 무늬를 중심으로 양쪽에 약한 밝은 무늬가 어두운 무늬와 교대로 나타난다.

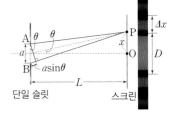

(⓰) 무늬	$a\sin\theta = \dfrac{ax}{L} = \dfrac{\lambda}{2}(2m)\,(m = 1, 2, 3, \cdots)$
(⓱) 무늬	$a\sin\theta = \dfrac{ax}{L} = \dfrac{\lambda}{2}(2m+1)\,(m = 1, 2, 3, \cdots)$

- 중앙의 밝은 무늬의 폭: 밝은 무늬 사이의 간격 Δx는 빛의 파장 λ와 슬릿에서 스크린까지의 거리 L에 비례하고, 슬릿의 폭 a에 반비례한다. 중앙의 밝은 무늬의 폭은 $2\Delta x$로 다른 밝은 무늬 사이 간격의 2배이다. $\Rightarrow D = 2\Delta x = \dfrac{2L\lambda}{a}$

3. 회절격자
투명한 판에 간격 d로 평행하게 줄을 그어 놓은 (⓲   )에 백색광이 입사하면 빛의 파장에 따라 보강 간섭이 일어나는 각 θ가 다음과 같이 달라지므로, 스크린에 여러 가지 색이 나타난다.

$$\Delta = d\sin\theta = \frac{\lambda}{2}(2m)\,(m = 0, 1, 2, \cdots)$$

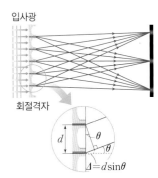

- CD 뒷면의 홈이 회절격자의 역할을 하여 백색광을 비추면 무지갯빛이 나타난다.

- 결정의 원자 배열이 X선에 대해 회절격자의 역할을 할 수 있으므로, 원자 사이의 간격과 결정 구조의 특징 등을 알 수 있다.

01 그림은 하위헌스 원리에 따라 점 O에서 발생한 물결파가 전파되는 모습을 나타낸 것이다. 점 P, Q는 한 주기가 지날 때마다 나타낸 파면 위의 점이다. 이에 대한 설명으로 옳은 것만을 보기에서 있는 대로 고르시오.

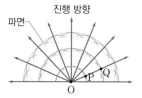

보기
ㄱ. 파면 위의 각 점은 새로운 파원이 되어 구면파를 만든다.
ㄴ. 물결파의 진행 방향과 파면은 직각을 이룬다.
ㄷ. PQ 사이의 거리는 물결파의 파장과 같다.

---

02 파동의 간섭에 대한 설명으로 옳은 것만을 보기에서 있는 대로 고르시오.

보기
ㄱ. 파동이 중첩되어 합성파의 진동수가 커지거나 작아지는 현상을 간섭이라고 한다.
ㄴ. 동일한 두 파동이 같은 위상으로 중첩되면 합성파의 진폭이 커진다.
ㄷ. 두 파동이 중첩되어 상쇄 간섭을 하면 합성파의 진폭은 항상 0이 된다.

---

03 그림은 반사면에 입사한 물결파와 반사한 물결파의 파면을 나타낸 것이다. 실선은 마루, 점선은 골이고, P, Q, R는 수면 위의 점이다.
이에 대한 설명으로 옳은 것만을 보기에서 있는 대로 고르시오.

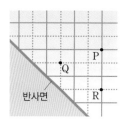

보기
ㄱ. P에서는 보강 간섭이 일어난다.
ㄴ. Q에서 수면은 물결파 진폭의 2배로 계속 진동한다.
ㄷ. R에서 수면의 높이는 변하지 않는다.

---

04 그림 (가)는 송신기에서 발생한 마이크로파를 이중 슬릿을 통과시킨 후 수신기로 세기를 측정하는 모습을 나타낸 것이다. 그림 (나)는 수신기의 각 θ를 0°에서 90°까지 변화시켰을 때 수신된 마이크로파의 상대적 세기를 각도에 따라 나타낸 것이다.

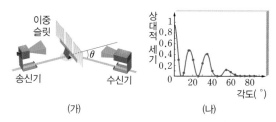

(가)　　　　　(나)

이에 대한 설명으로 옳은 것만을 보기에서 있는 대로 고르시오.

보기
ㄱ. 이중 슬릿을 통과한 마이크로파는 서로 간섭한다.
ㄴ. 상대적 세기가 0인 각도에서는 상쇄 간섭이 일어난다.
ㄷ. 마이크로파의 파장이 길수록 상대적 세기가 0이 되는 최소 각도는 증가한다.

---

05 그림은 파장 λ인 단색광이 이중 슬릿을 통과하여 스크린에 간섭무늬를 만드는 것을 모식적으로 나타낸 것이다. d는 이중 슬릿 사이의 간격, L은 이중 슬릿에서 스크린까지의 거리, x는 스크린의 중앙 O에서 위로 세 번째 어두운 무늬가 생긴 P 지점까지의 거리이다.

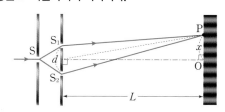

(1) $\overline{S_1P}$와 $\overline{S_2P}$의 경로차를 구하시오.

(2) 실험에 사용한 단색광의 파장을 식으로 나타내시오.

(3) 스크린에 나타난 밝은 무늬 사이의 간격이 커지는 경우를 모두 쓰시오.

06 그림은 백색광이 슬릿 간격이 0.2 mm인 이중 슬릿을 통과했을 때의 간섭 무늬를 나타낸 것이다.

이중 슬릿과 스크린 사이의 거리가 2 m일 때, 파장이 600 nm인 붉은 빛과 450 nm인 푸른 빛이 중앙을 제외한 첫 번째 보강 간섭을 일으키는 지점이 스크린의 중앙에서 떨어진 거리는 각각 몇 mm인지 구하시오.

07 그림은 원형 고리에 묻힌 비눗물의 비누 막에 생긴 여러 가지 색의 띠를 나타낸 것이다.

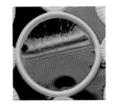

이에 대한 설명으로 옳은 것만을 보기에서 있는 대로 고르시오.

> **보기**
> ㄱ. 비누 막의 양쪽 경계면에서 반사된 빛이 간섭하여 나타난다.
> ㄴ. 막의 두께에 따라 보강 간섭하는 빛의 색이 달라진다.
> ㄷ. 붉게 보이는 곳은 붉은 색 빛이 상쇄 간섭을 한 곳이다.

08 그림과 같이 평면 유리 2개를 매우 작은 각 θ를 이루게 하고 수직으로 파장이 500 nm인 단색광을 비추었더니 A와 B 지점에서 어두운 무늬가 생겼다.

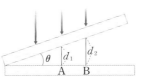

이때 두 지점의 공기층 두께의 차($d_2 - d_1$)는 몇 nm인지 구하시오.

09 그림은 물결파가 슬릿을 통과하면서 회절하는 모습을 나타낸 것이다. (가)와 (나)는 물결파의 파장이 같고, (가)와 (다)는 슬릿의 폭이 같다.

(가)   (나)   (다)

위 자료를 토대로 어떨 때 회절이 잘 되는지 서술하시오.

10 그림은 단일 슬릿을 통과한 레이저 빛의 회절 무늬를 찍은 사진이다.

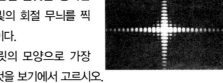

단일 슬릿의 모양으로 가장 알맞은 것을 보기에서 고르시오.

> **보기**
> ㄱ.   ㄴ.   ㄷ.   ㄹ.

11 단일 슬릿에 수직으로 파장이 600 nm인 단색광을 비추었더니 빛의 진행 방향과 30°의 방향으로 최초의 어두운 무늬가 나타났다. 이 단일 슬릿의 폭은 몇 m인지 구하시오.

12 그림과 같이 폭이 일정한 단일 슬릿을 파장이 600 nm인 빛이 지나고 있다.

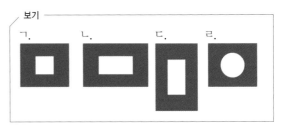

이때 생기는 가운데 밝은 무늬의 폭 D는 파장이 500 nm인 빛이 지날 때 생기는 무늬 폭의 몇 배인지 구하시오.

13 전자기파의 간섭과 회절에 의해 나타나는 현상으로 옳은 것만을 보기에서 있는 대로 고르시오.

> **보기**
> ㄱ. CD 표면에 무지갯빛이 나타난다.
> ㄴ. 공작새 깃털이 여러 가지 색으로 나타난다.
> ㄷ. 산이나 계곡에서는 FM 방송보다 AM 방송이 잘 들린다.
> ㄹ. 프리즘을 통과한 햇빛이 무지개 색의 띠를 이룬다.

01 ＞물결파의 간섭

그림은 수면 위의 두 점 a, b를 같은 위상과 주기, 같은 진폭으로 두드렸을 때, 어느 순간 수면의 모습이다.

a, b를 두드리는 주기를 각각 2배로 하고, 서로 엇갈리게 두드려 a, b에서 발생하는 물결파의 위상이 반대가 되게 할 때, P, Q, R점에 나타나는 현상에 대한 설명으로 옳은 것만을 보기에서 있는 대로 고른 것은? (단, 물의 깊이는 일정하다.)

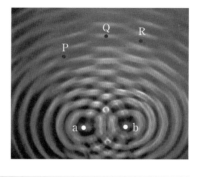

● 파원의 위상이 반대가 되면 보강 간섭과 상쇄 간섭이 일어나는 조건이 서로 반대가 된다.

┌─ 보기 ──────────────
ㄱ. Q에서 수면은 계속 잔잔하다.
ㄴ. R에서는 보강 간섭이 일어난다.
ㄷ. P는 R와 같은 진폭으로 계속 진동한다.
└────────────────

① ㄴ　　② ㄷ　　③ ㄱ, ㄴ　　④ ㄱ, ㄷ　　⑤ ㄴ, ㄷ

02 ＞이중 슬릿에 의한 빛의 간섭

그림 (가)는 단색광이 단일 슬릿과 이중 슬릿 S_1, S_2를 통과하여 스크린에 간섭무늬를 만든 것을 나타낸 것으로, O는 중앙의 밝은 무늬가 생긴 스크린 위의 점이고, 밝은 무늬 사이의 간격은 Δx이다. 그림 (나)는 (가)의 이중 슬릿의 S_1 앞에 굴절률이 n인 얇은 막을 댄 것이고, (다)는 (가)의 이중 슬릿을 아래로 이동시킨 것을 나타낸 것이다.

● 이중 슬릿에 의한 간섭무늬에서 중앙의 밝은 무늬는 광로차가 0인 지점에 생긴다.

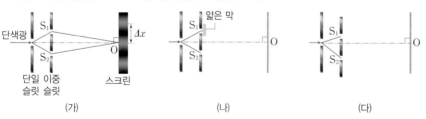

(가)　　　　(나)　　　　(다)

이에 대한 설명으로 옳은 것만을 보기에서 있는 대로 고른 것은? (단, 공기의 굴절률은 1이다.)

┌─ 보기 ──────────────
ㄱ. (가)에서 $\overline{OS_1}$과 $\overline{OS_2}$는 같다.
ㄴ. (나)에서 밝은 무늬 사이의 간격은 Δx보다 감소한다.
ㄷ. (다)에서 중앙의 밝은 무늬는 O보다 아래에 생긴다.
└────────────────

① ㄱ　　② ㄴ　　③ ㄱ, ㄷ　　④ ㄴ, ㄷ　　⑤ ㄱ, ㄴ, ㄷ

[03~04] 그림과 같이 이중 슬릿에 단색광을 비추었더니 스크린에 밝고 어두운 무늬가 일정한 간격으로 나타났다. 이중 슬릿의 간격은 d, 이중 슬릿에서 스크린까지의 거리는 L, 스크린에 나타난 이웃한 밝은 무늬 사이의 간격은 Δx이다.

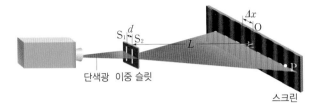

03 ❯ 이중 슬릿에 의한 빛의 간섭

스크린에 나타난 무늬에 대한 설명으로 옳지 않은 것은?

① 밝은 무늬는 슬릿 S_1과 S_2에서 온 단색광이 같은 위상으로 만나서 생긴다.

② 어두운 무늬는 슬릿 S_1과 S_2에서 온 단색광이 상쇄 간섭을 일으켜 생긴다.

③ 파장이 긴 단색광을 이용하여 실험하면 Δx가 증가한다.

④ 슬릿 S_1과 S_2 사이의 간격을 넓게 하면 Δx가 증가한다.

⑤ L이 길수록 Δx가 증가한다.

> • 두 슬릿을 통과한 단색광이 같은 위상으로 만나면 보강 간섭이 일어나고, 반대 위상으로 만나면 상쇄 간섭이 일어난다.

04 ❯ 이중 슬릿에 의한 빛의 간섭

위 실험 장치를 굴절률이 1.5인 투명한 액체 속에 넣고 동일한 단색광을 비췄다.
이에 대한 설명으로 옳은 것만을 보기에서 있는 대로 고른 것은? (단, 공기의 굴절률은 1이다.)

보기
ㄱ. 액체 속에서 빛의 진동수는 공기에서의 1.5배로 증가한다.

ㄴ. 스크린의 중앙 O에서 세 번째 밝은 무늬가 있던 지점 P에 밝은 무늬가 생긴다.

ㄷ. 이웃한 밝은 무늬 사이의 간격은 $\dfrac{1}{1.5}$배로 감소한다.

① ㄱ   ② ㄷ   ③ ㄱ, ㄴ   ④ ㄱ, ㄷ   ⑤ ㄴ, ㄷ

> • 굴절률이 1인 공기 중에서 파장이 λ인 빛이 굴절률이 n인 물질로 들어가면 파장이 $\dfrac{\lambda}{n}$가 된다.

05 › 얇은 막에 의한 빛의 간섭

그림은 얇은 막으로 코팅된 유리 표면에 파장이 600 nm인 단색광을 수직으로 비추었을 때 얇은 막의 표면에서 반사되는 빛 a와 유리 표면에서 반사되는 빛 b를 나타낸 것이다. 대부분의 입사광은 반사되지 않고 투과하였다.

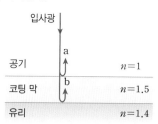

이에 대한 설명으로 옳은 것만을 보기에서 있는 대로 고른 것은? (단, 공기의 굴절률은 1이고, 코팅된 얇은 막의 굴절률은 1.5, 유리의 굴절률은 1.4이다.)

> 보기 ────────────────────────

ㄱ. a는 반사되는 순간 위상이 반대가 된다.

ㄴ. a와 b는 상쇄 간섭을 일으킨다.

ㄷ. 얇은 막의 최소 두께는 300 nm이다.

① ㄱ   ② ㄷ   ③ ㄱ, ㄴ   ④ ㄴ, ㄷ   ⑤ ㄱ, ㄴ, ㄷ

• 빛이 굴절률이 작은 물질에서 큰 물질로 진행하면서 반사될 때 반사된 빛의 위상은 반대가 된다.

---

06 › 회절

그림 (가)는 물결파 발생 장치에서 발생한 물결파가 슬릿을 통과한 후 퍼져 나가는 모습을 나타낸 것이다. 그림 (나)는 붉은색 레이저 빛이 단일 슬릿을 통과한 후 스크린에 밝고 어두운 무늬를 만든 것을 나타낸 것으로, D는 중앙의 밝은 무늬의 폭이다.

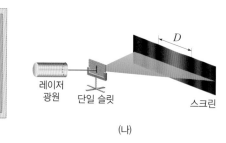

(가)   (나)

이에 대한 설명으로 옳은 것만을 보기에서 있는 대로 고른 것은?

> 보기 ────────────────────────

ㄱ. (가)에서 슬릿의 폭이 좁을수록 물결파가 슬릿을 통과한 후 더 넓게 퍼진다.

ㄴ. (나)에서 초록색 레이저를 사용하면 D는 커진다.

ㄷ. (가)와 (나) 모두 회절에 의해 생긴 현상이다.

① ㄱ   ② ㄴ   ③ ㄱ, ㄷ   ④ ㄴ, ㄷ   ⑤ ㄱ, ㄴ, ㄷ

• 파장이 길수록, 슬릿의 폭이 작을수록 회절이 잘 일어난다.

07 ▶ 단일 슬릿에 의한 빛의 회절

그림은 단일 슬릿을 통과한 단색광이 스크린에 나타낸 무늬의 빛의 세기를 상대적으로 나타낸 것이다. A, B는 단일 슬릿의 위와 아래의 지점이고, 점 O, P, Q, R는 스크린에서 중앙의 밝은 무늬와 첫 번째 어두운 무늬, 첫 번째 밝은 무늬와 두 번째 어두운 무늬가 생긴 점이다. 단색광의 파장은 λ이고, AB 사이의 거리는 a, 단일 슬릿에서 스크린까지의 거리는 L이다.

• 단일 슬릿의 위와 아래를 통과한 빛의 경로차가 파장의 정수배인 곳에서 상쇄 간섭이 일어난다.

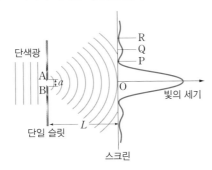

이에 대한 설명으로 옳은 것만을 보기에서 있는 대로 고른 것은?

> 보기
>
> ㄱ. $\overline{OP}$는 $\overline{PR}$와 같다.
> ㄴ. $\overline{AQ}$와 $\overline{BQ}$의 차이는 1.5λ이다.
> ㄷ. $\overline{OP}$는 $\dfrac{L\lambda}{a}$이다.

① ㄱ   ② ㄴ   ③ ㄷ   ④ ㄴ, ㄷ   ⑤ ㄱ, ㄴ, ㄷ

08 ▶ 빛의 간섭과 회절

그림은 적색광과 청색광을 동일한 이중 슬릿과 단일 슬릿에 각각 비추었을 때 얻은 간섭무늬와 회절 무늬를 나타낸 것이다.

• 빛의 파장이 길수록 간섭무늬의 간격이 커지고, 회절 무늬의 폭도 넓어진다.

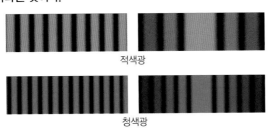

적색광

청색광

위 실험 결과를 통해 알 수 있는 사실로 옳은 것만을 보기에서 있는 대로 고른 것은?

> 보기
>
> ㄱ. 빛의 파장이 짧을수록 간섭무늬의 간격도 좁다.
> ㄴ. 단일 슬릿의 폭이 넓을수록 빛의 직진성보다 회절성이 더 잘 나타난다.
> ㄷ. 빨간색 조명 아래 그림자의 가장자리가 파란색 조명 아래 그림자의 가장자리보다 더 선명하다.

① ㄱ   ② ㄴ   ③ ㄱ, ㄴ   ④ ㄱ, ㄷ   ⑤ ㄴ, ㄷ

02 도플러 효과

학습 Point   도플러 효과 〉 일반적인 도플러 효과의 식 〉 도플러 효과의 이용 〉 충격파

도플러 효과

도로를 지나가는 소방차의 사이렌 소리를 들으면, 소방차가 가까이 올 때는 실제보다 높은 소리로 들리지만, 소방차가 멀어질 때는 실제보다 낮은 소리로 들린다. 이처럼 소방차의 사이렌 소리의 높낮이가 달라지는 현상은 도플러 효과로 설명된다.

소방차의 사이렌 소리의 높낮이가 다르게 들리는 것은 소방차가 관찰자에 가까워질 때와 멀어질 때 관찰자가 듣는 소리의 진동수가 달라지기 때문이다. 이처럼 파원과 관찰자의 상대적인 운동에 의해 관찰자가 측정한 진동수가 달라지는 현상을 도플러 효과라고 한다. 도플러 효과는 음파에서만 일어나는 현상이 아니라 전파, 빛과 같은 모든 파동에서 나타나는 현상이다. 그러면 파원과 관찰자의 운동에 따라 진동수는 어떻게 변할까?

1. 파원과 관찰자가 모두 정지해 있을 때

소방차에서 진동수가 f, 파장이 λ인 일정한 음파가 발생하고, 공기 중을 진행하는 음파의 속력을 v라고 하자. 파원과 관찰자가 모두 정지해 있는 경우, 그림과 같이 음파의 파면이 관찰자의 귀를 지나간다. 시간 t 동안 음파의 이동 거리는 vt이므로, 이 거리만큼 귀를 지나는 파면의 개수는 $\dfrac{vt}{\lambda}$가 된다. 따라서 관찰자가 듣는 소리의 진동수 f'는 다음과 같다.

$$f' = \frac{\dfrac{vt}{\lambda}}{t} = \frac{v}{\lambda} = f$$

즉, 파원과 관찰자가 모두 정지해 있을 때 관찰자가 듣는 소리의 진동수는 파원에서 발생한 소리의 진동수와 같다. ➡ 도플러 효과는 나타나지 않는다.

도플러(Doppler, J. C., 1803~1853)
오스트리아의 물리학자로, 도플러 효과는 그의 이름을 따서 명명되었다. 1842년에 음파와 빛 모두에 대하여 이 효과를 예측하였다.

소리의 3요소
소리의 높낮이, 크기, 맵시를 소리의 3요소라고 한다. 소리의 진동수가 클수록 높은 소리이고, 진폭이 클수록 큰 소리이며, 소리의 파형에 따라 맵시가 달라진다.

파장
파동이 한 주기 동안 진동할 때 전파된 거리로, 위상이 같은 이웃한 파면 사이의 거리이다.

▲ **파원과 관찰자가 모두 정지해 있을 때** 소방차에서 음파를 방출하는 파원이 점파원이고 매질이 균일하다면, 음파는 모든 방향으로 동일한 속력으로 진행하므로 구면파의 형태로 퍼져 나간다.

2. 파원만 움직일 때의 도플러 효과(관찰자는 정지)

파원이 직선 경로를 따라 일정한 속력으로 운동하여 관찰자를 향해 접근하는 경우와 관찰자로부터 멀어지는 경우로 나누어 분석해 보자.

(1) 파원이 v_s의 일정한 속력으로 관찰자를 향해 접근할 때: 앞의 그림과 같이 소방차가 정지해 있을 때는 음파의 파장이 소방차의 앞쪽과 뒤쪽에서 모두 같지만, 소방차가 관찰자를 향해 접근하면서 음파가 발생하면 소방차에서 관찰자 쪽 파장이 반대쪽의 파장보다 짧아진다.

① 관찰자가 듣는 소리의 파장(λ')

그림 (가)는 소방차가 정지해 있을 때 파면 A가 파원에서 나왔을 때부터 주기 T가 지난 다음 파면 B가 파원에서 나오는 순간의 모습이다. 이때 파면 A, B 사이의 거리는 파장 λ와 같다. 그림 (나)는 소방차가 일정한 속력 v_s로 정지해 있는 관찰자를 향해 운동하는 경우이다. 파면 A가 발생한 위치는 같으므로, 파면 A는 주기 T 동안 (가)와 같은 위치까지 이동한다. 그런데 이 시간 동안 소방차의 위치는 $v_s T$만큼 관찰자 쪽으로 이동하므로, 파면 B가 발생하는 위치는 달라진다. 따라서 관찰자가 듣는 소리의 파장 λ'는 파면 A, B 사이의 거리로, 다음과 같이 감소한다.

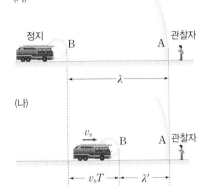

▲ **소방차가 정지한 관찰자를 향해 v_s의 속력으로 접근할 때** 관찰자가 듣는 소리의 파장이 감소한다.

$$\lambda' = \lambda - v_s T$$

② 관찰자가 듣는 소리의 진동수(f')

파원에서 진동수 f인 음파가 발생할 때 파원이 운동하더라도 매질인 공기가 달라지는 것은 아니므로, 관찰자가 측정한 음파의 속력은 v로 같다. 따라서 위 식을 음파의 속력 v로 나타내면, 관찰자가 듣는 소리의 진동수 f'는 다음과 같다.

$$\frac{v}{f'} = \frac{v}{f} - \frac{v_s}{f} = \frac{v - v_s}{f}$$

$$f' = \frac{v}{v - v_s} f \quad \text{(파원이 관찰자를 향해 속력 } v_s \text{로 접근할 때)}$$

위 식에서 분모가 분자보다 작으므로 $f' > f$가 되고, 관찰자는 원래 발생한 소리보다 더 높은 소리를 듣게 된다.

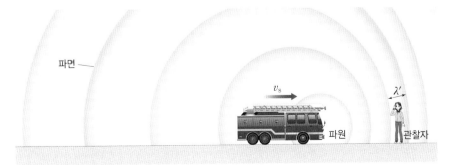

▲ **파원이 움직이고 관찰자는 정지해 있을 때**

파동의 전파 속력

파동이 한 주기(T) 동안 파장(λ)만큼 전파하므로, 파동의 전파 속력(v)은 다음과 같다.

$$v = \frac{\lambda}{T} = f\lambda$$

도플러 효과의 검증

1842년, 도플러는 파원과 관찰자의 운동이 진동수에 영향을 준다고 주장하였다. 1845년에 발롯은 뚜껑 없는 기차에 트럼펫 연주자들을 태우고 약 60 km/h의 속력으로 기차가 다가오거나 멀어질 때 선로 옆에서 소리의 높낮이를 관찰하여 도플러 효과를 검증하였다.

(2) 파원이 v_s의 일정한 속력으로 관찰자로부터 멀어질 때

① 관찰자가 듣는 소리의 파장(λ')

소방차가 접근할 때와는 반대로, 파면 A의 위치에서 파면 B가 발생하는 위치가 $v_s T$만큼 멀어지므로, 이때 관찰자가 측정한 음파의 파장 λ'는 다음과 같다.

$$\lambda' = \lambda + v_s T$$

② 관찰자가 듣는 소리의 진동수(f')

관찰자가 듣는 소리의 진동수 f'는 다음과 같다.

$$f' = \frac{v}{v + v_s} f$$

(파원이 관찰자로부터 속력 v_s로 멀어질 때)

위 식에서 분모가 분자보다 크므로 $f' < f$가 되고, 관찰자는 원래 발생한 소리보다 더 낮은 소리를 듣게 된다.

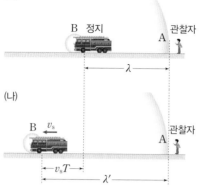

(가)

B 정지

A 관찰자

λ

(나)

B v_s

A 관찰자

$v_s T$

λ'

▲ **소방차가 정지한 관찰자로부터 v_s의 속력으로 멀어질 때** 관찰자가 듣는 소리의 파장이 증가한다.

(3) 파원만 운동할 때의 도플러 효과

(1), (2)로부터 관찰자는 정지해 있고 파원이 진동수 f인 소리를 내며 속력 v_s로 관찰자 쪽으로 접근하거나 멀어지는 경우, 관찰자가 듣는 소리의 진동수 f'는 다음과 같이 정리할 수 있다.

$$f' = \frac{v}{v \mp v_s} f \text{ (관찰자가 정지해 있고 파원만 운동할 때)}$$

이때 v_s 앞의 부호 $(-)$는 파원이 관찰자를 향해 접근하는 경우이고, $(+)$는 파원이 관찰자로부터 멀어지는 경우이다.

3. 관찰자만 움직일 때의 도플러 효과(파원은 정지)

관찰자가 직선 경로를 따라 일정한 속력으로 운동하여 파원을 향해 접근하는 경우와 파원으로부터 멀어지는 경우로 나누어 분석해 보자.

(1) 관찰자가 v_o의 일정한 속력으로 파원을 향해 접근할 때

그림과 같이 관찰자가 파원을 향해 운동하는 경우 같은 시간 동안 정지해 있을 때보다 더 많은 수의 파면이 관찰자를 지나간다. 따라서 관찰자가 듣는 소리의 진동수는 증가한다.

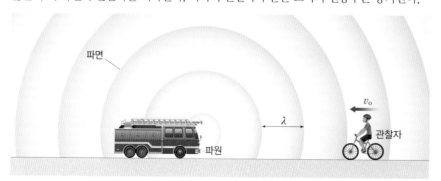

파면

λ

v_o

파원

관찰자

▲ **파원은 정지해 있고 관찰자가 움직일 때**

파원의 속력 v_s

파원의 속력 v_s는 파원이 파동이 전파되는 매질에 대해 v_s의 속력으로 움직이는 것을 의미한다.

그림 (가)와 같이 관찰자가 정지해 있을 때 시간 t 동안 관찰자를 지나가는 음파의 길이는 vt이다. 따라서 $\dfrac{vt}{\lambda}$개의 파면이 관찰자의 귀를 통과한다.

그림 (나)와 같이 관찰자가 v_o의 속력으로 파원을 향해 접근하는 경우, 시간 t 동안 관찰자를 지나가는 음파의 길이는 $(vt+v_ot)$가 되므로, 이 시간 동안 관찰자를 지나간 파면의 개수는 $\dfrac{vt+v_ot}{\lambda}$가 된다. 따라서 관찰자가 듣는 소리의 진동수 f'는

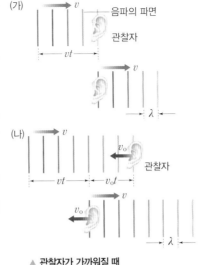

▲ 관찰자가 가까워질 때

$$f'=\dfrac{\dfrac{vt+v_ot}{\lambda}}{t}=\dfrac{v+v_o}{\lambda}$$

이다. 이때 $\lambda=\dfrac{v}{f}$이므로, f'를 f로 나타내면 다음과 같다.

$$f'=\dfrac{v+v_o}{v}f \text{ (관찰자가 파원을 향해 속력 } v_o \text{로 접근할 때)}$$

위 식에서 분자가 분모보다 크므로 $f'>f$가 되고, 관찰자는 원래 발생한 소리보다 더 높은 소리를 듣게 된다.

(2) 관찰자가 v_o의 일정한 속력으로 파원으로부터 멀어질 때

관찰자가 파원에 접근할 때와는 반대로, 시간 t 동안 관찰자를 지나는 음파의 길이는 $(vt-v_ot)$가 된다. 이 시간 동안 관찰자를 지나가는 파면의 개수는 $\dfrac{vt-v_ot}{\lambda}$가 되므로, 관찰자가 듣는 소리의 진동수 f'는 다음과 같다.

$$f'=\dfrac{v-v_o}{v}f$$

(관찰자가 파원으로부터 속력 v_o로 멀어질 때)

▲ 관찰자가 멀어질 때

위 식에서 분자가 분모보다 작으므로 $f'<f$가 되고, 관찰자는 원래 발생한 소리보다 더 낮은 소리를 듣게 된다.

(3) 관찰자만 운동할 때의 도플러 효과

(1), (2)로부터 파원은 진동수 f인 소리를 내며 정지해 있고 관찰자가 속력 v_o로 파원을 향해 접근하거나 멀어지는 경우, 관찰자가 듣는 소리의 진동수 f'는 다음과 같이 정리할 수 있다.

$$f'=\dfrac{v\pm v_o}{v}f \text{ (파원은 정지해 있고 관찰자만 운동할 때)}$$

이때 v_o 앞의 부호 $(+)$는 관찰자가 파원을 향해 접근하는 경우이고, $(-)$는 관찰자가 파원으로부터 멀어지는 경우이다.

관찰자의 속력 v_o
관찰자의 속력 v_o는 관찰자가 파동이 전파되는 매질에 대해 v_o의 속력으로 움직이는 것을 의미한다.

4. 일반적인 도플러 효과의 식

집중 분석 40쪽

파원만 운동할 때의 도플러 효과 식과 관찰자만 운동할 때의 도플러 효과 식을 결합하면 도플러 효과에 대한 다음과 같은 일반적인 관계식을 얻을 수 있다.

$$f' = \frac{v \pm v_o}{v \mp v_s} f$$

(v: 파동의 속력, v_o: 매질에 대한 관찰자의 속력, v_s: 매질에 대한 파원의 속력)

위 식에서 v_o와 v_s 앞의 부호는 다음과 같이 운동 방향에 따라 달라진다.

구분	가까워질 때	멀어질 때
관찰자의 운동 방향(분자)	파원을 향해 접근할 때 $+v_o$	파원으로부터 멀어질 때 $-v_o$
파원의 운동 방향(분모)	관찰자를 향해 접근할 때 $-v_s$	관찰자로부터 멀어질 때 $+v_s$

▲ 파원과 관찰자가 모두 움직일 때

시야확장 ➕ 빛의 도플러 효과

빛에서도 도플러 효과는 나타난다. 지금까지는 음파나 물결파처럼 매질을 통해 전파되는 파동의 도플러 효과에 대해서 살펴보았는데, 이러한 파동은 매질에 대한 파원의 속력 v_s와 관찰자의 속력 v_o를 구별할 수 있었다.

그러나 이것은 빛에는 해당되지 않는다. 빛은 전파 매질이 없기 때문에 매질에 대한 광원과 관찰자의 속력 v_s, v_o를 구별할 수 없고, 오직 광원과 관찰자 사이의 상대 속력만 알 수 있다. 또, 빛의 속력은 관찰자나 광원의 운동에 관계없이 c로 똑같은 값을 갖는다. 따라서 위에서 구한 일반적인 도플러 효과의 식은 빛에는 적용할 수 없다.

빛의 경우 도플러 효과는 광원과 관찰자의 상대적인 운동(접근하는 경우와 멀어지는 경우)에 의해서만 나타나며, 특수 상대성 이론을 적용하여 유도하여야 한다. 광원과 같은 관성 좌표계에 있는 관찰자가 측정한 빛의 진동수를 f라고 할 때 광원에 대해 상대 속력 v로 움직이는 관찰자가 측정한 빛의 진동수 f'는 다음과 같다.

$$f' = f \sqrt{\frac{1 \pm \dfrac{v}{c}}{1 \mp \dfrac{v}{c}}} \quad (v: \text{광원과 관찰자 사이의 상대 속력}, \ c: \text{빛의 속력})$$

• 광원과 관찰자가 상대 속력 v로 접근할 때: $f' = f \sqrt{\dfrac{1 + \dfrac{v}{c}}{1 - \dfrac{v}{c}}}$

• 광원과 관찰자가 상대 속력 v로 멀어질 때: $f' = f \sqrt{\dfrac{1 - \dfrac{v}{c}}{1 + \dfrac{v}{c}}}$

따라서 광원과 관찰자가 접근할 때 $f' > f$가 되어 관찰자는 더 높은 진동수의 빛을 보게 되고, 멀어질 때는 $f' < f$가 되어 관찰자는 더 낮은 진동수의 빛을 보게 된다.

관찰자와 파원 사이의 거리와 도플러 효과
도플러 효과가 나타날 때 관찰자와 파원 사이의 거리는 관계없다. 거리가 달라지면 파동의 세기는 변하지만, 관찰자가 측정하는 진동수는 파원과 관찰자의 상대 속력에 따라서만 달라진다.

2 도플러 효과의 이용

도플러 효과는 소리뿐만 아니라 전자기파 등 모든 파동에서 나타나고, 도플러 효과를 이용하면 파원과 관찰자를 연결한 직선 방향의 속도를 정확히 측정할 수 있으므로 물체의 속도를 측정하는 데 다양하게 이용된다.

1. 스피드 건

스피드 건은 물체의 속력을 측정하는 기구로, 과속을 단속하는 경찰관이 자동차의 속력을 측정하거나 야구 경기에서 투수가 던진 공의 속력을 측정하는 등 여러 용도로 쓰인다.

경찰관이 다가오는 자동차를 향하여 진동수 f인 마이크로파를 발사하면 자동차의 속력에 따라 반사된 마이크로파의 진동수 f'가 달라지므로 자동차의 속력을 알아내게 된다.

야구 경기에서는 포수 뒤에 스피드 건을 장치하고 날아오는 야구공을 향해 10.5 GHz의 극초단파를 8° 범위로 발사한다. 이때 야구공에서 반사된 극초단파의 진동수를 측정하고, 진동수 증가량을 스피드 건 내부에 있는 작은 컴퓨터로 분석하여 야구공의 속력을 계산해 낸다.

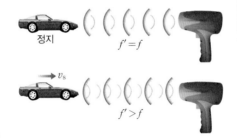

정지 $f' = f$

v_s $f' > f$

▲ 스피드 건

2. 도플러 레이더

레이더 방식의 한 종류로, 도플러 효과를 이용하여 물체의 운동 방향과 속력 등을 측정하는 레이더이다. 처음에는 군사용으로 개발되었고, 기상 측정용 레이더로도 많이 사용된다. 기상 측정용 레이더에서 라디오파를 빗방울이나 눈 결정, 우박과 같은 공기 중의 입자를 향해 발사한 후 반사된 라디오파의 진동수 변화를 측정하여, 대기의 운동을 계산한다. 여러 대의 도플러 레이더를 사용하면 구름 내부의 속도를 3차원으로 파악할 수 있고, 태풍의 움직임을 실시간으로 볼 수 있다. 공항에서도 도플러 레이더를 사용하여 활주로 주변의 급격한 기류 변화를 감지한다. 또, 비행기에도 도플러 레이더를 탑재하여 충돌 회피, 이착륙 등에 필요한 정보를 수집한다.

▲ 기상 측정용 레이더

▲ 비행기의 도플러 레이더

파원과 관찰자의 이동 방향이 비스듬할 때 도플러 효과

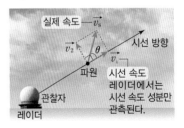

실제 속도 $\vec{v_s}$

시선 방향

$\vec{v_2}$ θ $\vec{v_1}$

파원 시선 속도

관찰자 레이더에서는 시선 속도 성분만 관측된다.

레이더

그림과 같이 파원이 파원과 관찰자를 연결한 직선과 각 θ의 방향으로 운동할 때, 파원의 실제 속도 $\vec{v_s}$를 파원과 관찰자를 연결한 방향의 성분 $\vec{v_1}$과 직각인 성분 $\vec{v_2}$로 분해하면, $\vec{v_1}$은 도플러 효과를 일으키지만 $\vec{v_2}$는 도플러 효과를 일으키지 않는다. 이때 $\vec{v_1}$에 해당하는 속도를 시선 속도라고 하며, 시선 속도는 멀어지는 방향을 ($+$), 가까워지는 방향을 ($-$)로 나타낸다.

3. 천체 관측

(1) 도플러 효과에 의한 흡수 스펙트럼의 변화

은하와 같이 매우 빠른 속력으로 움직이는 별들에서 방출되는 빛을 지구에서 측정하면 도플러 효과에 의해 빛의 진동수가 원래 진동수와 다르게 측정된다.

① 적색 이동: 도플러 효과에 의해 빛을 내는 별이 관찰자로부터 멀어지고 있을 때는 빛의 파장이 길어져(진동수가 작아져) 스펙트럼이 전체적으로 붉은색 쪽으로 이동한다. 이를 적색 이동(적색 편이)이라고 한다.

② 청색 이동: 빛을 내는 별이 관찰자 쪽으로 접근하고 있을 때는 빛의 파장이 짧아져 스펙트럼이 전체적으로 푸른색 쪽으로 이동한다. 이를 청색 이동(청색 편이)이라고 한다.

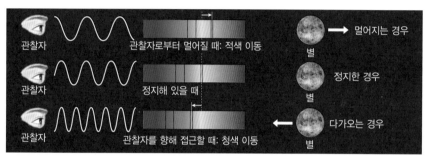

▲ 도플러 효과에 의한 흡수 스펙트럼의 변화

(2) 우주 팽창의 증거

허블은 우리 은하 밖에 있는 은하의 별들에서 오는 빛의 흡수 스펙트럼을 관찰하여, 대부분의 은하에서 나오는 빛의 흡수 스펙트럼이 적색 이동한다는 것과 멀리 있는 은하일수록 적색 이동 정도가 크다는 것을 알아내었다. 이것은 대부분의 은하가 멀어지고 있고, 멀리 있는 은하가 더 빠르게 멀어진다는 것을 뜻하며, 허블은 이로부터 우주가 팽창한다는 사실을 증명하였다.

(3) 쌍성 관측: 우리 은하 내에 있는 쌍성의 경우, 질량 중심을 기준으로 공전하고 있기 때문에 지구로부터 멀어질 때(시선 속도가 (＋)일 때)는 적색 이동이 일어나고, 지구 쪽으로 가까워질 때(시선 속도가 (－)일 때)는 청색 이동이 일어나 별빛이 지구에서 각각 다르게 보인다.

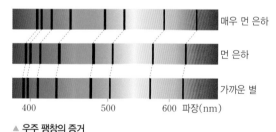

▲ 우주 팽창의 증거

▲ 별이 다가올 때와 멀어질 때

4. 초음파 진단기

초음파 진단기의 탐침에서 특정 진동수의 초음파를 발생하여 인체 내부에 보내고 반사된 초음파의 진동수를 검출한다. 도플러 효과를 이용해 진동수 변화로부터 속력을 계산하면, 혈관에서 혈액의 흐름 등을 파악할 수 있다. 이를 이용해 적혈구의 이동 속력과 혈관 내 방해물의 존재 유무를 알아낸다.

박쥐나 돌고래는 물체나 먹이를 향해 초음파를 발사하는데, 먹이에서 반사되는 초음파의 진동수는 먹이가 접근하면 원래보다 증가하고, 멀어지면 원래보다 감소한다. 이러한 진동수 변화를 이용하여 먹이와 물체의 위치와 움직임을 알아낸다.

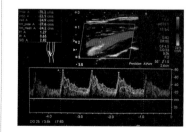

▲ 도플러 초음파 영상

③ 충격파

도플러 효과의 관계식에 따르면 음원이 소리와 같은 속력으로 정지해 있는 관찰자를 향하여 운동한다면 관찰자가 측정한 진동수 f'은 무한대가 된다. 또, 음원이 소리보다 더 빠르게 운동할 때 f'은 음수가 된다. 따라서 음원의 속력이 소리의 속력(음속) 이상일 때 도플러 효과의 식은 더 이상 성립하지 않는다.

1. 충격파의 발생 원리

그림 (가)와 같이 비행기가 소리의 속력 v와 같은 속력으로 날아가면 음파가 계속 중첩되어 비행기의 앞부분에 압축된 공기의 장벽을 만든다. 비행기가 이 장벽을 지나기 위해서는 큰 추진력이 필요하고, 일단 통과하면 비행기는 저항을 받지 않고 빠르게 날 수 있다.

그림 (나)와 같이 비행기가 소리보다 더 빠른 속력 v_s로 날게 되면, 파면은 전혀 다른 모양이 된다. $v_s > v$이므로 S_2점이 모든 파면보다 앞에 나오게 되고, 그동안 나온 음파의 파면은 S_2점을 정점으로 한 원뿔 모양이 되는데, 이를 마하 원뿔이라고 한다. 여러 파면이 겹쳐져 있는 원뿔 표면에는 급격한 압력 변화가 생기는 충격파가 존재한다. 음

(가) 비행기가 음속으로 날아갈 때

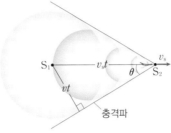

(나) 비행기가 음속보다 빠르게 날아갈 때

원의 속력이 소리의 속력보다 클수록 V자형의 모양은 더 좁아지게 되며, 마하 원뿔의 반각을 θ라고 하면 $\sin\theta$는

$$\sin\theta = \frac{vt}{v_s t} = \frac{v}{v_s} \ (v: \text{음파 속력}, \ v_s: \text{음원 속력})$$

로 주어지는데, 이것의 역수 $\dfrac{v_s}{v}$를 마하 수라고 한다. 어떤 비행기가 마하 2.5로 날았다면 그것은 비행기의 속력이 소리 속력의 2.5배임을 의미한다.

2. 충격파의 예와 이용

(1) **소닉 붐(sonic boom):** 충격파에 의해 발생하는 폭발음으로, 탄환이나 작은 물체가 소리보다 빠른 속력으로 머리 위를 지날 때 나는 '쌩'하는 소리나 채찍을 휘두를 때 '쩍'하는 소리 등도 소닉 붐의 예이다.

(2) **체렌코프 복사:** 전하를 띤 입자가 투명한 매질을 통과할 때, 입자의 속력이 매질 속에서의 빛의 속력보다 빠를 경우 빛 또는 X선을 발생시키는 현상을 말한다. 빛의 속력은 진공에서 가장 빠르고 물질 속에서는 이보다 느리므로, 입자의 속력이 이보다 빠를 수 있다.

(3) **체외 충격파 쇄석술:** 신장, 요도, 방광 등에 생긴 결석을 체외에서 높은 에너지를 가진 충격파를 쬐어 작은 파편으로 파쇄해 자연 배출시키는 방법이다.

체외 충격파 쇄석술 ▶

결석

큰 결석이 요관으로 빠져 나가지 못하고 있음.

충격파

작은 조각으로 분쇄된 결석이 소변으로 빠져 나옴.

실전에 대비하는

도플러 효과의 식 적용

파원이나 관찰자가 운동할 때 관찰자가 측정한 파동의 진동수는 파원과 관찰자의 운동 상태에 따라 달라진다. 도플러 효과의 식을 이용해 파동의 진동수가 얼마나 변하는지 구할 수 있어야 하고, 이와 관련된 여러 현상들과 장치들을 알아야 한다.

❶ 도플러 효과의 식 파원 S에서 진동수가 f인 음파가 발생할 때 음파 측정기 O가 측정하는 진동수 f'는 다음과 같다.

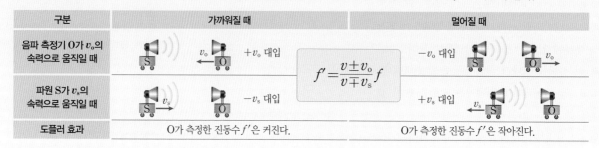

구분	가까워질 때	멀어질 때
음파 측정기 O가 v_o의 속력으로 움직일 때	$+v_o$ 대입	$-v_o$ 대입
파원 S가 v_s의 속력으로 움직일 때	$-v_s$ 대입	$+v_s$ 대입
도플러 효과	O가 측정한 진동수 f'은 커진다.	O가 측정한 진동수 f'은 작아진다.

$$f' = \frac{v \pm v_o}{v \mp v_s} f$$

❷ 도플러 효과의 일반식 적용 연습 파원에서 진동수가 f인 음파가 발생하고, 음파는 v의 속력으로 전파된다.

• A, B가 음파를 발생하며 서로를 향해 등속도로 움직일 때

A가 측정한 진동수 f_A	B가 측정한 진동수 f_B
A와 B가 서로 가까워진다.	A와 B가 서로 가까워진다.
$f_A = \dfrac{v+v_A}{v-v_B} f$	$f_B = \dfrac{v+v_B}{v-v_A} f$

• B가 음파를 발생하며, A, B가 C를 향해 등속도로 움직일 때

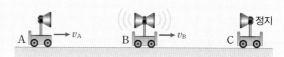

A가 측정한 진동수 f_A	C가 측정한 진동수 f_C
A는 가까워지고, B는 멀어진다.	B는 가까워지고, C는 정지해 있다.
$f_A = \dfrac{v+v_A}{v+v_B} f$	$f_C = \dfrac{v}{v-v_B} f$

• A가 음파를 발생하며, B에 측정된 음파의 진동수가 높아졌다가 낮아질 때

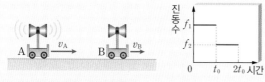

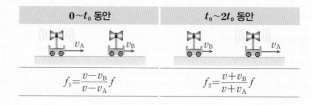

$0 \sim t_0$ 동안	$t_0 \sim 2t_0$ 동안
$f_1 = \dfrac{v-v_B}{v-v_A} f$	$f_2 = \dfrac{v+v_B}{v+v_A} f$

➡ A와 B가 가까워졌다가 다시 멀어지는 것이므로, $v_A > v_B$이다.

유제

❯ 정답과 해설 **155**쪽

그림과 같이 경찰차가 진동수가 660 Hz인 사이렌 소리를 내며 **10 m/s**의 속력으로 이동하고, 철수는 **40 m/s**의 속력으로 경찰 차를 앞서가고 있다. 공기 중에서 소리의 속력은 340 m/s이다. 철수가 듣는 사이렌 소리의 진동수는 몇 Hz인가? (단, 경찰차와 철수는 동일 직선상에서 운동하며, 음속은 일정하다.)

① 560 Hz   ② 600 Hz   ③ 630 Hz   ④ 660 Hz   ⑤ 726 Hz

개념 모아

정리
하기

02 도플러 효과

① 도플러 효과

1. (**❶**   ) **효과**   파원과 관찰자의 상대적인 운동에 의해 관찰자가 측정한 진동수가 달라지는 현상

2. **파원만 움직일 때**   (파원에서 발생하는 소리의 진동수 f, 소리의 속력 v)

관찰자 A	관찰자 B
파원이 멀어짐. ➡ 파면 사이의 거리 증가 ➡ 소리의 진동수 (**❷**)	파원이 가까워짐. ➡ 파면 사이 거리 감소 ➡ 소리의 진동수 증가
$f_A = \dfrac{v}{v+v_s} f$	$f_B = ($ **❸** $) \times f$

3. **관찰자만 파원을 향해 움직일 때**

관찰자 A	관찰자 B
파원 쪽으로 이동 ➡ 1초 동안 도달하는 파면의 수 (**❹**) ➡ 소리의 진동수 증가	파원에서 먼 쪽으로 이동 ➡ 1초 동안 도달하는 파면의 수 감소 ➡ 소리의 진동수 감소
$f_A = \dfrac{v+v_o}{v} f$	$f_B = ($ **❺** $) \times f$

4. **일반적인 도플러 효과의 식**   파원에서 진동수가 f인 파동이 발생할 때 파원과 관찰자의 운동을 모두 고려하면 관찰자가 측정한 진동수 f'는 다음과 같다.

$$f' = \frac{v \pm v_o}{v \mp v_s} f \quad (v: \text{파동의 속력, } v_o: \text{관찰자의 속력, } v_s: \text{파원의 속력})$$

② 도플러 효과의 이용

1. **도플러 효과의 여러 가지 이용**   스피드 건, 도플러 레이더, 초음파 진단기 등

2. **천체 관측**   움직이는 별들에서 방출되는 빛의 스펙트럼은 도플러 효과에 의해 달라진다.

(**❻**)	청색 이동
빛을 내는 별이 관찰자로부터 멀어질 때 스펙트럼이 전체적으로 붉은색 쪽으로 이동한다.	빛을 내는 별이 관찰자 쪽으로 (**❼**) 때 스펙트럼이 전체적으로 푸른색 쪽으로 이동한다.

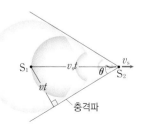

관찰자로부터 멀어질 때: 적색 이동

정지해 있을 때

관찰자 쪽으로 접근할 때: 청색 이동

➡ 우주 팽창의 증거: 대부분의 은하에서 나오는 빛의 스펙트럼이 (**❽**   ) 이동하며, (**❾**   ) 있는 은하일수록 그 정도가 크다.

③ 충격파

1. **충격파**   음원의 속력이 음속보다 (**❿**   ) 때 음원 뒤쪽에 생기는 원뿔 모양의 파로, 이 파면이 지나갈 때 급격한 압력 변화로 폭발음이 생긴다.

• (**⓫**   ): 소리의 속력 v에 대한 음원의 속력 v_s의 비

$$\text{마하 수} = \frac{v_s}{v} = \frac{v_s t}{vt} = \frac{1}{\sin\theta}$$

2. **충격파의 예와 이용**   소닉 붐, 체렌코프 복사, 체외 충격파 쇄석술 등

01 그림 (가)는 진동수가 f인 소리를 내는 소방차와 관찰자 A, B가 정지해 있는 것을 나타낸 것이고, (나)는 (가)의 소방차가 일정한 속력으로 B를 향해 접근하는 것을 나타낸 것이다. 그림에서 곡선은 한 주기 간격으로 파면을 나타낸 것이다.

이에 대한 설명으로 옳은 것만을 보기에서 있는 대로 고르시오. (단, 소리의 속력은 일정하고, 소방차는 A, B를 잇는 직선상에서 운동한다.)

> 보기
> ㄱ. (가)에서 이웃한 파면 사이의 거리는 파장을 나타낸다.
> ㄴ. (나)에서 A가 듣는 소리의 파장은 (가)에서보다 증가한다.
> ㄷ. (나)에서 B가 듣는 소리의 진동수는 (가)에서와 같다.

02 그림은 진동수가 800 Hz인 소리를 내는 자동차가 정지해 있고, 관찰자 A와 B가 오른쪽으로 각각 2 m/s의 속력으로 이동하는 것을 나타낸 것이다. (단, 자동차와 A, B는 동일 직선상에서 운동하고, 소리의 속력은 340 m/s이다.)

(1) A, B가 듣는 소리의 진동수는 몇 Hz인지 구하시오. (유효숫자 3개로 답하시오.)

(2) A, B의 속력이 2배가 되었을 때 A, B가 듣는 소리의 진동수 차는 몇 배가 되는지 구하시오.

03 그림 (가), (나)는 진동수가 f인 소리를 발생하는 음원과 음파 측정기가 동일 직선상에서 각각 v의 속력으로 가까워지는 것과 멀어지는 것을 나타낸 것이다. 소리의 속력은 V이다.

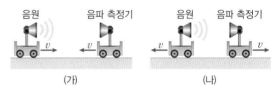

(가)와 (나)에서 음파 측정기가 측정한 소리의 진동수가 각각 $f_{(가)}, f_{(나)}$일 때, $\dfrac{f_{(가)}}{f_{(나)}}$를 구하시오.

04 그림은 진동수가 f인 소리를 내는 버저를 O점을 중심으로 등속 원운동을 시킬 때 철수가 버저에서 나는 소리를 듣는 모습을 나타낸 것이다. P, Q, R, S점은 원궤도상의 점이고, 철수와 P, R는 일직선상에 있고, Q, S는 그 중간에 있는 점이다.

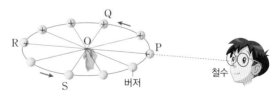

철수가 듣는 소리의 진동수에 대한 설명으로 옳은 것만을 보기에서 있는 대로 고르시오.

> 보기
> ㄱ. 버저가 Q를 지날 때 소리의 진동수는 f보다 크다.
> ㄴ. 버저가 P를 지날 때 소리의 진동수는 f보다 작다.
> ㄷ. 버저가 Q에서 R를 지나 S까지 회전하는 동안 소리의 진동수는 점점 증가한다.

05 그림은 진동수가 f인 소리를 발생하는 자동차가 벽을 향해 v의 일정한 속력으로 접근하는 모습을 나타낸 것이다. 소리의 속력은 V이고, 자동차에 탄 관찰자는 벽에서 반사된 소리를 측정하고 있다. (단, 자동차는 벽에 수직인 직선을 따라 움직이고, 소리의 속력은 일정하다.)

(1) 벽에 도달하는 소리의 진동수를 구하시오.

(2) 자동차에 탄 관찰자가 측정한 반사된 소리의 진동수를 구하시오.

06 그림 (가), (나), (다)는 어떤 별이 지구로부터 멀어질 때 (A), 지구 쪽으로 가까워질 때(B), 지구로부터 일정한 거리에 있을 때(C) 별에서 온 빛의 흡수 스펙트럼을 순서 없이 나타낸 것이다. (가)~(다)에 해당하는 A~C를 옳게 짝 지으시오.

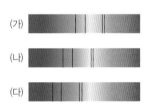

07 도플러 효과를 이용하는 것으로 옳은 것만을 보기에서 있는 대로 고르시오.

보기
ㄱ. 야구공의 속력을 측정하는 스피드 건
ㄴ. 구름이나 태풍의 움직임을 관측하는 기상 레이더
ㄷ. 은하로부터 오는 빛의 스펙트럼을 관측하여 은하의 후퇴 속도를 계산할 때
ㄹ. 천체 망원경 표면을 코팅하여 반사되는 빛을 줄일 때

08 그림은 박쥐가 진동수가 f_0인 초음파를 먹이를 향해 발사하고, 먹이에서 반사된 초음파가 박쥐 쪽으로 전달되는 것을 나타낸 것이다.

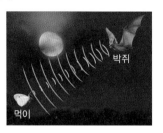

이에 대한 설명으로 옳은 것만을 보기에서 있는 대로 고르시오.

보기
ㄱ. 먹이가 박쥐로부터 멀어질 때 먹이가 멀어지는 속력이 클수록 박쥐에 도달하는 반사파의 진동수는 작아진다.
ㄴ. 먹이가 박쥐 쪽으로 접근할 때 박쥐에 도달하는 반사파의 진동수는 f_0보다 크다.
ㄷ. 먹이가 박쥐 쪽으로 접근할 때 박쥐에 도달하는 반사파의 속력은 증가한다.

09 그림 (가), (나)는 소리를 발생하는 음원 S가 오른쪽 방향의 일정한 속도로 각각 이동할 때 S에서 발생한 소리의 파면을 일정한 시간 간격으로 나타낸 것이다.

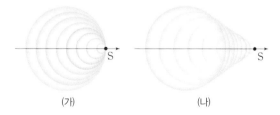

(가)   (나)

이에 대한 설명으로 옳은 것만을 보기에서 있는 대로 고르시오.

보기
ㄱ. (가)에서 S의 속력은 소리의 속력과 같다.
ㄴ. (가)에서 파면이 겹쳐진 곳에는 매우 강한 음파가 만들어진다.
ㄷ. (나)에서는 충격파가 발생한다.

01 〉파원만 움직일 때의 도플러 효과

그림은 직선의 도로변에 서 있는 철수 옆을 진동수가 f_0인 사이렌을 울리는 구급차가 일정한 속력으로 스쳐지나가는 모습을 나타낸 것이다. 시간 t_0인 순간 구급차가 철수 옆을 지나갔다.

철수가 듣는 소리의 진동수를 시간에 따라 나타낸 것으로 가장 적절한 것은? (단, 소리의 속력은 일정하며, 구급차는 직선의 도로를 따라 운동한다.)

①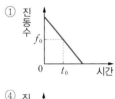

②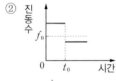

③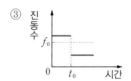

④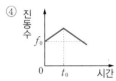

⑤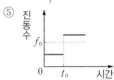

• 관찰자가 듣는 소리의 진동수는 음원이 관찰자를 향해 접근할 때는 증가하고, 음원이 관찰자로부터 멀어질 때는 감소한다.

02 〉도플러 효과의 식 적용

그림은 진동수가 f_0인 소리를 발생하는 자동차가 벽을 향해 v_0의 속력으로 접근하는 것을 나타낸 것으로, 자동차에 탄 관찰자는 벽에서 반사된 소리를 듣고 있다. 벽은 자동차 쪽으로 v의 속력으로 움직이고 소리의 속력은 V이다.

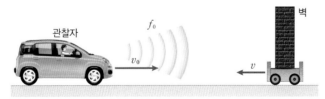

관찰자가 듣는 벽에서 반사된 소리의 진동수는 얼마인가? (단, 자동차와 벽은 벽면에 수직인 직선상에서 운동한다.)

① $\dfrac{V+v_0}{V-v}f_0$

② $\dfrac{V+v}{V-v_0}f_0$

③ $\dfrac{(V+v_0)(V+v)}{(V-v)(V-v_0)}f_0$

④ $\dfrac{(V-v_0)(V-v)}{(V+v)(V+v_0)}f_0$

⑤ $\dfrac{(V-v_0)(V+v)}{(V-v)(V+v_0)}f_0$

• 음원과 관찰자가 서로 접근할 때 관찰자가 듣는 소리의 진동수는 증가한다.

03 ▶ 관찰자만 움직일 때의 도플러 효과

그림은 t_0초 동안 10개의 펄스를 연속적으로 발생하는 정지해 있는 음파 발생기의 소리를 음파 발생기를 향해 V의 속력으로 접근하는 음파 수신기에서 t_0초 동안 11개의 펄스를 수신하는 것을 나타낸 것이다.

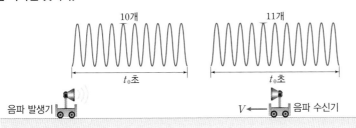

이에 대한 설명으로 옳은 것만을 보기에서 있는 대로 고른 것은? (단, 소리의 속력은 일정하고, 음파 수신기는 직선상에서 운동한다.)

보기
ㄱ. 음파 발생기에서 발생하는 소리의 진동수는 $\dfrac{10}{t_0}$이다.

ㄴ. 음파 발생기에서 발생한 펄스 1개의 파장은 $\dfrac{Vt_0}{11}$이다.

ㄷ. 소리의 속력은 $10V$이다.

① ㄱ   ② ㄷ   ③ ㄱ, ㄴ   ④ ㄱ, ㄷ   ⑤ ㄴ, ㄷ

• 1초 동안 지나가는 펄스의 수가 진동수이고, 관찰자가 음원에 접근할 때 관찰자가 듣는 소리의 진동수는 증가한다.

04 ▶ 충격파

그림은 v_s의 일정한 속력으로 날아가는 음원에서 발생한 소리의 파면을 일정한 시간 간격으로 나타낸 것으로, O점에서 발생한 소리가 v의 속력으로 이동하여 P점에 도달할 때 음원은 Q점에 도달한다. $\overline{QR}$는 중첩된 파면에 접하는 선으로, R점은 지면에 있는 점이고, $\overline{OQ}$와 $\overline{QR}$가 이루는 각도는 θ이다.

이에 대한 설명으로 옳은 것만을 보기에서 있는 대로 고른 것은? (단, 소리의 속력은 일정하며, 사람의 크기는 무시한다.)

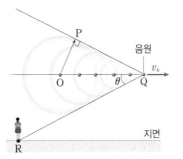

보기
ㄱ. 소리의 속력은 $\dfrac{\overline{OP}}{\overline{OQ}}v_s$이다.

ㄴ. v_s가 커질수록 θ가 증가한다.

ㄷ. R에 있는 사람은 매우 큰 소리를 듣게 된다.

① ㄱ   ② ㄴ   ③ ㄷ   ④ ㄱ, ㄷ   ⑤ ㄴ, ㄷ

• 시간 t 동안 음원이 이동한 거리는 $v_s t$이고 소리가 전파된 거리는 vt이므로 $\sin\theta = \dfrac{v}{v_s}$이다.

03 전자기파의 발생과 수신

학습 Point 전자기파 〉 교류 회로에서 전자기파의 발생 〉 전자기파의 수신과 전자기파 공명 〉 무선 통신의 송·수신 과정

전자기파

(탐구) 57쪽

음파나 물결파와 같은 역학적 파동은 매질을 통해 진동하는 에너지가 전파된다. 이와 달리 전자기파는 전기장과 자기장이 계속해서 진동하며 매질 없이 공간을 퍼져 나간다. 전자기파가 이처럼 진공에서도 전파될 수 있는 원리는 무엇일까?

1. 전기장과 자기장

(1) **자기장의 발생:** 자기장은 자석 주위나 전류가 흐르는 도선 주위에 생긴다. 또, 전하가 운동하는 것은 전류가 흐르는 것과 같으므로 운동하는 전하 주위에도 자기장이 생긴다. 뿐만 아니라 다음과 같이 시간에 따라 변하는 전기장 주위에도 자기장이 발생한다.

① **전기장의 변화에 의한 자기장의 발생:** 축전기를 전지에 연결하면 축전기가 충전되는 동안 도선에 전류가 흐르고, 완전히 충전되면 전류가 0이 된다. 이때 축전기의 극판 사이에는 전기장이 형성되며, 충전된 전하량이 증가할수록 전기장의 세기도 증가한다. 축전기가 충전되는 동안 도선에 전류가 흐르므로 도선 주위에는 자기장이 생기며, 이때 전기장이 변하는 축전기의 극판 사이에도 자기장이 생긴다. 축전기가 완전히 충전되어 도선에 전류가 흐르지 않으면 도선 주위의 자기장은 없어지고, 극판 사이의 전기장이 변하지 않으므로 극판 사이의 자기장도 사라진다.

② **변위 전류:** 전기장이 일정할 때는 주위에 자기장이 생기지 않지만, 전기장이 변할 때는 주위에 자기장이 생긴다. 맥스웰은 이처럼 전류와 같은 효과를 내는 전기장의 변화율을 도선에 흐르는 전류와 구별하여 변위 전류 I_d라고 하였다.

$$I_d = \varepsilon_0 \frac{d\Phi_E}{dt} \ (\varepsilon_0: \text{진공의 유전율}, \ \Phi_E: \text{전기력선속})$$

> **전기장과 자기장**
> 변하는 전기장은 그 주위에 자기장을 만들지만, 일정한 전기장은 자기장을 만들지 못한다.

> **변위 전류**
> 넓이가 A인 축전기 극판 사이에 전기장 E가 형성되었을 때, 면 S를 통과한 전기력선속 $\Phi_E = EA$가 된다. 이때 축전기에 대전된 전하량이 q일 때 전기장의 세기 $E = \dfrac{q}{\varepsilon_0 A}$ 이므로, 변위 전류 I_d는 다음과 같이 도선의 전류 I와 같은 것을 알 수 있다.
>
> $$I_d = \varepsilon_0 \frac{d\Phi_E}{dt} = \varepsilon_0 \frac{d\left(\dfrac{q}{\varepsilon_0 A}A\right)}{dt} = \frac{dq}{dt} = I$$
>
>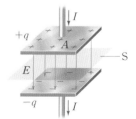

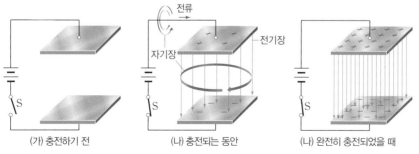

| (가) 충전하기 전 | (나) 충전되는 동안 | (나) 완전히 충전되었을 때 |

▲ **전기장의 변화에 의한 자기장의 발생** 도선을 따라 전류가 흐르는 동안에는 축전기 극판 사이의 전기장이 변하므로 극판 사이에 자기장이 발생한다.

③ 변하는 전기장에 의해 자기장이 생기는 것은 충전된 축전기를 이동시키는 것으로 생각해 볼 수도 있다. 그림과 같이 (＋)전하, (－)전하로 충전된 두 극판 사이에는 균일한 전기장이 형성되어 있다. 이 축전기가 오른쪽 방향으로 속력 v로 등속도 운동하면 극판의 전

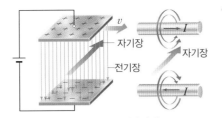

▲ 전기장의 변화에 의한 자기장의 발생

하도 이동하므로, 전류의 흐름과 같은 효과를 가져와 주위 공간에 화살표 방향으로 자기장이 생긴다. 즉, 대전된 극판의 이동은 전기장의 변화를 가져오고, 이것이 원인이 되어 자기장이 발생한다. 이처럼 시간에 따라 전기장이 변하면 그 주위에 자기장이 발생한다.

(2) **전기장의 발생:** 전기장은 전하 주위뿐만 아니라 변하는 자기장 주위에도 발생한다.

① 그림 (가)와 같이 고리 모양의 도선 근처에 자석이 정지해 있을 때는 도선에 유도 전류가 흐르지 않는다. 그러나 도선 주위에서 자석을 움직이면 도선에 유도 전류가 흐른다. 이것은 도선 내부에 전류가 흐르는 방향으로 전기장이 형성되었음을 의미한다.

② 그림 (나)에서 직선 도선을 자기장에 수직인 오른쪽으로 이동하면 도선에 전류가 유도된다. 이것은 직선 도선 내부에 전류가 흐르는 방향으로 전기장이 형성되었음을 의미한다. 도선을 움직이는 대신 자석을 왼쪽으로 이동하여도 도선 내에는 전기장이 생긴다. 이처럼 시간에 따라 자기장이 변하면 그 주위에 전기장이 발생한다.

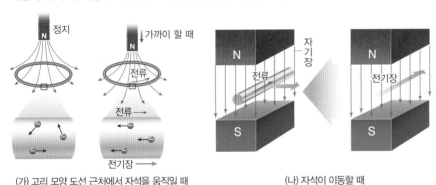

(가) 고리 모양 도선 근처에서 자석을 움직일 때   (나) 자석이 이동할 때
▲ 자기장의 변화에 의한 전기장의 발생

2. 전자기파

시간에 따라 변하는 전기장에 의해 자기장이 발생하고, 변하는 자기장에 의해 전기장이 발생한다. 따라서 한 지점의 전기장이 변하여 그 주위에 변하는 자기장이 발생하면, 변하는 자기장에 의해 새로운 전기장이 만들어진다. 이처럼 시간에 따라 변하는 전기장과 자기장이 서로 원인과 결과가 되어 주기적으로 진동하는 파동의 형태로 퍼져 나가는데, 이를 전자기파라고 한다.

전자기파는 전하가 가속 운동을 하거나 도선에 흐르는 전류가 변할 때, 변위 전류가 흐를 때, 전기 방전이 일어날 때 발생한다. 즉, 기본적으로 전하가 가속될 때마다 전자기파의 형태로 에너지가 방출된다.

전자기파의 존재 실증

1865년에 맥스웰은 전자기파의 존재를 예측하였고, 1886년 헤르츠는 맥스웰의 예측을 증명하는 실험을 하였다.

헤르츠는 아래 그림과 같은 유도 코일로 고전압을 만들어 두 극 사이에서 방전시켰을 때 발생하는 전자기파를 검출기(도선 고리)를 이용하여 검출하였다. 검출기를 유도 코일의 두 극 근처로 가져가면서 방향을 적당히 조절하면 유도 코일에 연결된 두 금속구에서 방전이 일어날 때마다 검출기에서도 전기 방전이 일어난다. 이것은 검출기에서 공진 현상을 일으킨 것으로, 헤르츠는 이 현상을 관찰하여 전자기파의 존재를 실험적으로 확인하였다.

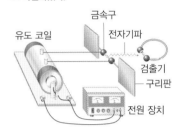

전자기파의 발생

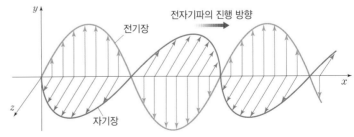

▲ 전자기파의 전파

2 교류 회로에서 전자기파의 발생

전자기파는 넓은 영역의 스펙트럼을 가진다. 이 중 진동수가 높은 X선, 감마(γ)선, 가시광선 등의 전자기파는 원자나 원자핵 등으로부터 발생한다. 반면 방송, 통신 등에서 주로 사용하는 마이크로파, 라디오파 등의 진동수가 낮은 전자기파는 교류 회로를 이용하여 발생시킨다. 교류 회로에서 코일과 축전기의 특징을 적절히 이용하면 특정 진동수의 전자기파를 발생시킬 수 있다.

1. 저항(R), 코일(L), 축전기(C)를 연결한 교류 회로

교류 전원에 의해 공급되는 전압은 오른쪽 그림과 같이 시간에 따라 사인 함수로 변하며, 시간 t일 때 순간 전압 V는 다음과 같이 나타낼 수 있다.

$$V = V_0 \sin \omega t$$

교류 전원의 전압은 크기(최대 전압 V_0)와 위상(ωt)을 가지며, 주기적으로 변한다. 따라서 교류에서 전압의 진동수를 f, 주기를 T라고 할 때 각진동수 ω는 다음과 같다.

$$\omega = 2\pi f = \frac{2\pi}{T}$$

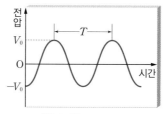
▲ 교류 전원에 의한 전압

교류 회로 내에 저항만 있으면 직류 회로에서와 같이 전류, 전압 관계가 단순하지만, 회로 내에 코일이나 축전기가 있으면 직류 회로와는 큰 차이를 나타낸다. 따라서 전자기파의 발생 원리를 알기 위해서는 먼저 교류 회로에 대한 이해가 필요하다.

(1) 저항(R)만을 연결한 교류 회로

그림과 같이 저항값이 R인 저항에 전압이 $V = V_0 \sin \omega t$인 교류 전원을 연결하면 저항에 걸리는 전압은 $V_R = V_0 \sin \omega t$로 교류 전원의 전압과 같다. 따라서 저항에 흐르는 전류 I_R는 다음과 같다.

▲ 저항이 연결된 교류 회로

$$I_R = \frac{V}{R} = \frac{V_0}{R} \sin \omega t = I_0 \sin \omega t \left(\text{최댓값: } I_0 = \frac{V_0}{R} \right)$$

① 전압과 전류의 위상: 저항에 흐르는 전류 I_R와 전압 V_R는 같은 시간에 최댓값에 이른다. 즉, I_R와 V_R는 위상이 같다.

② 전압과 전류의 최댓값 사이의 관계: I_0과 V_0 사이에는 $V_0 = I_0 R$의 관계가 있다.

③ 저항에서 전기 에너지는 열로 전환되어 소모되며, 이때 평균 전력 P는 다음과 같다.

$$P = I_e^2 R = \frac{1}{2} I_0^2 R$$

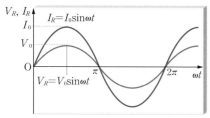

(가) 저항만이 연결된 교류 회로에서 전압과 전류의 위상은 같다.

(나) 저항만이 연결된 회로에서 저항값은 교류 전원의 진동수의 영향을 받지 않는다.

▲ 교류 회로에서 저항에 걸리는 전압과 전류

직류와 교류

· 직류: 전지를 연결한 회로에 흐르는 전류처럼, 흐르는 방향이 변하지 않는 전류를 직류라고 한다.

· 교류: 세기와 방향이 주기적으로 변하는 전류로, 발전소에서 가정으로 공급되는 전원을 연결하면 교류가 흐른다.

위상자

교류 전압과 교류 전류와 같이 시간에 따라 변하는 변수의 분석을 간단하게 하기 위해 이를 회전하는 벡터인 위상자로 나타내기도 한다. 이때 변수의 최댓값은 위상자의 길이로 나타내고, 변수의 각진동수는 시계 반대 방향으로 회전하는 위상자의 각속도로 나타낸다. 위상자를 세로축에 투영하면 변수의 순간값을 얻을 수 있다. 위상자의 회전각은 시간 t일 때의 위상을 나타낸다.

저항만이 연결된 교류 회로에서 전압 V_R와 전류 I_R는 다음과 같이 위상이 같다.

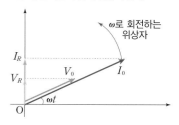

(2) 코일(L)만을 연결한 교류 회로

코일에 교류 전원을 연결하면 코일에 흐르는 전류가 시간에 따라 변하므로, 전류에 의해 코일 내부에 생기는 자기장도 시간에 따라 변한다. 이때 코일에는 자기장의 변화를 방해하는 방향으로 유도 기전력이 생기며, 이것을 자체 유도 현상이라고 한다. 시간 Δt 동안 코일에 흐르는 전류의 세기가 ΔI만큼 변할 때 코일에 발생하는 자체 유도 기전력 V는 다음과 같다.

$$V=-L\frac{\Delta I}{\Delta t}\ (L: \text{자체 유도 계수})$$

여기서 비례 상수 L을 자체 유도 계수라고 하며, 코일에 따라 정해지는 상수이다. 자체 유도 계수의 단위는 H(헨리)를 사용하며, $1\,\mathrm{H}=1\,\mathrm{V\cdot s/A}$와 같다.

코일의 이러한 자체 유도 현상에 의해 교류 회로에서 코일은 저항의 역할을 한다. 그림과 같이 자체 유도 계수가 L인 코일에 전압이 $V=V_0\sin\omega t$인 교류 전원을 연결하면 코일에는 $V'=-L\dfrac{\Delta I_L}{\Delta t}$의 자체 유도 기전력이 생긴다.

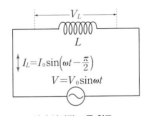

▲ **코일이 연결된 교류 회로**

따라서 전류를 계속 유지하려면 코일에 $V_L=-V'$인 전압을 가해야 한다. 코일에 걸리는 전압 $V_L=V_0\sin\omega t$로 교류 전원의 전압과 같으므로, 코일에 흐르는 전류를 I_L이라고 하면 다음과 같다.

$$V_0\sin\omega t-L\frac{\Delta I_L}{\Delta t}=0\ \Rightarrow\ \frac{\Delta I_L}{\Delta t}=\frac{V_0}{L}\sin\omega t$$

위 식을 시간에 대해 적분하여 코일에 흐르는 전류를 구하면 I_L은 다음과 같다.

$$I_L=-\frac{V_0}{\omega L}\cos\omega t=\frac{V_0}{\omega L}\sin\left(\omega t-\frac{\pi}{2}\right)\ \left(\text{최댓값}: I_0=\frac{V_0}{\omega L}\right)$$

① **전압과 전류의 위상**: 전압 V_L의 위상이 전류 I_L의 위상보다 $\dfrac{\pi}{2}$만큼 빠르다.

② **코일에 의한 유도 리액턴스(X_L)**: 전류와 전압의 최댓값 사이에는 $V_0=\omega L I_0$의 관계가 있으므로, ωL은 일종의 저항과 같은 의미를 갖는다. 이를 유도 리액턴스 X_L이라고 한다.

$$X_L=\omega L=2\pi fL\ (\text{단위}: \Omega)$$

- 코일을 연결한 회로에서는 교류 전원의 진동수 f가 클수록 전류가 잘 통과하지 못한다.
- 코일의 자체 유도 계수 L이 클수록 전류의 흐름을 크게 방해한다.

③ 코일은 교류의 흐름을 방해하지만, 저항이 없기 때문에 전력을 소비하지 않는다.

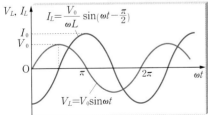

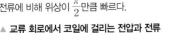

(가) 코일만이 연결된 교류 회로에서 코일에 걸린 전압은 전류에 비해 위상이 $\dfrac{\pi}{2}$만큼 빠르다.

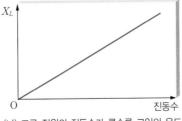

(나) 교류 전원의 진동수가 클수록 코일의 유도 리액턴스는 증가한다.

▲ **교류 회로에서 코일에 걸리는 전압과 전류**

자체 유도 기전력 식
자체 유도 기전력의 크기에 영향을 주는 것은 시간에 따른 전류의 세기 변화율$\left(\dfrac{\Delta I}{\Delta t}\right)$이다. 또, 자체 유도 기전력 $V=-L\dfrac{\Delta I}{\Delta t}$에서 $(-)$부호는 자체 유도 기전력이 전류의 변화를 방해하는 방향으로 생기는 것을 의미한다.

$$\int\sin\omega x\,dx=-\frac{1}{\omega}\cos\omega x+\mathrm{C}$$

코일만이 연결된 교류 회로의 위상자
코일만이 연결된 교류 회로에서 코일의 전류와 전압의 위상은 $\dfrac{\pi}{2}$만큼 차이가 나며, 전압 V_L의 위상이 전류 I_L의 위상보다 빠르다.

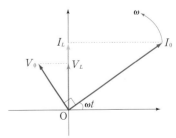

(3) 축전기(C)만을 연결한 교류 회로

그림과 같이 축전기에 교류 전원을 연결하면, 전류는 축전기를 충전시키는 동안에만 흐르고, 축전기가 완전히 충전되면 전류가 흐르지 않는다. 축전기의 전기 용량이 작거나 교류 전원의 진동수가 작으면 전류의 방향이 바뀌기 전에 축전기에 전하가 모두 충전되어 전류가 흐르지 못한다. 이처럼 축전기가 충전될 때까지만 전류가 흐르므로, 교류 회로에서 축전기는 저항의 역할을 한다.

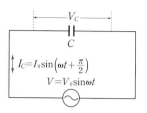

▲ **축전기가 연결된 교류 회로**

전기 용량이 C인 축전기에 전압이 $V=V_0\sin\omega t$인 교류 전원을 연결하면, 축전기에 걸리는 전압 V_C는 교류 전원의 전압과 같다. 따라서 축전기에 충전되는 전하량 $Q=CV_C=CV_0\sin\omega t$가 되므로, 전류 I_C는 다음과 같다.

$$I_C=\frac{dQ}{dt}=\frac{d}{dt}(CV_0\sin\omega t)=\omega CV_0\cos\omega t=\omega CV_0\sin\left(\omega t+\frac{\pi}{2}\right) \text{(최댓값: } I_0=\omega CV_0)$$

$$\frac{d}{dx}\sin\omega x=\omega\cos\omega x$$

① **전압과 전류의 위상**: 전압 V_C의 위상이 전류 I_C의 위상보다 $\frac{\pi}{2}$만큼 느리다.

② **축전기에 의한 용량 리액턴스(X_C)**: 전류와 전압의 최댓값 사이에는 $V_0=\frac{1}{\omega C}I_0$의 관계가 있으므로, $\frac{1}{\omega C}$은 일종의 저항과 같은 의미를 갖는다. 이를 축전기의 용량 리액턴스(X_C)라고 한다.

$$X_C=\frac{1}{\omega C}=\frac{1}{2\pi fC} \text{ (단위: } \Omega)$$

- 축전기를 연결한 회로에서는 교류 전원의 진동수 f가 클수록 전류가 잘 통과한다.
- 축전기의 전기 용량 C가 클수록 전류가 더 잘 흐른다.

③ 축전기는 교류의 흐름을 방해하지만, 저항이 없기 때문에 전력을 소비하지 않는다.

축전기만이 연결된 교류 회로의 위상자
축전기만이 연결된 교류 회로에서 축전기의 전류와 전압의 위상은 $\frac{\pi}{2}$만큼 차이가 나며, 전압 V_C의 위상이 전류 I_C의 위상보다 느리다.

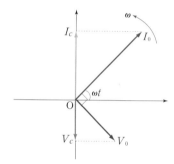

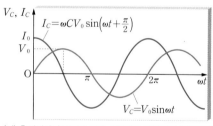

(가) 축전기만이 연결된 교류 회로에서 축전기에 걸린 전압은 전류에 비해 위상이 $\frac{\pi}{2}$만큼 느리다.

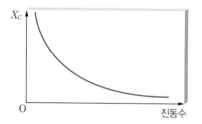

(나) 교류 전원의 진동수가 클수록, 축전기의 용량 리액턴스는 감소한다.

▲ **교류 회로에서 축전기에 걸리는 전압과 전류**

시야확장 ➕ 교류 회로에서의 평균 전력

교류 회로에서 전류가 $I=I_0\sin\omega t$일 때 전류에 대한 전압의 위상차를 ϕ라고 하면 전압은 $V=V_0\sin(\omega t+\phi)$가 된다. 이를 이용하여 평균 전력을 계산하면 $P=\frac{1}{2}I_0V_0\cos\phi$로 나타낼 수 있다. 교류 회로에서 저항은 $\phi=0°$이므로 평균 전력 $P=\frac{1}{2}I_0V_0$이 된다. 그러나 코일이나 축전기는 전류와의 위상차가 $|\phi|=90°$가 되므로, $\cos\phi=0$이 되어 $P=0$이다. 따라서 코일과 축전기는 교류에 대해 저항의 역할은 하지만, 전력이 소모되지는 않는다.

교류 회로에서 평균 전력의 계산
$$P=I_0\sin\omega t\times V_0\sin(\omega t+\phi)$$
$$=-\frac{1}{2}I_0V_0[\cos(2\omega t+\phi)-\cos\phi]$$
$(\sin A\times\sin B=\frac{1}{2}[\cos(A-B)-\cos(A+B)]$ 식을 이용함.)
위 식을 한 주기에 대해 적분하면, $\cos(2\omega t+\phi)$는 한 주기 평균값이 0이므로 다음과 같다.
$$\frac{1}{T}\int_0^T -\frac{1}{2}I_0V_0[\cos(2\omega t+\phi)-\cos\phi]dt$$
$$=\frac{1}{2}I_0V_0\cos\phi$$

(4) 저항(R), 코일(L), 축전기(C)를 직렬로 연결한 교류 회로

그림과 같이 저항, 코일, 축전기가 직렬로 연결된 교류 회로에서 각 저항, 코일, 축전기에 걸리는 전압은 시간에 따라 변하지만, 임의의 시간에 각 전압의 순간값 v_R, v_L, v_C의 합은 교류 전원의 전압 V와 같다.

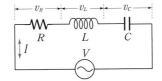

▲ 저항, 코일, 축전기가 연결된 교류 회로

$$V = v_R + v_L + v_C$$

저항, 코일, 축전기는 직렬로 연결되어 있기 때문에 같은 진폭과 위상을 가진 전류가 흐른다. 그러나 세 요소에 걸린 순간 전압은 순간 전류 I와 다음과 같이 다른 위상 관계를 가지므로, 세 요소에 걸린 순간 전압의 합은 전압 위상자들의 벡터 합으로부터 구할 수 있다.

v_R: I와 위상이 같다.

v_L: I보다 $\frac{\pi}{2}$만큼 위상이 빠르다.

v_C: I보다 $\frac{\pi}{2}$만큼 위상이 느리다.

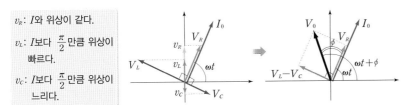

▲ 저항, 코일, 축전기가 직렬로 연결된 교류 회로의 위상차

벡터합으로 V를 계산해야 하므로, V, v_R, v_L, v_C의 최댓값을 각각 V_0, V_R, V_L, V_C라고 하면, v_L과 v_C의 위상이 반대이므로 다음의 관계가 성립한다.

$$V_0^2 = V_R^2 + (V_L - V_C)^2 = (I_0 R)^2 + (I_0 X_L - I_0 X_C)^2$$
$$\Rightarrow V_0 = I_0 \sqrt{R^2 + (X_L - X_C)^2} = I_0 Z$$

- RLC 직렬 회로의 임피던스(Z): 위 식에서 $\sqrt{R^2 + (X_L - X_C)^2}$은 저항과 같은 역할을 하므로, 이를 회로의 임피던스(Z)라고 하며, 단위는 Ω을 사용한다.

$$Z = \sqrt{R^2 + (X_L - X_C)^2} = \sqrt{R^2 + \left(\omega L - \frac{1}{\omega C}\right)^2} = \sqrt{R^2 + \left(2\pi f L - \frac{1}{2\pi f C}\right)^2} \text{(단위: }\Omega\text{)}$$

(5) RLC 직렬 회로의 공명 진동수(f_0)

코일은 교류의 진동수가 클수록 전류를 잘 흐르지 못하게 하고, 축전기는 교류의 진동수가 클수록 전류를 잘 통과시키는 특성이 있다. 따라서 축전기와 코일을 함께 연결하면, 교류의 진동수가 적당한 값을 가질 때 회로에 흐르는 전류의 세기가 최대가 된다. 이 진동수 f_0을 공명 진동수(공진 주파수)라고 하며, 임피던스 Z가 최소가 될 때의 진동수로, 코일의 자체 유도 계수 L과 축전기의 전기 용량 C에 따라 다음과 같이 결정된다.

$$2\pi f_0 L = \frac{1}{2\pi f_0 C} \Rightarrow f_0 = \frac{1}{2\pi \sqrt{LC}} \text{(Hz)}$$

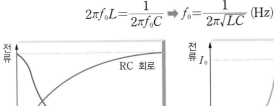

▲ RLC 직렬 회로의 공명 진동수

RL 회로와 RC 회로의 임피던스

- RL 회로: 교류 전원에 저항과 코일만 직렬로 연결된 회로의 임피던스는 RLC 회로의 임피던스 Z 식에서 X_C에 0을 대입하여 구한다.

$$Z = \sqrt{R^2 + X_L^2} = \sqrt{R^2 + (2\pi f L)^2}$$

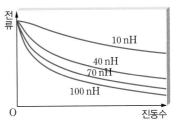

교류 전원의 진동수가 클수록, 코일의 자체 유도 계수가 클수록 전류가 잘 통과하지 못한다.

- RC 회로: 교류 전원에 저항과 축전기만 직렬로 연결된 회로의 임피던스는 RLC 회로의 임피던스 Z 식에서 X_L에 0을 대입하여 구한다.

$$Z = \sqrt{R^2 + X_C^2} = \sqrt{R^2 + \left(\frac{1}{2\pi f C}\right)^2}$$

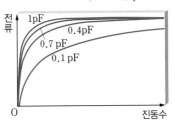

교류 전원의 진동수가 클수록, 축전기의 전기 용량이 클수록 전류가 잘 통과한다.

❶ 전기 진동

그림과 같이 전기 용량이 C인 축전기와 자체 유도 계수가 L인 코일을 전압이 V_0인 전지에 연결하여 회로를 만든다. 가변 스위치를 A에 연결하고 시간이 지나면 축전기에 $Q=CV_0$의 전하가 충전된다. 그 다음에 스위치를 B에 연결하면 축전기 양단의 전위차 V_0에 의해 아래의 그림 ① → ②와 같이 도선에 전류가 흐르기 시작한다. 그러나 ②와 같이

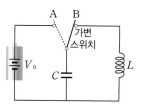

코일에 전류가 흐르면 자체 유도에 의한 역기전력이 생겨 전류는 급격히 증가하지 못한다. 전류가 점점 증가하여 ③과 같이 전류값이 최댓값에 이르면 축전기의 전위차는 0이 되지만 자속의 변화를 방해하는 코일의 자체 유도 기전력 때문에 전류가 계속 흐른다. ④와 같이 전류가 점점 감소하다가 0이 되면, 축전기는 ⑤와 같이 역으로 충전된다. 다시 처음과 반대로 축전기가 방전되면서 ⑥, ⑦, ⑧ 과정을 거쳐서 다시 처음의 ① 상태가 된다. 이와 같이 LC 회로에서 충전과 방전이 반복되면서 회로에 진동하는 전류가 흐르는 현상을 전기 진동이라고 한다. 이것은 마치 용수철 진자가 평형점을 중심으로 좌우로 단진동을 하는 것과 같다.

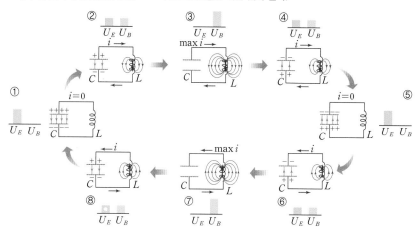

❷ LC 회로의 고유 진동수

LC 회로에서 전류의 진동수를 f, 코일과 축전기의 양단에 나타나는 전압을 각각 V라고 하면, 코일과 축전기에 흐르는 전류는

$$I_L=\frac{V}{X_L}=\frac{V}{\omega L}=\frac{V}{2\pi fL}, I_C=\frac{V}{X_C}=\omega CV=2\pi fCV$$

가 된다. 이때 축전기와 코일에 흐르는 전류는 같으므로 전류의 진동수 f는 다음과 같고, 이를 LC 회로의 고유 진동수라고 한다.

$$\frac{V}{2\pi fL}=2\pi fCV \Rightarrow f=\frac{1}{2\pi\sqrt{LC}} \text{ (Hz)}$$

❸ 공명 진동수

그림과 같이 LC 회로에 교류 전원을 연결했을 때, LC 회로의 고유 진동수와 교류 전원의 진동수가 일치할 때는 전류가 잘 흐르지만, 두 진동수가 일치하지 않을 때는 전류가 잘 흐르지 않는다. 마치 그네를 밀어 줄 때 그네의 주기에 맞춰 힘을 작용하면 그네의 진폭이 커지지만, 그네의 주기와 관계없이 밀어 주면 그네의 진폭이 오히려 감소하는 것과 같은 원리이다. 이처럼 LC 회로의 고유 진동수와 교류 전원의 진동수가 같아 전류가 잘 흐를 때 공명이 일어난다고 하며, 공명이 일어나는 진동수를 공명 진동수라고 한다.

LC 회로에서의 에너지 전환

전기 진동이 일어나는 동안 축전기에 저장된 전기 에너지의 최댓값 $U_E=\frac{1}{2}\frac{Q^2}{C}$($Q$: 충전된 전하량의 최댓값)이고, 코일에 저장된 자기 에너지의 최댓값 $U_B=\frac{1}{2}LI^2$(I: 전류의 최댓값)이다. 전류가 0이 되는 순간 축전기에 충전된 전하량은 최대이고, 전류가 최대일 때 축전기에 저장된 에너지는 0이므로,

$$U_E=U_B=\frac{1}{2}\frac{Q^2}{C}=\frac{1}{2}LI^2$$

이다. 이는 전기 진동이 일어나면서 축전기에 저장된 에너지와 코일에 저장된 에너지가 서로 전환됨을 의미하며, 용수철 진자가 단진동을 할 때 용수철의 탄성 퍼텐셜 에너지와 물체의 운동 에너지가 서로 전환되는 것에 대응된다.

감쇠 진동

전기 진동이 일어나면서 전류가 흐르는 동안 외부로 에너지의 손실이 없다면 전류의 진폭이 항상 일정하지만, 저항이 있는 경우 열의 발생 등에 의해 전류의 진폭이 점점 줄어들어 나중에는 전류가 흐르지 않게 된다. 따라서 전기 진동을 계속 시키려면 외부에서 에너지를 계속 공급해 주어야 한다.

▲ 전기 진동   ▲ 감쇠 진동

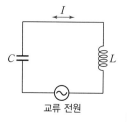

2. 전자기파의 발생

집중 분석 58쪽

(1) 공진 회로에서 발생하는 전자기파

그림과 같이 코일과 축전기가 연결된 회로에 교류 전원을 연결하면 축전기의 전하량이 계속해서 변하면서 두 극판 사이에는 주기적으로 방향과 세기가 변하는 전기장이 생긴다. 주기적으로 진동하는 전기장은 주기적으로 진동하는 자기장을 유도하고, 진동하는 자기장은 다시 진동하는 전기장을 유도한다. 이렇게 교류 전원이 연결된 LC 공진 회로에서는 전기장과 자기장이 번갈

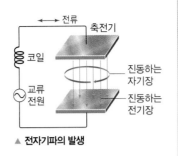

▲ 전자기파의 발생

아 서로를 유도하면서 공간을 퍼져 나가는 전자기파가 발생한다. 이때 교류 전원의 진동수가 LC 회로의 고유 진동수인 $f_0 = \dfrac{1}{2\pi\sqrt{LC}}$ 과 같을 때 가장 센 진동 전류가 흐를 수 있어 가장 강한 전자기파가 발생한다. 발생한 전자기파의 진동수는 교류 전원의 진동수와 같다.

(2) 쌍극자 안테나에서 발생하는 전자기파

① 쌍극자 안테나의 원리: 그림 (나)와 같이 LC 회로에서 축전기의 극판을 벌리면 전자기파는 극판에서 벌어지는 방향으로 전파된다. (다)와 같이 극판을 수직으로 벌리면 극판에 수직인 방향으로 전자기파가 발생한다. 이 극판을 가늘고 단단한 금속 막대로 바꾸면 전자기파가 사방으로 전파되는 쌍극자 안테나가 된다.

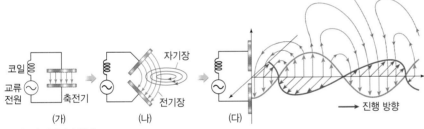

▲ 쌍극자 안테나의 원리

② 전자기파 발생 장치: 그림은 쌍극자 안테나를 통해 전자기파를 발생하는 장치를 나타낸 것으로, 회로에서 발생하는 열 손실과 전자기파의 발생으로 인한 에너지 손실을 보충하는 교류 전원이 포함된 1차 회로와 전자기파를 발생하는 안테나가 포함된 2차 회로로 구성되어 있다. 1차 회로에 특정한 진동수의 진동 전류가 흐르면 1차 코일에 자기장의 변화가 생긴다. 이때 상호유도에 의해 2차 코일에 1차 코일과 동일한 진동수의 진동 전류가 흐르고, 안테나의 전하가 진동하게 된다. 안테나에서 진동하는 전하는 주기적으로 변하는 전기장을 계속 발생시키고, 이 전기장의 변화는 동시에 변하는 자기장을 유도한다. 이와 같은 방식으로 안테나에서는 전자기파를 발생한다.

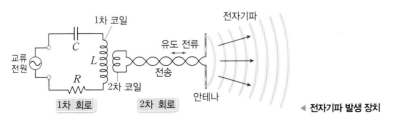

◀ 전자기파 발생 장치

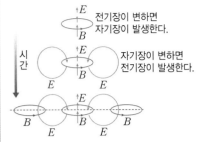

전자기파의 전파

전기장이 변하면 자기장이 발생한다.

자기장이 변하면 전기장이 발생한다.

전기장이 변할 때 만들어진 자기장은 새로 변하는 전기장에 의해 만들어진 자기장이 바깥쪽으로 밀어내어 제자리에서 증폭되지 않고 퍼져 나간다. 한번 발생한 전자기파는 원래의 전류가 없어지더라도 계속 퍼져 나간다.

전자기파의 속력

맥스웰의 전자기 이론에 의하면 유전율 ε, 투자율 μ인 매질에서 전자기파의 속력은

$$v = \frac{1}{\sqrt{\mu\varepsilon}}$$

이다. 진공의 유전율 $\varepsilon_0 = 8.85 \times 10^{-12}$ C^2/ N·m^2, 진공의 투자율 $\mu_0 = 1.26 \times 10^{-6}$ N/A^{2}을 대입하면, 진공에서 전자기파의 속력 c는 다음과 같다.

$$c = \frac{1}{\sqrt{\mu_0\varepsilon_0}} \fallingdotseq 3 \times 10^8 \text{ m/s}$$

이것은 진공에서의 빛의 속력 c와 정확히 일치하므로, 빛이 일종의 전자기파라고 믿게 되었다.

③ 전자기파의 수신

집중 분석 58쪽

전선을 따라 전달된 신호는 수신하고자 하는 것 외에 다른 신호는 거의 존재하지 않는다. 그러나 전자기파로 신호를 전달할 때는 수신하고자 하는 것 외에 수많은 다른 신호들이 공기 중에 존재한다. 따라서 우리 주위의 많은 전자기파 가운데 원하는 전자기파만을 수신하기 위해서는 전자기파를 발생시킬 때와 마찬가지로 안테나가 필요하다.

1. 안테나에서 전자기파의 수신

(1) 안테나

전선을 따라 전달되는 전기 신호는 전압의 변화로 전달되지만, 무선 통신에서 전자기파로 전달되는 전기 신호는 전기장과 자기장의 변화로 전달된다. 이때 전기 신호를 전자기파 신호로 변환하

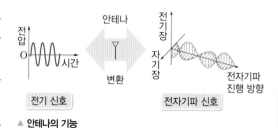

▲ 안테나의 기능

거나 전자기파 신호를 전기 신호로 변환하는 것이 바로 안테나이다. 즉, 안테나는 특정 영역대의 전자기파를 송신 혹은 수신하는 장치를 말한다.

(2) 안테나에서 전자기파의 수신 원리

① 전기장을 이용한 전자기파의 수신: 그림 (가)와 같이 금속으로 된 직선형 안테나에 전자기파가 도달하고 안테나에 나란한 방향으로 전기장이 진동하면, 안테나 내의 전자들이 전기장으로부터 전기력을 받는다. 전기장이 위 방향일 때 전자는 아래 방향으로 전기력을 받아 이동하고, 전기장이 아래 방향일 때 전자는 위 방향으로 전기력을 받아 이동한다. 전자기파의 전기장은 계속 위아래로 진동하므로 안테나 내의 전자들도 계속 위아래 방향으로 진동하여 안테나 내에서 교류 전류가 흐르는 것과 같아진다. 즉, 직선형 안테나에 전자기파가 도달하면 안테나에 교류 전류가 흐르게 된다.

② 자기장을 이용한 전자기파의 수신: 그림 (나)와 같이 원형 안테나에 전자기파가 도달할 때 안테나가 이루는 면과 자기장의 진동 방향이 수직이면, 자기장의 변화에 따라 원형 안테나를 통과하는 자기 선속이 계속 변하게 된다. 이때 원형 안테나에는 유도 기전력이 발생하여 교류 전류가 흐르게 된다.

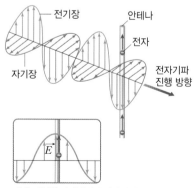

(가) 직선형 안테나에서 전자기파의 수신 원리

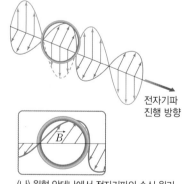

(나) 원형 안테나에서 전자기파의 수신 원리

▲ 안테나에서 전자기파의 수신 원리

(3) 공진 회로에서 전자기파의 수신

안테나에 도달한 다양한 진동수의 전자기파 중에서 특정 진동수의 전자기파만을 수신하려면 그림과 같은 LC 공진 회로를 이용하면 된다. 먼저, 1차 회로의 안테나에 다양한 진동수의 전자기파가 도달하면, 1차 회로에는 다양한 진동수의 교류가 흐르게 된다. 이때 1차 코일과 2차 코일 사이의 상호 유도에 의해 2차 코일에도 유도 전류가 흐르게 되는데, 2차 회로의 공명 진동수인 $f=\dfrac{1}{2\pi\sqrt{LC}}$에 해당하는 진동수의 전류만 강하게 흐르고 나머지 진동수의 전류는 약하게 흐른다. 따라서 안테나에 도달한 여러 진동수의 전자기파 가운데 특정 진동수의 전자기파만 골라낼 수 있다.

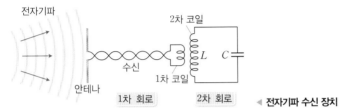

◀ **전자기파 수신 장치**

만일 라디오나 텔레비전에서 다른 방송국의 전파를 잡고 싶으면 2차 코일에 연결된 코일의 유도 리액턴스 L이나 축전기의 용량 리액턴스 C를 조절하여 2차 회로의 공명 진동수를 바꾸면 된다. 공명 진동수를 바꿈으로써 원하는 진동수의 전자기파를 선택할 수 있고, 2차 회로에 흐르는 전류를 증폭시키면 전자기파로 전송된 다양한 신호를 수신할 수 있다.

(4) 안테나의 종류: 직선형의 쌍극자 안테나, 쌍극자 안테나를 여러 개 연결한 야기 안테나, 원형의 고리 안테나, 혼 안테나 등 여러 종류가 있다. 안테나의 크기는 송수신하는 전자기파의 진동수에 따라 달라지며, 고주파를 사용할수록 안테나의 크기가 작아진다.

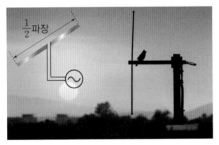

▲ **쌍극자 안테나** 가장 기본적인 안테나로, 2개의 극이 다른 도선을 전체 길이가 $\dfrac{\lambda}{2}$가 되도록 만든다.

▲ **홀극 안테나** 쌍극자 안테나의 한쪽 극을 접지로 대체한 안테나이다. 전체 길이가 $\dfrac{\lambda}{4}$가 되도록 만든다.

▲ **야기 안테나** 쌍극자 안테나를 변형한 것으로, 쌍극자 안테나의 앞뒤에 그보다 약간 짧은 길이의 금속봉을 배치한 안테나이다. 텔레비전 수신에 사용된다.

▲ **고리 안테나** 주로 전자기파를 수신할 때 사용하며, 고리를 지나는 자기장 변화로 인한 유도 기전력을 이용한다.

라디오 주파수 변경

예전의 라디오에서 주파수를 변경할 때는 아래와 같은 가변 축전기를 사용하여 2차 회로의 공명 진동수를 변경하였다. 스위치를 돌리면 축전기의 금속판이 마주보는 면적이 변하며 전기 용량이 변한다.

④ 전자기파를 이용한 무선 통신

전기적 신호를 전자기파로 변환해 주는 안테나를 이용하면 전자기파를 송수신할 수 있다. 이를 이용해 정보를 전달하는 무선 통신을 하기 위해서는 전자기파에 정보를 담고, 다시 전자기파에서 정보를 분리하는 과정이 필요하다.

1. 무선 통신

무선 통신에는 전자기파 중에서 라디오파나 마이크로파와 같은 전파가 주로 사용되며, 각각 사용하는 진동수 대역을 다르게 하여 서로 간섭하지 않도록 한다. 예를 들어 라디오는 진동수가 작은 대역의 전파를 사용하며, 방송사별로도 다른 진동수를 사용한다. 또, 휴대 전화, 블루투스, 무선 랜 등은 비교적 진동수가 큰 대역의 전파를 사용한다.

2. 방송의 송·수신 과정

방송에서는 LC 회로와 안테나를 사용하여 특정 진동수의 전자기파를 송신하고 수신한다. 이때 전자기파에 정보를 싣고, 다시 이를 분리하는 데는 변조와 복조 과정이 필요하다.

(1) **변조:** 정보를 담고 있는 전기 신호를 일정한 진동수의 교류 신호에 첨가하는 과정이다. 예를 들어 라디오 방송에서는 진폭 변조 방식과 진동수 변조 방식을 사용한다.

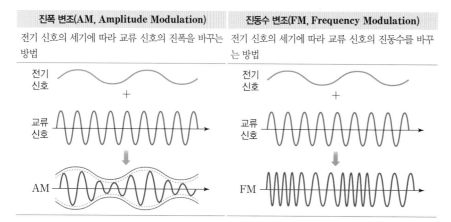

진폭 변조(AM, Amplitude Modulation)	진동수 변조(FM, Frequency Modulation)
전기 신호의 세기에 따라 교류 신호의 진폭을 바꾸는 방법	전기 신호의 세기에 따라 교류 신호의 진동수를 바꾸는 방법

(2) **복조:** 수신된 전자기파에서 전기 신호를 분리하는 과정이다.

(3) **라디오 방송의 송·수신 과정:** 라디오 방송을 할 때는 마이크를 이용하여 음성 신호를 전기 신호로 변환한 후, 이를 변조 과정을 통해 교류 신호에 첨가하여 송신 안테나를 통해 전자기파의 형태로 송신한다. 라디오에서는 수신 안테나로 원하는 진동수의 전자기파만을 수신하여 교류 신호로 변환하고, 복조 과정을 통해 교류 신호에서 전기 신호를 분리한다. 이 전기 신호를 스피커를 통해 소리로 변환하면 라디오 방송을 들을 수 있다.

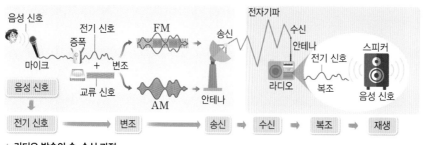

▲ 라디오 방송의 송·수신 과정

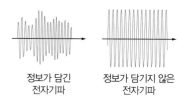

신호

정보가 담긴 전자기파. 즉 신호가 담긴 전자기파란 정해진 규칙대로 사인 파형에 일정한 변형이 가해진 전자기파를 말한다. 반면 진동수와 진폭이 일정한 사인 파형의 전자기파는 아무런 정보를 포함하지 않는다.

정보가 담긴   정보가 담기지 않은
전자기파   전자기파

AM과 FM 변조 방식의 특징
• AM 방식: 초기 라디오 방송에 많이 사용되었으나, 에너지 효율이 나쁘고 전파의 진폭이 주변의 영향을 쉽게 받기 때문에 잡음이 섞이고, 전체적으로 음질이 떨어지는 단점이 있다. 주로 단파나 중파 이하의 전파를 사용한다.

• FM 방식: 진폭은 일정하게 유지하고 진동수만 변화시켜 송신하기 때문에 송신 도중에 주변의 영향으로 진폭이 변하여도 진폭을 다시 일정하게 맞출 수 있다. 따라서 잡음이 적고, 더 좋은 음질로 보낼 수 있다. 주로 초단파 이상의 전파를 사용한다.

압전 소자를 이용한 전자기파의 발생

압전 소자와 네온관, 구리 선을 이용하여 전자기파의 송수신 과정을 이해할 수 있다.

과정

1. 그림 (가)와 같이 굵은 구리 선으로 지름 20 cm 정도의 원형 안테나를 만들고, 양 끝에 네온관을 연결한 후 OHP 필름 위에 부착한다.

2. 그림 (나)와 같이 한 변의 길이가 15 cm인 정사각형 모양의 알루미늄박 2개를 간격이 3 cm 정도가 되도록 바닥에 고정하고, 알루미늄박 위에 끝을 둥글게 한 굵은 구리 선을 각각 놓는다. 구리 선 사이의 간격이 2 mm~3 mm가 되도록 맞춘 후 고정한다.

3. 알루미늄박에 부착된 구리 선에 압전 소자를 연결한다.

4. 그림 (다)와 같이 알루미늄박 위쪽에 원형 안테나가 고정된 OHP 필름을 겹쳐 놓은 후, 압전 소자를 누르며 네온관을 관찰한다.

5. 알루미늄박과 원형 안테나 사이의 거리를 바꿔 가면서 과정 **4**를 반복한다.

유의점

• 구리 선을 알루미늄 포일에 부착할 때 서로 잘 접촉되게 한다.
• 압전 소자를 누를 때 높은 전압이 발생하므로 구리 선에 손이 닿지 않도록 주의한다.

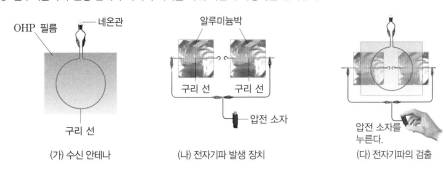

(가) 수신 안테나   (나) 전자기파 발생 장치   (다) 전자기파의 검출

결과

1. 압전 소자를 누르면 원형 안테나가 알루미늄박에 닿지 않았는데도 네온관에 불이 켜진다.

2. 원형 안테나와 알루미늄박 사이의 거리가 작을수록 네온관에 더 밝은 불이 켜진다.

정리

• 압전 소자를 눌러 구리 선 사이에 불꽃이 생길 때 전자기파가 방출된다.
• 원형 안테나 내부로 전자기파가 지나가면 원형 안테나에 유도 전류가 흐른다. 즉, 전자기파가 수신된다.

탐구 확인 문제

> 정답과 해설 **157**쪽

01 위 실험에 대한 설명으로 옳은 것은 ○, 옳지 않은 것은 ×로 표시하시오.

(1) 원형 안테나는 전자기파를 수신하는 역할을 한다. ( )

(2) 압전 소자를 누르면 구리 선 사이에 일정한 전기장이 형성된다. ( )

(3) 압전 소자를 누를 때 발생한 전자기파가 원형 안테나를 지나면서 유도 전류가 발생한다. ( )

02 그림과 같이 전자기파가 $+z$ 방향으로 전파될 때, (가)~(다) 중 원형 안테나에서 전자기파가 가장 잘 수신되는 것을 고르시오. (단, (가)는 xz 평면, (나)는 yz 평면, (다)는 xy 평면에 놓여 있다.)

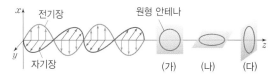

전자기파의 발생과 수신

1886년, 헤르츠가 유도 코일과 전극을 이용하여 전자기파를 발생시키고, 이 전자기파를 원형 고리 모양의 검출기로 검출함으로써 전자기파의 존재를 확인하였다. 전자기파 가운데 전파는 주로 전기 진동에 의해 발생하고, 안테나에 도달한 전파는 LC 회로와 공명을 일으킬 때 강하게 수신된다. 이 원리를 이용하여 방송이나 통신에서 LC 회로의 공명 진동수를 변화시킴으로써 특정한 진동수의 전파를 수신하게 된다.

❶ 전기 진동에 의한 전자기파의 발생

LC 회로와 전기 진동	공진 회로에서의 전자기파 발생	쌍극자 안테나에서의 전자기파 발생
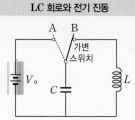	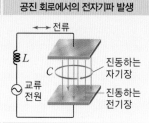	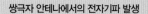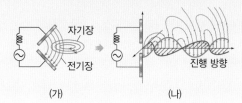
스위치를 A에 연결하여 축전기를 충전한 후 다시 B에 연결하면, 축전기와 코일 사이에 계속해서 진동하는 전류가 흐른다. 이때 LC 회로의 고유 진동수는 다음과 같다. $$f=\frac{1}{2\pi\sqrt{LC}}$$	LC 회로의 고유 진동수와 교류 전원의 진동수가 일치할 때, 가장 센 전류가 흐르고 축전기의 극판 사이에서 진동하는 전기장과 자기장에 의해 가장 강한 전자기파가 발생한다.	공진 회로에서 축전기의 극판을 (가)와 같이 펼치면 전자기파가 오른쪽으로 주로 방출되고, (나)와 같이 완전히 펼치면 사방으로 전자기파가 방출되는 쌍극자 안테나가 된다.

❷ RLC 직렬 회로를 이용한 전자기파의 수신

RLC 직렬 회로	전자기파 수신
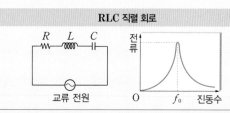	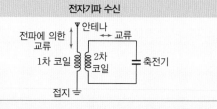
RLC 회로의 공명 진동수 $f_0=\frac{1}{2\pi\sqrt{LC}}$이다. 즉, 교류 전원의 진동수가 f_0일 때 회로의 임피던스 $Z=\sqrt{R^2+\left(\omega L-\frac{1}{\omega C}\right)^2}$ 이 최소($Z=R$)가 되어 가장 센 전류가 흐른다.	전자기파의 진동수와 2차 회로의 공명 진동수가 같을 때 2차 코일의 회로에 가장 센 전류가 흘러 전파가 수신된다. 축전기의 전기 용량이나 코일의 자체 유도 계수를 변화시켜 원하는 진동수의 전자기파를 수신할 수 있다.

> 정답과 해설 157쪽

그림은 전자기파 발생 장치의 회로를 나타낸 것으로, 안테나에서 전자기파가 발생하고 있다. 회로의 공명 진동수와 교류 전원의 진동수는 같고, 1차 코일의 자체 유도 계수는 2×10^{-6} H이고, 축전기의 전기 용량은 $8~\mu$F이다. 안테나에서 발생한 전자기파의 진동수는 약 몇 Hz인가? (단, $\pi=3.14$이다.)

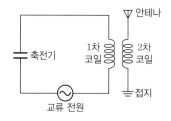

① 79.6 kHz   ② 39.8 kHz   ③ 19.9 kHz

④ 3.98 kHz   ⑤ 1.99 kHz

03 전자기파의 발생과 수신

① 전자기파

1. (**❶**   ) 변하는 전기장과 자기장이 서로 원인과 결과가 되어 주기적으로 진동하며 전파되는 파동이다.

2. 전하가 가속 운동을 할 때, 전류가 변할 때, 변위 전류가 흐를 때, 전기 방전이 일어날 때 전자기파가 발생한다.

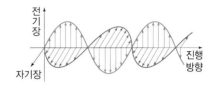

② 교류 회로에서 전자기파의 발생과 수신

1. **저항(R), 코일(L), 축전기(C)를 연결한 교류 회로** 교류 전원($V=V_0\sin\omega t$)의 진동수가 클수록 코일의 유도 리액턴스는 (**❷**   )지고, 축전기의 용량 리액턴스는 (**❸**   )진다.

구분	저항(저항값: R)	코일(자체 유도 계수: L)	축전기(전기 용량: C)
전류	$I_R=\dfrac{V_0}{R}\sin\omega t$	$I_L=\dfrac{V_0}{\omega L}\sin\left(\omega t-\dfrac{\pi}{2}\right)$	$I_C=\omega CV_0\sin\left(\omega t+\dfrac{\pi}{2}\right)$
전압의 위상	V_R, I_R $I_R=I_0\sin\omega t$ $V_R=V_0\sin\omega t$ 전류와 위상이 같다.	V_L, I_L $I_L=\dfrac{V_0}{\omega L}\sin\left(\omega t-\dfrac{\pi}{2}\right)$ $V_L=V_0\sin\omega t$ 전류보다 $\dfrac{\pi}{2}$만큼 (**❹**).	V_C, I_C $I_C=\omega CV_0\sin\left(\omega t+\dfrac{\pi}{2}\right)$ $V_C=V_0\sin\omega t$ 전류보다 $\dfrac{\pi}{2}$만큼 (**❺**).
저항 효과	R	$X_L=\omega L=2\pi fL$	$X_C=\dfrac{1}{\omega C}=\dfrac{1}{2\pi fC}$

2. **RLC 직렬 회로의 임피던스(Z)** $Z=\sqrt{R^2+(\textbf{❻}\quad\quad)}$

3. **공명 진동수** RLC 직렬 회로에서 임피던스 Z가 (**❼**   )가 되는 교류 전원의 진동수로, 이때 전류의 세기가 최대가 된다.
$$f_0=(\textbf{❽}\quad\quad)$$

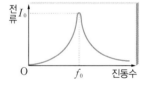

4. **교류 회로에서 전자기파의 발생과 수신**

전자기파의 발생	전자기파의 수신
교류 전원의 진동수가 공명 진동수와 같을 때 가장 강한 전자기파가 발생한다.	수신 회로의 (**❾**)와 진동수가 같은 전자기파를 수신할 때 가장 센 전류가 흐른다.

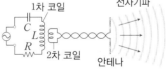
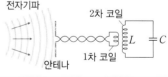

③ 전자기파를 이용한 무선 통신

1. **변조** 정보를 담고 있는 전기 신호를 일정한 진동수의 교류 신호에 첨가하는 과정

2. (**⓫**   ) 수신된 전자기파에서 전기 신호를 분리하는 과정

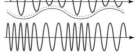

3. **방송의 송·수신 과정**

> 영상, 음성 신호 → 전기 신호로 변환 → 변조 → (**⓬**   )를 통해 전자기파 송신 → 안테나를 통해 전자기파 수신 → 복조 → 재생

01 그림은 진공 중에서 $+x$ 방향으로 진행하는 전자기파에서 어느 순간의 전기장의 모습을 나타낸 것이다. 전기장은 xy 평면상에서 진동한다.

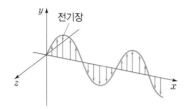

이에 대한 설명으로 옳은 것만을 보기에서 있는 대로 고르시오.

> 보기
> ㄱ. 자기장은 xz 평면상에서 진동한다.
> ㄴ. 전기장이 최대일 때 자기장은 최소이다.
> ㄷ. 진공 중에서 전자기파의 전파 속력은 광속 c와 같다.

02 전자기파가 발생하지 <u>않는</u> 경우만을 보기에서 있는 대로 고르시오.

> 보기
> ㄱ. 변위 전류가 흐를 때
> ㄴ. 도선에 일정한 전류가 흐를 때
> ㄷ. 전하가 운동하다가 멈출 때
> ㄹ. 전하가 일정한 속도로 운동할 때
> ㅁ. 도선에 교류 전류가 흐를 때

03 그림 (가)의 교류 회로에서 스위치를 a 또는 b에 연결한 후 회로에 흐르는 전류의 세기를 측정하였다. 그림 (나)는 교류 전원의 진동수를 변화시키며 측정한 전류를 나타낸 것이다. A와 B는 각각 축전기와 코일 중 어느 것인지 쓰시오.

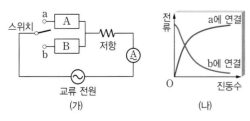

(가)   (나)

04 그림 (가)와 같이 저항과 코일을 전압이 28 V인 전지에 연결하였더니 회로에 2 A의 전류가 흘렀다. (나)에서 동일한 저항과 코일을 최댓값이 28 V인 교류 전원에 연결하였더니 최댓값이 1 A인 전류가 흘렀다. 저항의 저항값과 코일의 유도 리액턴스는 각각 몇 Ω인지 쓰시오.

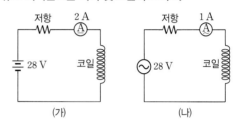

(가)   (나)

05 그림은 저항, 코일, 축전기를 교류 전원에 직렬로 연결한 회로로, 이때 저항의 저항값이 80 Ω이고, 코일의 유도 리액턴스가 100 Ω, 축전기의 용량 리액턴스는 160 Ω이었다. 저항, 코일, 축전기에 걸린 전압의 최댓값은 각각 40 V, 50 V, 80 V였다.

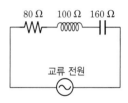

(1) 교류 전원의 전압의 최댓값은 몇 V인지 쓰시오.

(2) 회로에 흐르는 전류의 최댓값은 몇 A인지 쓰시오.

06 그림은 저항값이 R인 저항, 자체 유도 계수가 L인 코일, 전기 용량이 C인 축전기를 교류 전원에 직렬로 연결한 회로이다. 이에 대한 설명으로 옳은 것만을 보기에서 있는 대로 고르시오.

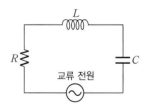

> 보기
> ㄱ. 회로에 흐르는 전류의 최댓값은 교류 전원의 진동 수가 $\dfrac{1}{2\pi\sqrt{LC}}$일 때 가장 크다.
> ㄴ. 저항에 걸리는 전압이 최대일 때 축전기에 걸리는 전압도 최대가 된다.
> ㄷ. 축전기의 극판 사이에서 전자기파가 발생한다.

07 그림 (가)는 저항값이 R인 저항, 자체 유도 계수가 L인 코일, 전기 용량이 C인 축전기를 최대 전압이 V_0인 교류 전원에 직렬로 연결한 회로를 나타낸 것이다. 그림 (나)는 (가)의 교류 전원의 진동수를 변화시키며 회로에 흐르는 전류의 최댓값을 측정하여 나타낸 것이다.

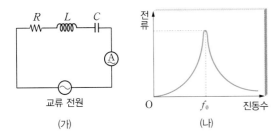

(가)   (나)

(1) 교류 전원의 진동수가 f_0일 때 저항에 걸리는 전압의 최댓값을 구하시오.

(2) (가)의 코일을 자체 유도 계수가 2배인 것으로 교체하였을 때 공명 진동수를 구하시오.

08 그림은 코일과 축전기가 진동수가 f인 교류 전원에 연결된 회로를 나타낸 것이다.
이에 대한 설명으로 옳은 것만을 보기에서 있는 대로 고르시오.

보기
ㄱ. 축전기에 세기와 방향이 일정한 전기장이 형성된다.
ㄴ. 축전기의 전기장에 의해 자기장이 유도된다.
ㄷ. 진동수가 f인 전자기파가 축전기에서 발생한다.

09 전자기파의 수신에 대한 설명으로 옳은 것만을 보기에서 있는 대로 고르시오.

보기
ㄱ. 전자기파가 직선형 안테나에 도달하면 안테나 속에 있는 전자는 전기력을 받는다.
ㄴ. 전자기파에 의해 안테나에는 교류 전류가 흐른다.
ㄷ. 전자기파의 진동수와 수신 회로의 공명 진동수가 같을 때 수신 회로에 흐르는 전류는 최소가 된다.

10 그림은 방송국에서 보낸 전파 A, B가 안테나에 도달하는 것을 나타낸 것으로, 가변 축전기의 전기 용량을 변화시켜 원하는 방송을 스피커로 듣는다. A와 B의 진동수는 각각 f_A, f_B이고, $f_A > f_B$이다.

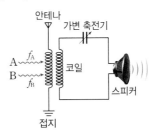

이에 대한 설명으로 옳은 것만을 보기에서 있는 대로 고르시오.

보기
ㄱ. A의 방송이 들릴 때 LC 회로의 공명 진동수는 f_A이다.
ㄴ. B의 방송을 들으려면 가변 축전기의 전기 용량을 증가시켜야 한다.
ㄷ. 코일을 자체 유도 계수가 큰 것으로 교체하면 LC 회로의 공명 진동수는 증가한다.

11 그림은 진동수 변조(FM) 방식과 진폭 변조(AM) 방식의 방송의 송수신 과정을 간략히 나타낸 것이다.

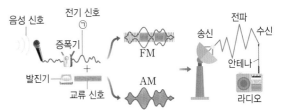

이에 대한 설명으로 옳은 것은 ○, 옳지 않은 것은 ×로 표시하시오.

(1) 방송이 정상적으로 들릴 때 라디오의 안테나 회로의 공명 진동수는 ㉠의 진동수와 일치한다. (　　)

(2) AM 방송에서 안테나를 통해 송신되는 교류 신호의 진동수는 일정하다. (　　)

(3) 라디오의 안테나로 수신된 신호를 재생하려면 변조 과정이 필요하다. (　　)

01 ❯ 전자기파의 수신

그림은 전자기파가 전파될 때 직선형 안테나가 전기장의 진동 방향으로 놓여 있는 것을 나타낸 것이다.

이에 대한 설명으로 옳은 것만을 보기에서 있는 대로 고른 것은?

보기
ㄱ. 직선형 안테나에는 전자기 유도 현상에 의해 전류가 흐른다.
ㄴ. 전자기파의 세기가 클수록 직선형 안테나에 더 센 전류가 흐른다.
ㄷ. 전자기파의 진동수와 안테나에 흐르는 교류 전류의 진동수는 같다.

① ㄱ   ② ㄷ   ③ ㄱ, ㄴ   ④ ㄴ, ㄷ   ⑤ ㄱ, ㄴ, ㄷ

• 직선형 안테나에서는 전자기파의 전기장으로부터 전기력을 받는 전자들의 운동에 의해 교류 전류가 흐른다.

02 ❯ 교류 회로에서의 축전기와 코일

그림은 출력 단자에 병렬로 연결된 두 스피커 (가), (나)를 나타낸 것이다. (가)에는 축전기가, (나)에는 코일이 연결되어 있다.
이 스피커에 대한 설명으로 옳은 것만을 보기에서 있는 대로 고른 것은?

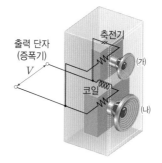

보기
ㄱ. 진동수가 큰 소리가 출력될 때는 코일의 유도 리액턴스가 커진다.
ㄴ. 진동수가 작은 소리가 출력될 때는 축전기의 용량 리액턴스가 커진다.
ㄷ. 고음의 소리는 주로 (나)를 통해 발생한다.
ㄹ. 저음의 소리는 주로 (가)를 통해 발생한다.

① ㄱ, ㄴ   ② ㄱ, ㄷ   ③ ㄱ, ㄹ   ④ ㄴ, ㄹ   ⑤ ㄷ, ㄹ

• 출력 단자에 걸린 교류 전압의 진동수에 따라 축전기의 용량 리액턴스와 코일의 유도 리액턴스가 달라진다.

03 ▶ RLC 직렬 회로

그림은 진동수가 $\dfrac{\omega}{2\pi}$인 교류 전원에 저항값이 R인 저항, 자체 유도 계수가 L인 코일, 전기 용량이 C인 축전기를 직렬로 연결한 회로이다. 저항, 코일, 축전기에 걸린 전압의 최댓값은 각각 V_R, V_L, V_C이고, V_L과 V_C의 크기는 같다.

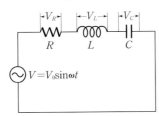

이 회로에 대한 설명으로 옳은 것만을 보기에서 있는 대로 고른 것은? (단, 전자기파의 발생은 무시한다.)

보기

ㄱ. 회로에 흐르는 전류의 최댓값은 $\dfrac{V_0}{R}$이다.

ㄴ. 저항과 코일에서 소비되는 전기 에너지는 같다.

ㄷ. 회로의 임피던스는 $\sqrt{R^2+\left(\omega L-\dfrac{1}{\omega C}\right)^2}$이다.

① ㄱ   ② ㄴ   ③ ㄱ, ㄷ   ④ ㄴ, ㄷ   ⑤ ㄱ, ㄴ, ㄷ

> 코일과 축전기에 걸리는 전압의 최댓값이 같을 때는 X_L과 X_C가 같을 때이다. 이때 임피던스는 저항의 저항값과 같다.

04 ▶ RLC 직렬 회로

그림은 저항, 코일, 축전기를 최댓값이 100 V이고 진동수를 변화시킬 수 있는 교류 전원에 직렬로 연결한 것을 나타낸 것이다. 교류의 진동수가 50 Hz인 상태에서 저항의 저항값은 40 Ω, 코일의 유도 리액턴스는 20 Ω, 축전기의 용량 리액턴스는 50 Ω이다.

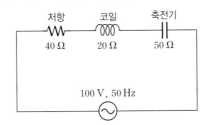

이에 대한 설명으로 옳은 것만을 보기에서 있는 대로 고른 것은?

보기

ㄱ. 이 상태에서 임피던스는 50 Ω이다.

ㄴ. 이 상태에서 전체 평균 전력은 250 W이다.

ㄷ. 교류 전원의 진동수가 $25\sqrt{10}$ Hz가 될 때까지 평균 소비 전력은 증가한다.

① ㄴ   ② ㄷ   ③ ㄱ, ㄴ   ④ ㄱ, ㄷ   ⑤ ㄱ, ㄴ, ㄷ

> RLC 직렬 회로에서 임피던스 $Z=\sqrt{R^2+(X_L-X_C)^2}$이고, 교류 회로에서 코일과 축전기는 전력을 소비하지 않는다.

05 › RLC 직렬 회로

그림 (가)는 저항값이 20 Ω인 저항과 코일, 축전기를 교류 전원에 직렬로 연결한 것을 나타낸 것이고, (나)는 저항의 양단과 축전기의 양단에 걸리는 전압을 각각 시간에 따라 나타낸 것이다. 교류 전원의 전압의 최댓값은 20 V이다.

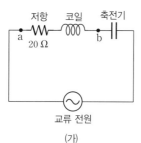

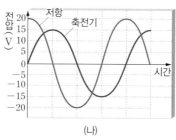

(가)   (나)

이에 대한 설명으로 옳은 것만을 보기에서 있는 대로 고른 것은?

보기

ㄱ. 저항에 흐르는 전류의 최댓값은 1 A이다.

ㄴ. a와 b 사이에 걸리는 전압의 최댓값은 25 V이다.

ㄷ. 코일의 유도 리액턴스는 15 Ω이다.

① ㄴ   ② ㄷ   ③ ㄱ, ㄴ   ④ ㄱ, ㄷ   ⑤ ㄱ, ㄴ, ㄷ

• RLC 직렬 회로에서 코일에 걸리는 전압의 위상은 전류의 위상보다 $\frac{\pi}{2}$만큼 빠르고, 축전기에 걸리는 전압의 위상은 전류의 위상보다 $\frac{\pi}{2}$만큼 느리다.

06 › 전자기파의 송수신

그림 (가)는 안테나를 이용하여 전자기파를 송수신하는 과정을 나타낸 것이고, (나)는 (가)에서 교류 전원의 진동수를 변화시키면서 수신 회로의 전류계로 측정한 전류의 세기를 나타낸 것이다.

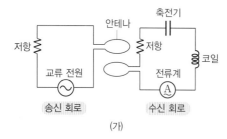

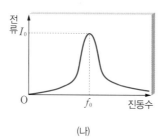

(가)   (나)

이에 대한 설명으로 옳은 것만을 보기에서 있는 대로 고른 것은?

보기

ㄱ. 송신 회로에서 교류 전원의 진동수와 안테나에서 방출된 전자기파의 진동수는 같다.

ㄴ. 수신 회로의 공명 진동수는 f_0이다.

ㄷ. 송신 회로에서 방출하는 전자기파의 진동수가 f_0보다 크면 수신 회로의 전류는 I_0보다 작아진다.

① ㄱ   ② ㄴ   ③ ㄷ   ④ ㄱ, ㄷ   ⑤ ㄱ, ㄴ, ㄷ

• 수신된 전자기파의 진동수와 수신 회로의 공명 진동수가 같을 때 수신 회로에 가장 센 전류가 흐른다.

07 ▶ 전기 진동

그림 (가)는 전압이 V인 전지와 전기 용량이 C인 축전기, 자체 유도 계수가 L인 코일과 저항 값이 R인 저항이 연결된 회로를 나타낸 것이다. 그림 (나)는 스위치를 A에 연결하여 축전기를 완전히 충전한 후 스위치를 다시 B에 연결하였을 때 저항에 흐르는 전류를 시간에 따라 나타낸 것이다.

• LC 회로에서 전기 진동이 일어날 때 진동수는 $\dfrac{1}{2\pi\sqrt{LC}}$이다.

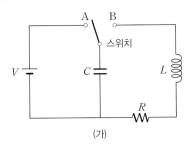
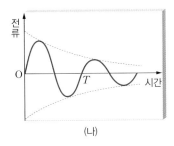

(가)   (나)

이에 대한 설명으로 옳은 것만을 보기에서 있는 대로 고른 것은?

보기
ㄱ. 스위치를 A에 연결했을 때 축전기에 저장된 전기 에너지의 최댓값은 $\dfrac{1}{2}CV^2$이다.

ㄴ. $T = \dfrac{1}{2\pi\sqrt{LC}}$이다.

ㄷ. (나)에서 시간이 지남에 따라 전류의 진동 주기는 감소한다.

① ㄱ   ② ㄴ   ③ ㄷ   ④ ㄴ, ㄷ   ⑤ ㄱ, ㄴ, ㄷ

08 ▶ 전자기파의 발생

그림은 RLC 직렬 회로와 쌍극자 안테나를 통해 전자기파를 발생시키는 과정을 나타낸 것이다.

• 1차 코일에 흐르는 교류에 의해 2차 코일에 연결된 안테나에서 전자기파가 발생한다.

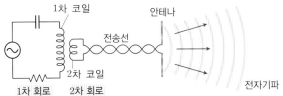

이에 대한 설명으로 옳은 것만을 보기에서 있는 대로 고른 것은?

보기
ㄱ. 상호 유도에 의해 2차 코일에 진동하는 전류가 흐른다.

ㄴ. 안테나의 전하는 1차 회로에 흐르는 전류의 진동수보다 낮은 진동수로 진동한다.

ㄷ. 안테나에서는 방향이 변하는 전기장과 자기장이 만들어진다.

① ㄴ   ② ㄷ   ③ ㄱ, ㄴ   ④ ㄱ, ㄷ   ⑤ ㄴ, ㄷ

04 볼록 렌즈에 의한 상

학습 Point　볼록 렌즈에 의한 상 〉 렌즈 방정식과 배율 〉 오목 렌즈에 의한 상 〉 여러 가지 광학 기구

1 렌즈에서 상이 맺히는 과정

빛은 매질이 변하면 굴절하고, 매질의 경계면을 곡면으로 만든 렌즈를 이용하면 원하는 특성을 가진 다양한 상을 맺을 수 있다. 볼록 렌즈와 오목 렌즈에 의한 상에는 어떤 것들이 있고, 그러한 상이 어떻게 만들어지는지 알아보자.

1. 상

우리는 물체에서 나온 빛이 눈에 들어올 때 그 물체를 본다. 전등과 같이 직접 빛을 내는 물체는 물체에서 나온 빛이 직접 우리 눈에 들어와서 물체를 인식한다. 광원이 아닌 대부분의 물체는 광원에서 나온 빛이 물체에서 반사된 후 우리 눈에 들어와서 물체를 인식한다.

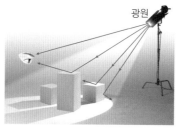

▲ 물체를 보는 과정

한편, 거울이나 렌즈를 통해 물체의 모습을 볼 때도 있다. 이때 보이는 물체의 모습은 물체에서 나온 빛이 거울이나 렌즈에서 반사하거나 굴절한 뒤 다시 모이거나 또는 모이는 것처럼 보이는 지점에 생기므로, 실제 물체의 위치와는 다를 수 있다. 이처럼 광학 기구에 의해 나타나는 물체의 모습을 상이라고 하며, 실상과 허상으로 분류할 수 있다.

(1) **실상:** 그림 (가)와 같이 물체의 한 점에서 나온 광선들이 반사 또는 굴절된 후 실제로 한 점을 지나며 생기는 상이다. 실상은 실제 빛의 경로상에 있으므로, 실상이 있는 곳에 스크린을 놓으면 스크린에 상이 보인다.

(2) **허상:** 그림 (나)의 평면거울에 의한 상처럼 물체의 한 점에서 나온 광선들이 거울이나 렌즈에서 반사 또는 굴절된 후 한 점을 지나지 않고, 마치 어느 한 점에서 나온 것처럼 퍼질 때 보이는 상이다. 허상은 빛의 가상의 경로상에 있으므로 눈으로 인식할 수만 있고, 상의 위치에 스크린을 놓아도 상을 볼 수 없다.

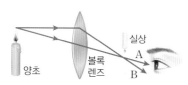

(가) 빛 A, B는 양초의 실상에서 나온 빛이다.

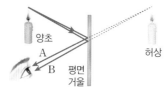

(나) 빛 A, B는 양초의 허상에서 나온 것처럼 보이는 빛이다.

▲ 실상과 허상

굴절

매질에 따라 빛의 속력이 달라져 매질의 경계면에서 빛의 경로가 꺾이게 된다. 이때 광선과 법선이 이루는 각도는 굴절률이 큰 매질에서 더 작다.

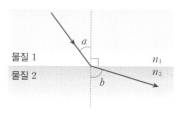

물질 1에 대한 물질 2의 굴절률은

$n_{12} = \dfrac{\sin a}{\sin b} = \dfrac{n_2}{n_1}$ (n_1: 물질 1의 절대 굴절률, n_2: 물질 2의 절대 굴절률)

이다. 따라서 $a < b$이면 $n_1 > n_2$이다.

2. 볼록 렌즈

렌즈란 빛을 모으거나 퍼뜨리는 도구로, 2개의 구면 또는 구면과 평면으로 이루어진 투명체를 말한다. 렌즈에는 가운데 부분이 가장자리보다 두꺼운 볼록 렌즈(수렴 렌즈)와 가운데 부분이 가장자리보다 얇은 오목 렌즈(발산 렌즈)가 있다.

(1) 광축

그림과 같이 볼록 렌즈의 양쪽 면에 접하는 구 A, B를 그렸을 때 각 구의 구심 c_1과 c_2를 잇는 직선을 그 렌즈의 광축이라고 한다.

광축 ▶

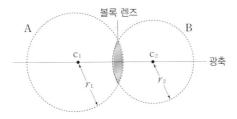

(2) 초점과 초점 거리(f)

오른쪽 그림과 같이 볼록 렌즈의 광축에 평행하게 빛이 입사하면, 빛은 볼록 렌즈의 두 경계면을 지나며 굴절하여 광축 쪽으로 진행 방향이 꺾인다. 이렇게 광축에 평행하게 입사한 빛은 굴절 후 광축상의 한 점 F에 모이는데, 이 점을 볼록 렌즈의 초점이라고 한다.

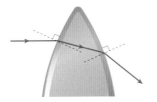

▲ 광축에 평행하게 입사한 빛의 굴절

① 볼록 렌즈의 중심에서 초점까지의 거리를 초점 거리 f라고 한다.

② 초점은 렌즈의 양쪽에 하나씩 있으며, 양쪽 초점의 초점 거리는 같다.

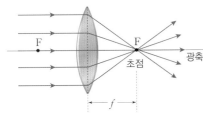

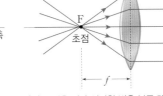

(가) 광축에 평행하게 입사한 빛은 볼록 렌즈에서 굴절 후 초점 F를 지난다.

(나) 초점을 지나 입사한 빛은 볼록 렌즈에서 굴절 후 광축에 평행하게 진행한다.

▲ 볼록 렌즈의 초점

(3) 물체와 볼록 렌즈 사이의 거리에 따른 볼록 렌즈에 의한 상의 변화

볼록 렌즈에 의한 상은 물체에서 렌즈까지의 거리에 따라 다양하게 나타난다. 물체가 볼록 렌즈에서 멀리 있을 때 상은 거꾸로 선 채로 물체보다 작게 축소되어 보인다. 물체가 렌즈에 점점 가까워질수록 거꾸로 선 상의 크기가 점점 커지다가, 렌즈의 중심에서 물체까지의 거리가 초점 거리보다 더 가까워지면 상은 똑바로 선 채로 물체보다 크게 확대되어 보인다.

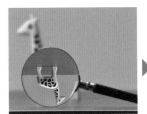

(가) 거꾸로 서고 축소된 상

(나) 거꾸로 서고 확대된 상

(다) 똑바로 서고 확대된 상

▲ 물체가 볼록 렌즈에 점점 더 가까워질 때 상의 변화

3. 볼록 렌즈에 의한 물체의 상 작도

볼록 렌즈에 의한 상의 위치와 크기를 알기 위해서는 물체의 한 점에서 나온 두 빛이 렌즈를 지나며 굴절하는 경로를 작도하여 교차점을 찾으면 된다. 이러한 방법으로 렌즈에 의해 생기는 상을 찾는 법을 광선 추적이라고 한다.

(1) 볼록 렌즈를 지나는 광선의 경로

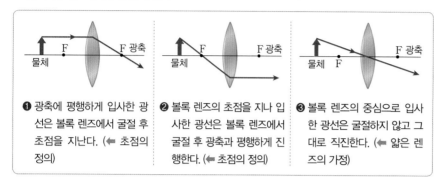

❶ 광축에 평행하게 입사한 광선은 볼록 렌즈에서 굴절 후 초점을 지난다. (◀ 초점의 정의)

❷ 볼록 렌즈의 초점을 지나 입사한 광선은 볼록 렌즈에서 굴절 후 광축과 평행하게 진행한다. (◀ 초점의 정의)

❸ 볼록 렌즈의 중심으로 입사한 광선은 굴절하지 않고 그대로 직진한다. (◀ 얇은 렌즈의 가정)

(2) 물체와 볼록 렌즈의 중심 사이의 거리(a)에 따른 상의 변화

① 물체가 무한히 먼 지점에 있을 때($a=\infty$)

물체가 무한히 먼 지점에 있을 때 물체에서 나오는 광선은 거의 광축에 평행하게 진행하므로, 굴절 후 모두 초점에 모인다. 따라서 물체의 상은 초점에 점으로 생긴다.

② 물체와 볼록 렌즈의 중심 사이의 거리가 $2f$보다 클 때($\infty > a > 2f$)

멀리 있던 물체가 2F 지점에 가까워질 때 광선 ❷의 θ가 점점 커지므로, 굴절 후 두 광선은 F에서 점점 먼 지점에서 만나게 된다. 따라서 상은 2F 지점에 점점 가까워지며 크기가 점점 커진다. 이때 물체의 상은 실제 빛의 경로상에 생기므로 실상이다. 즉, F와 2F 사이에 축소된 도립 실상이 생긴다.

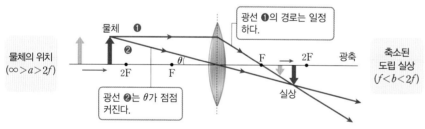

▲ 물체가 무한히 먼 지점에서 2F 쪽으로 점점 가까워질 때

③ 물체와 볼록 렌즈의 중심 사이의 거리가 $2f$일 때($a=2f$)

그림에서 물체가 2F 지점에 있으면 삼각형 ㉠, ㉡, ㉢, ㉣이 모두 합동이 된다. 따라서 물체의 상은 2F 지점에 물체와 같은 크기의 도립 실상이 생긴다.

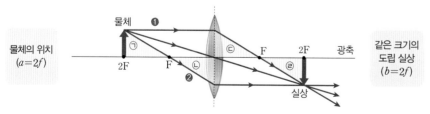

▲ 물체가 2F에 있을 때

④ 물체와 볼록 렌즈의 중심 사이의 거리가 f보다 크고 $2f$보다 작을 때($2f>a>f$)

물가가 F 지점에 가까워질 때 광선 ❷의 θ가 점점 커지며 두 광선은 2F에서 점점 먼 지점에서 만난다. 따라서 상은 2F 지점에서 점점 멀어지며 크기가 점점 커진다. 이때 2F보다 먼 지점에 확대된 도립 실상이 생긴다.

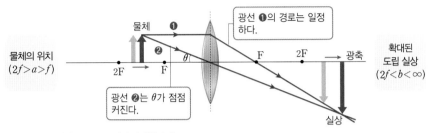

▲ **물체가 2F에서 F 쪽으로 점점 가까워질 때**

⑤ 물체가 초점에 있을 때($a=f$)

삼각형 ㉠, ㉡이 합동이므로, 볼록 렌즈에서 굴절한 광선 ❶, ❷는 서로 평행하다. 따라서 물체가 초점에 있을 때는 상이 맺히지 않는다.

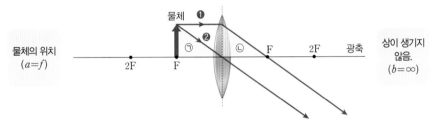

▲ **물체가 F에 있을 때**

⑥ 물체와 볼록 렌즈의 중심 사이의 거리가 f보다 작을 때($f>a>0$)

물체가 볼록 렌즈의 초점 안쪽에 있을 때 볼록 렌즈를 지나며 굴절한 광선 ❶, ❷는 서로 퍼져 나가므로 광선이 한 점에 모이지 않는다. 이때 광선 ❶, ❷의 연장선이 한 점에서 만나게 되는데, 관찰자가 렌즈를 통해 물체를 보면 그곳에 물체의 상이 보이게 된다. 이때 물체의 상은 관찰자의 눈으로 들어온 광선의 연장선상에 있으므로 허상이다. 즉, 렌즈 뒤쪽에 확대된 정립 허상이 생긴다. 아래 그림과 같이 물체가 F에서 렌즈 쪽으로 가까워질수록 θ가 커지므로, 광선 ❶, ❷의 연장선이 만나는 지점이 점점 렌즈 쪽에 가까워지고 허상의 크기는 점점 작아진다.

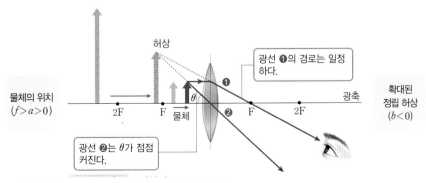

▲ **물체가 F에서 볼록 렌즈의 중심 쪽으로 점점 가까워질 때**

4. 렌즈 방정식과 배율

(1) 렌즈 방정식의 유도

그림과 같이 볼록 렌즈의 중심에서부터 물체까지의 거리를 a, 상까지의 거리를 b, 볼록 렌즈의 초점 거리를 f라고 하자. 그림에서 $\triangle ABL$와 $\triangle A'B'L$은 닮은꼴이므로

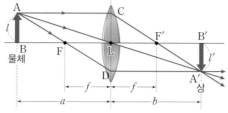

▲ 렌즈 방정식의 유도

$$\frac{A'B'}{AB} = \frac{B'L}{BL} = \frac{b}{a} \quad \cdots\cdots \; \bigcirc$$

이다. 또한 $\triangle ABF$와 $\triangle DLF$는 닮은꼴이므로 다음 식이 성립한다.

$$\frac{DL}{AB} = \frac{A'B'}{AB} = \frac{LF}{BF} = \frac{LF}{BL-LF} = \frac{f}{a-f} \quad \cdots\cdots \; \bigcirc$$

$\bigcirc$, $\bigcirc$에서 $\dfrac{b}{a} = \dfrac{f}{a-f}$이므로, 이 식을 정리하면 다음의 관계가 성립한다.

$$\frac{1}{a} + \frac{1}{b} = \frac{1}{f}$$

이 식을 얇은 렌즈에 대한 렌즈 방정식이라고 한다. 이때 a, b, f의 부호를 다음과 같이 정하면 위 식은 볼록 렌즈와 오목 렌즈에 대해 모두 성립한다.

물리량	(+)인 경우	(−)인 경우
a	실제 물체가 있을 경우	허물체일 때
b	상이 물체의 반대편에 있을 때(실상)	상이 물체 쪽에 있을 때(허상)
f	볼록 렌즈일 때	오목 렌즈일 때

(2) 상의 배율: 상의 크기가 물체의 크기의 몇 배인가를 나타내는 값을 배율 m이라고 한다.

$$m = \frac{\text{상의 크기}}{\text{물체의 크기}} = -\frac{b}{a}$$

렌즈 방정식 유도

$\dfrac{b}{a} = \dfrac{f}{a-f}$

$\Rightarrow af = ab - bf$

$\Rightarrow bf + af = ab$

위 식의 양변을 abf로 나누면 다음과 같다.

$\therefore \dfrac{1}{a} + \dfrac{1}{b} = \dfrac{1}{f}$

상의 배율 m의 부호

· m이 (−)일 때: 뒤집힌 상이 맺히는 것을 의미한다. 즉, 물체의 반대쪽에 도립 실상이 생긴다.

· m이 (+)일 때: 바로 선 상이 맺히는 것을 의미한다. 즉, 물체와 같은 쪽에 정립 허상이 생긴다.

시선 집중 ★ 볼록 렌즈에 의한 상 정리

(⑤': 상이 맺히지 않음.)

물체의 위치		① $a=\infty$	② $\infty > a > 2f$	③ $a = 2f$	④ $2f > a > f$	⑤ $a = f$	⑥ $f > a > 0$
상	위치	①' $b = f$	②' $f < b < 2f$	③' $b = 2f$	④' $2f < b < \infty$	⑤' $b = \infty$	⑥' $b < 0$
	모양	점	축소된 도립 실상	같은 크기의 도립 실상	확대된 도립 실상	상이 생기지 않음.	확대된 정립 허상

5. 오목 렌즈에 의한 상

(1) 허초점과 초점 거리(f)

그림과 같이 오목 렌즈의 광축에 평행하게 입사한 빛은 굴절한 후 광축 위의 한 점 F에서 나온 것처럼 발산한다. 이 점을 오목 렌즈의 허초점이라고 한다.

① 허초점은 렌즈 양쪽의 같은 위치에 하나씩 있다.

② 오목 렌즈의 중심에서 허초점까지의 거리인 초점 거리 f는 (−)값을 갖는다.

▲ 오목 렌즈의 허초점

(2) 오목 렌즈를 지나는 광선의 경로

❶ 광축에 평행하게 입사한 광선은 굴절 후 허초점에서 나오는 것처럼 진행한다.

❷ 오목 렌즈의 반대쪽 허초점을 향해 입사한 광선은 굴절 후 광축에 평행하게 진행한다.

❸ 오목 렌즈의 중심으로 입사한 광선은 굴절 하지 않고 그대로 직진한다.

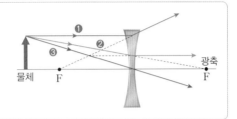

(3) 오목 렌즈에 의한 상: 항상 축소된 정립 허상이 생긴다. ➡ $-f < b < 0$

① 물체와 오목 렌즈의 중심 사이의 거리에 따른 상의 모습: 물체에서 나온 빛은 오목 렌즈에서 굴절 후 퍼져 나가므로 빛이 한 점에 모이지 않는다. 즉, 오목 렌즈에 의한 상은 광선의 연장선이 만나는 곳에 생기며, 실제로 광선이 모인 것이 아니므로 허상이 생긴다. 물체가 어느 위치에 있든 오목 렌즈에 의한 상은 항상 축소된 정립 허상이며, 물체가 렌즈에 가까워질수록 상은 커진다.

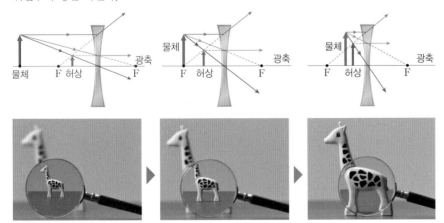

▲ 물체가 오목 렌즈에 점점 더 가까워질 때 상의 변화

② 오목 렌즈의 렌즈 방정식과 상의 배율: 오목 렌즈는 허초점이므로 $f<0$이다. 렌즈 방정식 $\dfrac{1}{a}+\dfrac{1}{b}=\dfrac{1}{f}$에서 a가 (+)값을 갖는데, 우변이 (−)값을 가지므로, b는 항상 (−)값을 가지며 $|a| > |b|$이어야 한다. 따라서 상의 배율은 항상 $m=-\dfrac{b}{a}<1$이 된다. 따라서 오목 렌즈에서는 항상 물체보다 축소된 정립 허상이 생긴다.

얇은 렌즈의 조합

2개의 얇은 렌즈가 상을 형성하는 데 사용된다면, 첫 번째 렌즈의 상을 두 번째 렌즈의 물체로 취급한다. 두 번째 렌즈에 의해서 형성된 상은 이 광학계의 최종적인 상이다. 첫 번째 렌즈의 상이 두 번째 렌즈의 뒤쪽에 놓인다면, 그 상은 두 번째 렌즈의 허물체로 취급한다.(이때 a는 (−)이다.) 두 번째 렌즈의 배율은 첫 번째 렌즈의 배율이 이미 적용된 상에 적용되므로, 두 렌즈에 의한 전체 배율 m은 각 렌즈의 배율 m_1, m_2를 곱한 값이다.

$$m=m_1 m_2$$

① 렌즈의 수차

렌즈 방정식은 렌즈의 광축에 가까운 근축광선에 대해서만 근사적으로 성립한다. 만일 근축광선이 아닐 경우에는 렌즈를 지난 광선이 한 점에 모이지 않아 선명한 상을 얻을 수 없다. 이러한 현상을 수차라고 한다. 수차에는 일정한 파장의 단색광을 사용했을 때에 나타나는 구면 수차와 광학 기구의 굴절률이 빛의 파장에 따라 다르기 때문에 나타나는 색수차가 있다.

• 구면 수차

오른쪽 그림과 같이 광축에서 먼 광선이 광축에 가까운 광선보다 렌즈에 더 가까운 곳에 모이게 되어 광선들이 한 점에 모이지 않는 현상을 구면 수차라고 한다. 따라서 렌즈의 구면 수차를 작게 하려면 근축광선만을 사용하거나 얇은 렌즈를 사용한다.

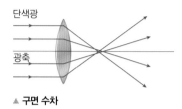

단색광 / 광축

▲ **구면 수차**

• 색수차

오른쪽 그림과 같이 렌즈의 굴절률이 빛의 파장에 따라 다르기 때문에, 렌즈를 지나며 빛이 분산하여 각 색깔의 광선이 서로 다른 점에 모이게 되는 현상을 색수차라고 한다. 보랏빛의 굴절률은 빨간빛보다 크므로, 렌즈의 초점 거리가 빨간빛보다 짧다. 색수차를 제거하기 위하여 굴절률이 서

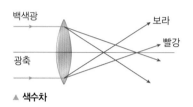

백색광 / 보라 / 빨강 / 광축

▲ **색수차**

로 다른 크라운 유리($n = 1.51$)로 된 볼록 렌즈와 프린트 유리($n = 1.71$)로 된 오목 렌즈를 조합하여 색수차를 없앤 색지움 렌즈를 만든다.

② 렌즈의 초점 거리

• 렌즈 제작자 공식

얇은 렌즈의 곡률 반지름을 r_1, r_2라고 할 때 굴절률이 n인 물질로 만들어진 렌즈의 초점 거리 f는 다음과 같다.

$$\frac{1}{f} = (n-1)\left(\frac{1}{r_1} - \frac{1}{r_2}\right) \begin{bmatrix} f > 0이면 \ 볼록 \ 렌즈 \\ f < 0이면 \ 오목 \ 렌즈 \end{bmatrix}$$

r_1과 r_2는 렌즈의 단면 중심에서 보아 볼록하면(+), 오목하면 (−)로 한다.

• 복합 렌즈의 초점 거리

2개 이상의 얇은 렌즈를 밀착시킨 경우에는 1개의 렌즈와 같이 작용한다. 초점 거리 f_1, f_2인 두 렌즈를 겹쳤을 때 복합 렌즈의 초점 거리를 F라고 하면 다음의 관계가 성립한다.

$$\frac{1}{F} = \frac{1}{f_1} + \frac{1}{f_2} \ 또는 \ \frac{1}{F} = \sum_i \frac{1}{f_i}$$

③ 디옵터

렌즈의 굴절 능력은 그 렌즈의 초점 거리로 비교할 수 있다. 초점 거리가 짧을수록 많이 굴절하므로, 굴절 능력이 크고, 반대로 초점 거리가 길 때에는 빛의 굴절이 약하다.

초점 거리 f를 m 단위로 표시한 값의 역수를 디옵터(Diopter)라고 하여 렌즈의 세기를 나타낸다. 디옵터를 D, 초점 거리를 f(m)라고 하면, 다음 관계가 성립한다.

$$D = \frac{1}{f} \begin{bmatrix} 볼록 \ 렌즈 \Rightarrow f > 0 \Rightarrow D > 0 \\ 오목 \ 렌즈 \Rightarrow f < 0 \Rightarrow D < 0 \end{bmatrix}$$

예를 들면, $+5$ D는 초점 거리가 $\frac{1}{5} = 0.2$ m인 볼록 렌즈이고, -0.5 D는 초점 거리가 $\frac{1}{-0.5} = -2$ m인 오목 렌즈를 나타낸다.

디옵터의 크기가 클수록 렌즈는 세기가 크다고 하며, 안경의 도수 등을 보통 D로 표시한다. 안경 렌즈의 디옵터의 값이 클수록 시력이 나쁜 사람을 위한 렌즈임을 의미한다.

사진기의 조리개

사진기의 조리개는 빛의 세기와 구면 수차를 조절하기 위한 것이다. 조리개의 구멍을 작게 하면 렌즈의 가운데 부분만이 빛에 노출되므로 대부분의 광선이 근축 광선이 되어 더 또렷한 상을 만들 수 있다. 대신 렌즈를 지나는 빛의 양이 줄어들어 상이 어두워지므로, 노출 시간을 늘려야 한다.

2 여러 가지 광학 기구

일상생활에서 자주 사용하는 사진기, 현미경, 망원경 등에는 거울이나 렌즈가 포함되어 있다. 이러한 광학 기구들의 구조와 상이 생기는 원리에 대해 알아보자.

1. 눈의 이상과 안경

(1) 눈의 원근 조절: 눈의 수정체가 볼록 렌즈의 구실을 한다. 눈에서 물체까지의 거리에 따라 수정체의 두께를 변화시키면 초점 거리가 달라지면서 물체의 상이 망막에 맺힌다.

근점	눈이 수정체를 조절하여 망막에 선명한 상을 맺을 수 있는 가장 가까운 물체 거리로, 정상안은 약 10 cm 정도이다.	가까이 있는 물체를 볼 때
원점	이완된 눈의 수정체가 망막에 선명한 상을 맺을 수 있는 가장 먼 거리로, 정상안은 거의 무한대이다.	먼 곳에 있는 물체를 볼 때

수정체 두꺼워짐.
수정체 얇아짐.

(2) 눈과 안경: 안경은 사용해야 할 사람이 잘 보이는 위치에 정립 허상이 생기도록 한다. 안경 렌즈의 초점 거리를 f라고 하면, 다음과 같다.

$$\frac{1}{\text{정상안이 잘 보이는 거리}} - \frac{1}{\text{안경을 쓸 사람이 잘 보이는 거리}} = \frac{1}{f}$$

① 근시안의 교정

근시안은 가까이 있는 물체는 잘 보이지만, 먼 곳의 물체는 잘 보이지 않는 눈의 이상이다. 근시안의 원점은 무한대가 아니므로, 원점보다 멀리 있는 물체를 보면 상이 망막 앞쪽에 맺히게 되어 물체가 흐리게 보인다. 이때는 정상안이 볼 수 있는 원점(∞)에 있는 물체의 상을 근시안인 사람의 원점 L에 맺게 하는 안경을 사용한다.

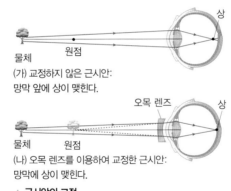

물체　원점
(가) 교정하지 않은 근시안:
망막 앞에 상이 맺힌다.

오목 렌즈　상

물체　원점
(나) 오목 렌즈를 이용하여 교정한 근시안:
망막에 상이 맺힌다.
▲ **근시안의 교정**

$$\frac{1}{\infty} - \frac{1}{L} = \frac{1}{f} \Rightarrow f = -L \text{ (오목 렌즈)}$$

② 원시안의 교정

원시안은 멀리 있는 물체는 잘 보이지만, 가까운 곳의 물체는 잘 보이지 않는 눈의 이상이다. 원시안인 사람이 근점과 눈 사이에 놓인 물체를 보면 상이 망막 뒤쪽에 맺히게 되어 물체가 흐리게 보인다. 이때는 정상안의 근점(10 cm)에 있는 물체의 상을 원시안의 근점 L'에 맺게 하는 안경을 사용한다. $\Rightarrow \dfrac{1}{10} - \dfrac{1}{L'} = \dfrac{1}{f}$

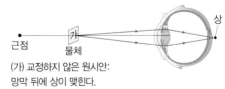

근점　물체
(가) 교정하지 않은 원시안:
망막 뒤에 상이 맺힌다.

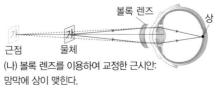

볼록 렌즈　상

근점　물체
(나) 볼록 렌즈를 이용하여 교정한 근시안:
망막에 상이 맺힌다.
▲ **원시안의 교정**

눈의 구조

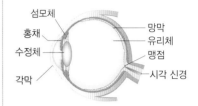

섬모체
홍채
수정체
각막
망막
유리체
맹점
시각 신경

명시 거리

눈이 피로하지 않고 물체를 선명하게 볼 수 있는 최단 거리이다. 건강한 눈의 명시 거리는 약 25 cm이다.

눈의 이상이 있는 사람의 명시 거리 D가 주어질 때

$$\frac{1}{25} - \frac{1}{D} = \pm\frac{1}{f}$$

에서 f가 ($+$)이면 원시이므로 볼록 렌즈로 교정하고, f가 ($-$)이면 근시이므로 오목 렌즈로 교정한다.

눈과 사진기에서 선명한 상 맺기

- 눈에서는 수정체에서 망막까지의 거리가 변하지 않으므로 수정체의 두께를 조절하여 초점 거리를 변화시키는 방법으로 망막에 선명한 상을 맺는다.
- 사진기에서는 렌즈의 초점 거리가 고정되어 있으므로, CCD에서 렌즈까지의 거리를 변화시켜 선명한 상을 맺는다.

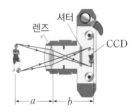

셔터
렌즈
CCD
a　b

구분	a	b	f
눈	증가/감소	고정	증가/감소
사진기	증가/감소	증가/감소	고정

2. 돋보기

돋보기는 물체를 초점 안에 놓아 확대된 정립 허상을 명시 거리(25 cm)에 맺게 하여 보는 것이다. 오른쪽 그림과 같이 눈을 렌즈에 가까이 대고 물체를 볼 때 명시 거리 D와 b는 거의 같으므로 렌즈 방정식 $\dfrac{1}{a}+\dfrac{1}{b}=\dfrac{1}{f}$

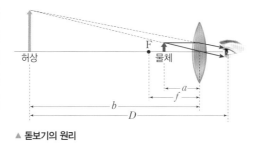

▲ 돋보기의 원리

(정립 허상이므로 b는 $(-)$)에서 양변에 b를 곱하면 배율 m은 다음과 같다.

$$m=-\frac{b}{a}=1-\frac{b}{f}$$

① 눈이 렌즈에 가까울 때($b\approx -D=-25$ cm): $m=1+\dfrac{25\ \text{cm}}{f}$

② 눈을 볼록 렌즈의 초점에 놓고 볼 때($b=-(D-f)$): $m=1+\dfrac{D-f}{f}=\dfrac{25\ \text{cm}}{f}$

3. 현미경

물체를 확대하여 볼 때 돋보기의 배율은 제한적이다. 이때 볼록 렌즈 2개를 조합하여 현미경을 만들면 배율을 훨씬 더 높일 수 있다.

(1) 현미경의 원리

현미경에는 대물렌즈와 접안렌즈가 있는데, 대물렌즈는 초점 거리 $f_o < 1$ cm 정도로 매우 짧고, 접안렌즈는 초점 거리 f_e가 수 cm 정도이며, 두 볼록 렌즈 사이의 거리 L은 f_o, f_e보다 훨씬 크다. 먼저 대물렌즈의 초점 F_o 바로 밖에 작은 물체를 놓았을 때 대물렌즈에 의한 실상이 접안렌즈의 초점 F_e 바로 안쪽인 I_1에 맺게 한다. I_1에 생긴 실상을 접안렌즈에 의해 확대된 정립 허상으로 I_2인 명시 거리($D=25$ cm)에서 볼 수 있도록 만든다.

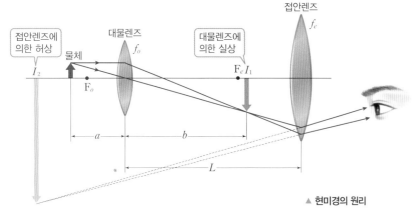

▲ 현미경의 원리

(2) 현미경의 배율

① 대물렌즈와 접안렌즈에 의한 배율: $m_o=-\dfrac{b}{a}\approx -\dfrac{L}{f_o}$, $m_e=\dfrac{25\ \text{cm}}{f_e}$ (돋보기 역할)

② 현미경에 의한 상의 전체 배율: $m=m_o\times m_e\approx -\dfrac{L}{f_o}\left(\dfrac{25\ \text{cm}}{f_e}\right)$

➡ 현미경의 배율은 $(-)$이므로, 도립 상이 보인다.

현미경의 구조

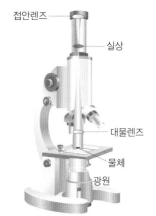

현미경은 보통 3개의 대물렌즈를 회전시켜 배율을 선택할 수 있다.

4. 굴절 망원경

망원경은 멀리 있는 물체를 보기 위한 기구로, 굴절 망원경, 반사 망원경 등이 있다.

(1) 케플러 망원경의 원리

케플러 망원경은 대물렌즈와 접안렌즈에 모두 볼록 렌즈를 사용한 굴절 망원경으로, 대물렌즈는 현미경과 달리 초점 거리가 길다. 먼저, 먼 곳에 있는 물체의 상이 대물렌즈의 초점인 I_1에 실상을 맺게 하면, 초점 거리 f_e가 짧은 접안렌즈로 I_1에 있는 상을 I_2에 허상으로 확대하여 볼 수 있도록 만든다.

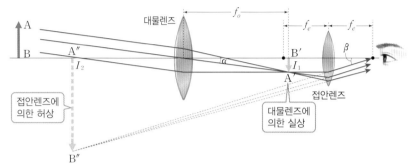

▲ 케플러 망원경의 원리

(2) 경통의 길이

굴절 망원경으로 최대 배율을 얻으려면 접안렌즈에 의한 상의 거리는 무한대가 되어야 하므로, I_1의 상은 접안렌즈의 초점에 생기게 한다. 따라서 두 렌즈 사이의 거리인 경통의 길이 $L=f_o+f_e$가 된다.

(3) 케플러 망원경의 배율

물체를 볼 때의 시각을 α, 상을 볼 때의 시각을 β라고 하면, α, β는 극히 작으므로, $\alpha \approx \tan\alpha$, $\beta \approx \tan\beta$로 근사할 수 있다. 따라서 케플러 망원경의 배율 m은 다음과 같다.

$$m = \frac{\beta}{\alpha} \approx \frac{\tan\beta}{\tan\alpha} = \frac{\dfrac{A'B'}{f_e}}{-\dfrac{A'B'}{f_o}} = -\frac{f_o}{f_e}$$

➡ 굴절 망원경의 배율은 접안렌즈의 초점 거리에 대한 대물렌즈의 초점 거리의 비와 같고, 배율이 (−)이므로 도립 상이 보인다.

시야확장 ➕ 갈릴레이 망원경

갈릴레이 망원경은 대물렌즈는 볼록 렌즈를, 접안렌즈는 초점 거리가 짧은 오목 렌즈를 사용한 굴절 망원경으로, 정립 상을 볼 수 있는 장점이 있다. 배율은 케플러 망원경과 같은 원리로 다음과 같다.

$$m = -\frac{f_o}{f_e} \ (f_e < 0)$$

이때 경통의 길이 $L=f_o-f_e$가 된다.

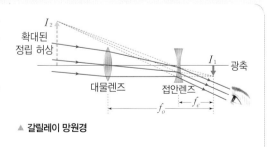

▲ 갈릴레이 망원경

뉴턴식 반사 망원경

굴절 망원경은 가능한 많은 빛을 받아들이기 위해 대물렌즈의 반지름이 클수록 좋다. 그러나 굴절 망원경용으로 대형 렌즈를 제작하는 것은 매우 어렵고 비용이 많이 든다. 또, 빛이 유리로 만든 렌즈를 투과하면서 색수차가 생긴다. 이러한 문제를 해결한 것이 대물렌즈를 오목 거울로 대체한 반사 망원경이다.

반사 망원경은 빛이 유리를 투과하는 것이 아니라 거울면에서 반사하기 때문에 색수차가 없으며, 경통의 길이를 짧게 할 수 있고, 보다 밝은 상을 관측할 수 있는 장점이 있다.

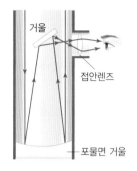

❶ 구면 거울

구면의 일부가 반사면으로 된 거울로, 오목 거울과 볼록 거울이 있다. 구면 거울에서 거울면에 접하는 구의 중심 O를 구심, 거울면의 중심 M을 거울 중심, 구심 O와 중심 M을 지나는 직선을 거울축이라고 한다.

구분	오목 거울	볼록 거울
정의	반사면이 오목한 거울	반사면이 볼록한 거울
반사 광선	빛이 거울축에 평행하게 입사하면 반사 광선은 모두 실초점 F를 지난다.	빛이 거울축에 평행하게 입사하면 반사 광선은 거울 뒤의 허초점 F'에서 나온 것처럼 퍼진다.
부호	초점 거리 f와 곡률 반지름 r는 (+)이다.	초점 거리 f와 곡률 반지름 r는 (−)이다.

❷ 구면 거울을 지나는 광선의 경로

ㄱ 거울축에 평행하게 입사한 광선은 반사 후 실초점을 지나거나(오목 거울), 또는 허초점에서 나온 것과 같이(볼록 거울) 진행한다.

ㄴ 초점을 지나거나 초점을 향하여 입사한 광선은 반사 후 거울축에 나란하게 진행한다.

ㄷ 구심을 지나는 입사 광선은 반사 후 입사한 경로로 되돌아간다.

ㄹ 거울 중심에 입사한 광선은 반사 후 거울축에 대하여 같은 각을 이루며 반사한다.

❸ 구면 거울의 공식

물체에서 거울면까지의 거리를 a, 거울면에서 상까지의 거리를 b, 구면 거울의 초점 거리를 f, 곡률 반지름을 r라고 할 때 렌즈 방정식과 유사한 다음 식이 성립한다.

$$\frac{1}{a}+\frac{1}{b}=\frac{1}{f}=\frac{2}{r}, \quad \text{배율 } m=-\frac{b}{a} \begin{pmatrix} b: \text{상이 거울 앞에 있을 때 (+), 거울 뒤에 있을 때 (−)} \\ f: \text{오목 거울일 때 (+), 볼록 거울일 때 (−)} \end{pmatrix}$$

구면 거울에 의한 상의 작도 예

• 오목 거울

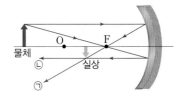

• 볼록 거울

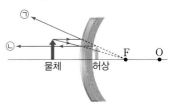

➡ 초점 거리 f와 곡률 반지름 r 사이에는 $f \approx \frac{r}{2}$의 관계가 성립한다.

❹ 구면 거울에 의한 상의 위치와 종류

구분	상의 변화 모습	① $a=\infty$	② $\infty>a>r$	③ $a=r$	④ $r>a>f$	⑤ $a=f$	⑥ $f>a>0$
오목 거울		①′ $b=f$ 점	②′ $f<b<r$ 축소된 도립 실상	③′ $b=r$ 같은 크기의 도립 실상	④′ $r<b<\infty$ 확대된 도립 실상	⑤′ $b=\infty$ 상이 생기지 않음.	⑥′ $b<0$ 확대된 정립 허상
볼록 거울				$0>b>-f$ 항상 축소된 정립 허상			

▲ 물체가 오목 거울에 점점 더 가까워질 때 상의 변화

▲ 물체가 볼록 거울에 점점 더 가까워질 때 상의 변화

04 볼록 렌즈에 의한 상

① 렌즈에서 상이 맺히는 과정

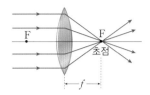

1. **실상과 허상** (**①**)은 실제 광선이 모여서 생기는 상이고, (**②**)은 광선의 연장선이 만나는 지점에 생기는 상이다.

2. **볼록 렌즈의 초점** 광축에 평행하게 입사한 광선은 볼록 렌즈에서 굴절 후 한 점을 지난다. 이 점을 볼록 렌즈의 (**③**)이라고 한다.

3. **볼록 렌즈를 지나는 광선의 경로**
- 광축에 평행하게 입사한 광선은 굴절 후 (**④**)을 지난다.
- 볼록 렌즈의 초점을 지나 입사한 광선은 굴절 후 (**⑤**)에 평행하게 진행한다.
- 볼록 렌즈의 (**⑥**)으로 입사한 광선은 굴절하지 않고 그대로 직진한다.

4. **볼록 렌즈에 의한 상** (볼록 렌즈의 중심에서 물체, 상까지의 거리 a, b, 렌즈의 초점 거리 f)

물체의 위치		$a=\infty$	$\infty > a > 2f$	$a=2f$	$2f > a > f$	$a=f$	$f > a > 0$
상	위치	$b=f$	$f < b < 2f$	$b=2f$	$2f < b < \infty$	상이 생기지 않는다.	$b < 0$
	모양	점	축소된 도립 실상	**⑦**	확대된 도립 실상		확대된 정립 허상

5. **렌즈 방정식과 배율**

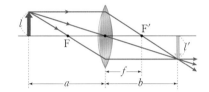

- 렌즈 방정식: $\dfrac{1}{a}+\dfrac{1}{b}=$ (**⑧**)
- 배율: $m=\dfrac{\text{상의 크기}}{\text{물체의 크기}}=$ (**⑨**)

구분	a	b	f	m
(+)일 때	실제 물체	실상	(**⑩**) 렌즈	정립 허상
(−)일 때	허물체	허상	(**⑪**) 렌즈	(**⑫**) 실상

6. **오목 렌즈에 의한 상** 항상 축소된 (**⑬**)이 생긴다.

② 여러 가지 광학 기구

1. **눈의 이상과 안경**

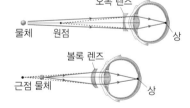

- 근시안: 멀리 있는 물체의 상이 근시인 사람의 원점에 맺게 하는 (**⑭**) 렌즈로 교정한다.
- (**⑮**): 가까이 있는 물체의 상이 원시인 사람의 근점에 맺게 하는 볼록 렌즈로 교정한다.

2. **현미경과 망원경**

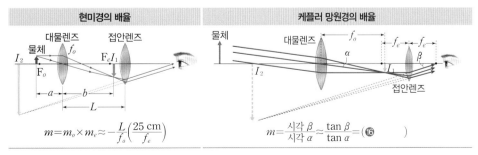

현미경의 배율	케플러 망원경의 배율
$m=m_o \times m_e \approx -\dfrac{L}{f_o}\left(\dfrac{25\ \text{cm}}{f_e}\right)$	$m=\dfrac{\text{시각 }\beta}{\text{시각 }\alpha} \approx \dfrac{\tan \beta}{\tan \alpha}=$ (**⑯**)

01 그림과 같이 렌즈의 광축에 나란하게 진행하던 빛이 볼록 렌즈를 통과한 후 진행하는 모습을 파면으로 나타내시오.

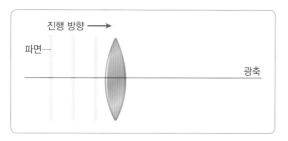

04 실상과 허상에 대한 설명으로 옳은 것은 ○, 옳지 않은 것은 ×로 표시하시오.

(1) 실상은 항상 실물보다 작다. (　　)

(2) 허상은 항상 실물보다 크다. (　　)

(3) 사진기 필름에 맺히는 상은 실상이다. (　　)

(4) 볼록 렌즈에 의해서 생기는 상은 항상 허상이다.

(　　)

02 볼록 렌즈에서 빛이 진행하는 경로를 나타낸 것으로 옳은 것만을 보기에서 있는 대로 고르시오. (단, F는 볼록 렌즈의 초점이다.)

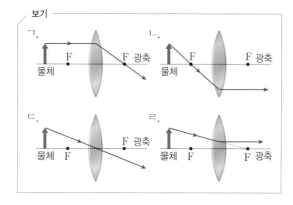

05 그림과 같은 곰 인형을 볼록 렌즈로 보았을 때 생길 수 있는 상만을 보기에서 있는 대로 고르시오. (단, ㄴ, ㅁ의 상은 곰 인형과 크기가 같다.)

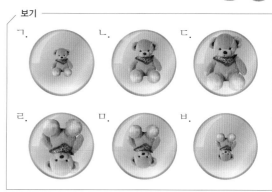

03 그림은 공기 중에서 초점 거리가 f인 볼록 렌즈를 물속에 넣고, 단색광을 비추는 모습을 나타낸 것이다. 표는 이 단색광의 매질에 따른 굴절률이다.

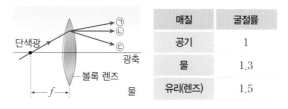

매질	굴절률
공기	1
물	1.3
유리(렌즈)	1.5

㉠~㉢ 중 굴절 후 이 단색광의 경로로 옳은 것을 고르시오.

06 오목 렌즈에 의한 상에 대한 설명으로 옳은 것만을 보기에서 있는 대로 고르시오.

보기
ㄱ. 물체에서 오목 렌즈까지의 거리에 따라 실상 또는 허상이 생긴다.
ㄴ. 항상 축소된 상이 생긴다.
ㄷ. 항상 똑바로 선 상이 생긴다.

07 그림과 같이 볼록 렌즈의 중심에서 **60 cm** 떨어진 위치에 물체를 놓았더니 상이 렌즈 중심에서 **40 cm** 떨어진 곳에 생겼다.

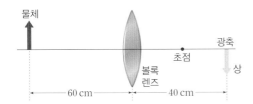

(1) 볼록 렌즈의 초점 거리는 몇 cm인지 구하시오.

(2) 상의 크기는 물체의 크기의 몇 배인지 구하시오.

08 그림은 볼록 렌즈에 의해 물체의 상이 생기는 것을 나타낸 것으로, 광선 **A**는 물체에서 광축에 나란한 방향으로 입사한 빛이다.

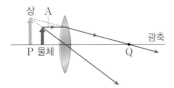

이에 대한 설명으로 옳은 것만을 보기에서 있는 대로 고르시오.

┌─ 보기 ─────────────────────────────
ㄱ. Q점은 볼록 렌즈의 초점이다.

ㄴ. P점에 스크린을 놓으면 스크린에 상이 나타난다.

ㄷ. 물체를 렌즈에 가까이 하면 상의 크기는 더 커진다.
└────────────────────────────────────

09 그림은 초점 거리가 *f*인 볼록 렌즈 앞에 놓인 물체의 상을 작도하여 나타낸 것으로, 물체보다 축소되고 뒤집힌 실상이 생겼다.

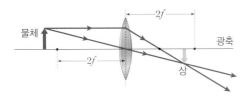

물체가 현재 위치에서 2*f*인 곳으로 접근할 때, 상의 크기와 상의 위치가 어떻게 달라지는지 위와 비교하여 쓰시오.

10 그림은 광축에 평행하게 입사한 광선이 볼록 렌즈 **A**, **B**를 지난 후 다시 광축에 평행하게 진행하는 모습이다. A, B 사이의 거리는 $4d$이고, A로 입사하는 두 광선 사이의 거리는 a, B에서 굴절하여 나온 광선 사이의 거리는 $3a$이다.

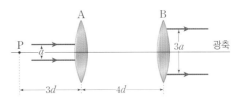

(1) A의 초점 거리를 구하시오.

(2) A의 중심에서 $3d$만큼 떨어진 P점에 길이가 2 cm인 물체를 놓았을 때, 두 렌즈 A와 B에 의한 최종 상의 종류와 상의 길이를 구하시오.

11 그림은 접안렌즈와 대물렌즈 사이의 거리가 23 cm인 현미경의 모식도이다. 대물렌즈의 초점 F_o 바로 밖에 작은 물체를 놓으면 접안렌즈의 초점 F_e 바로 안쪽에 상 I_1이 맺히고, 다시 접안렌즈에 의해 명시 거리 25 cm인 지점 I_2에 확대된 상이 생긴다. 접안렌즈의 초점 거리는 2.5 cm이고, 대물렌즈의 초점 거리는 0.4 cm이다.

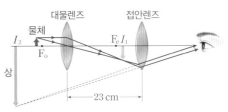

(1) 대물렌즈의 배율을 구하시오.

(2) 이 현미경의 전체 배율을 구하시오.

12 초점 거리가 985 mm인 대물렌즈와 초점 거리가 5 mm인 접안렌즈로 이루어진 케플러 망원경이 있다.

(1) 망원경의 배율을 구하시오.

(2) 망원경의 경통의 길이는 대략 몇 cm인지 구하시오.

01 〉볼록 렌즈에 의한 상
그림은 볼록 렌즈에 의한 물체의 상이 반투명한 스크린에 생긴 것을 나타낸 것이고, 철수는 스크린 뒤에 있다. 스크린에 나타난 상은 매우 선명하고 뚜렷하였다.

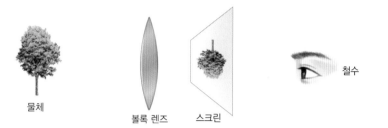

물체　　볼록 렌즈　스크린　　철수

이에 대한 설명으로 옳은 것만을 보기에서 있는 대로 고른 것은?

보기
ㄱ. 스크린에 맺힌 상은 실상이다.
ㄴ. 위 상태에서 스크린을 치우면 철수는 스크린에 생겼던 상보다 작은 상을 보게 된다.
ㄷ. 스크린을 볼록 렌즈 쪽으로 움직이면 스크린의 상은 흐려진다.

① ㄱ　　　② ㄴ　　　③ ㄷ　　　④ ㄱ, ㄷ　　　⑤ ㄴ, ㄷ

• 실상은 실제로 광선이 모여 이루어진 상이고, 반사나 굴절 광선의 연장선이 모여서 이루어진 상은 허상이다.

02 〉볼록 렌즈에 의한 상
그림과 같이 볼록 렌즈의 좌우에 촛불과 종이를 설치하고 촛불과 종이를 적당히 움직여서 종이에 선명한 상이 생기게 한 다음, 볼록 렌즈의 중심에서 촛불까지의 거리 a와 종이까지의 거리 b를 측정하고 상의 모양을 관찰하여 표와 같은 결과를 얻었다.

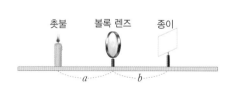

촛불　볼록 렌즈　종이

a(cm)	b(cm)	상의 모양
30	15	축소되고 뒤집힌 상
20	20	크기가 같고 뒤집힌 상
5	—	상이 생기지 않음.

이 실험에 대한 설명으로 옳은 것만을 보기에서 있는 대로 고른 것은?

보기
ㄱ. a를 30 cm에서 20 cm까지 감소시키는 동안 종이에 생긴 상의 크기는 커진다.
ㄴ. a가 15 cm일 때 상의 크기는 촛불의 크기의 2배가 된다.
ㄷ. 볼록 렌즈의 초점 거리는 5 cm보다 작다.

① ㄱ　　② ㄱ, ㄴ　　③ ㄱ, ㄷ　　④ ㄴ, ㄷ　　⑤ ㄱ, ㄴ, ㄷ

• 렌즈와 물체 사이의 거리(a)와 렌즈에서 상까지의 거리(b), 그리고 초점 거리(f) 사이에는 다음 식이 성립한다.

$$\frac{1}{a}+\frac{1}{b}=\frac{1}{f}$$

03 ❯ 볼록 렌즈에 의한 상

그림 (가)는 볼록 렌즈에 의해 물체의 상이 생기는 것을 나타낸 것이고, (나)는 (가)의 렌즈의 윗부분을 검은 종이로 가린 것을 나타낸 것이다. (가)에서 실선은 물체에서 방출된 빛의 진행 경로를 나타낸 것으로 광선 A, B는 광축에 평행하고, 상의 크기는 물체의 크기의 $\frac{2}{3}$배이다.

• 렌즈를 종이로 가리면 물체에서 나온 빛 가운데 렌즈를 통과하는 빛이 감소한다.

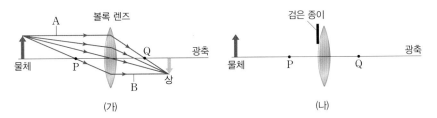

(가)   (나)

이에 대한 설명으로 옳은 것만을 보기에서 있는 대로 고른 것은?

보기
ㄱ. (가)에서 P와 Q는 볼록 렌즈의 초점이다.
ㄴ. (가)에서 렌즈 중심에서 물체까지의 거리는 렌즈 중심에서 상까지의 거리의 1.5배이다.
ㄷ. (나)에서 만들어지는 상은 (가)의 상보다 어둡고, 렌즈에 더 가까운 곳에 생긴다.

① ㄱ   ② ㄷ   ③ ㄱ, ㄴ   ④ ㄴ, ㄷ   ⑤ ㄱ, ㄴ, ㄷ

04 ❯ 렌즈 방정식과 배율

그림 (가)는 높이가 **10 cm**인 물체를 볼록 렌즈의 중심으로부터 **15 cm** 떨어진 **A** 지점에 놓았을 때 **A′** 지점에 상이 생긴 것을 나타낸 것이고, (나)는 (가)에서 물체를 A로부터 **5 cm** 멀리 하는 것을 나타낸 것이다. 볼록 렌즈의 초점 거리는 **10 cm**이다.

• 물체가 볼록 렌즈의 중심에서 떨어진 거리가 초점 거리에서 초점 거리의 2배 사이에 있을 때 ($f < a < 2f$) 확대되고 뒤집힌 실상이 생긴다.

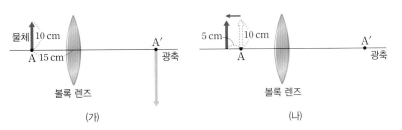

(가)   (나)

이에 대한 설명으로 옳은 것만을 보기에서 있는 대로 고른 것은?

보기
ㄱ. (가)에서 렌즈의 중심에서 A′까지의 거리는 30 cm이다.
ㄴ. (나)에서 상은 A′에서 렌즈 쪽으로 10 cm 이동한 지점에 생긴다.
ㄷ. (나)에서 상의 크기는 (가)에서의 $\frac{2}{3}$배이다

① ㄱ   ② ㄷ   ③ ㄱ, ㄴ   ④ ㄴ, ㄷ   ⑤ ㄱ, ㄴ, ㄷ

05 ❯ 볼록 렌즈와 오목 렌즈에 의한 상

그림 (가), (나)는 볼록 렌즈, 오목 렌즈의 중심으로부터 각각 같은 거리 $0.8f$ 만큼 떨어진 곳에 물체가 놓여 있는 것을 나타낸 것이다. 볼록 렌즈와 오목 렌즈의 초점 거리의 크기는 f로 같다.

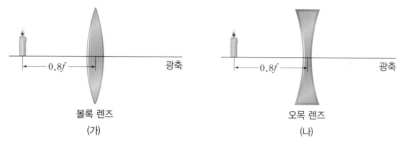

볼록 렌즈
(가)

오목 렌즈
(나)

이에 대한 설명으로 옳은 것만을 보기에서 있는 대로 고른 것은?

┌─ 보기 ──────────────────────────────────
│ ㄱ. (가)에서 상은 렌즈의 중심으로부터 $3f$ 떨어진 곳에 생긴다.
│ ㄴ. (나)에서 생긴 상의 배율은 $\dfrac{5}{9}$배이다.
│ ㄷ. (가)와 (나)에서 생긴 상은 모두 허상이다.
└──

① ㄱ   ② ㄴ   ③ ㄱ, ㄷ   ④ ㄴ, ㄷ   ⑤ ㄱ, ㄴ, ㄷ

• 오목 렌즈에서는 항상 축소된 정립 허상이 생긴다.

06 ❯ 여러 가지 광학 기구

그림 (가)와 (나)는 디지털 카메라와 눈에서 물체의 상이 축소되고 뒤집힌 채 선명하게 맺힌 것을 간단히 나타낸 것이다.

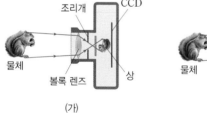

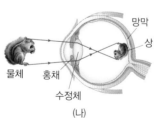

(가)

(나)

(가)와 (나)에서 물체가 모두 카메라 렌즈와 눈으로부터 멀어질 때 나타나는 현상에 대한 설명으로 옳은 것만을 보기에서 있는 대로 고른 것은?

┌─ 보기 ──────────────────────────────────
│ ㄱ. (가), (나) 모두 상의 크기가 감소한다.
│ ㄴ. (가)에서 선명한 상을 맺으려면 볼록 렌즈에서 CCD까지의 거리를 줄여야 한다.
│ ㄷ. (나)에서 선명한 상을 맺으려면 수정체의 가운데 부분을 더 두껍게 하여 수정체의 초
│   점 거리를 감소시켜야 한다.
└──

① ㄱ   ② ㄷ   ③ ㄱ, ㄴ   ④ ㄴ, ㄷ   ⑤ ㄱ, ㄴ, ㄷ

• 디지털 카메라에서는 렌즈에서 CCD까지의 거리를 변화시켜 선명한 상을 맺고, 눈에서는 수정체의 두께를 변화시켜 초점 거리를 다르게 함으로써 선명한 상을 맺는다.

07 > 케플러 망원경의 원리

그림은 대물렌즈와 접안렌즈로 만든 망원경에서 굴체의 상이 만들어지는 원리를 나타낸 것이다. A와 B는 각각 대물렌즈와 접안렌즈에 의해 만들어진 상이다.

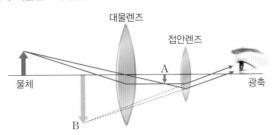

이에 대한 설명으로 옳은 것만을 보기에서 있는 대로 고른 것은?

보기
ㄱ. A와 B는 모두 실상이다.
ㄴ. 접안렌즈의 중심에서 상 A까지의 거리는 접안렌즈의 초점 거리보다 작다.
ㄷ. 상 A가 접안렌즈의 초점에 가까이 생길수록 접안렌즈에 의한 상의 배율은 커진다.

① ㄴ   ② ㄷ   ③ ㄱ, ㄴ   ④ ㄴ, ㄷ   ⑤ ㄱ, ㄴ, ㄷ

• 볼록 렌즈 2개로 된 망원경에서는 대물렌즈로 실상을 만들고, 접안렌즈로 이 상을 확대하여 본다.

08 > 두 렌즈의 조합

그림과 같이 초점 거리가 각각 2 cm와 3 cm인 볼록 렌즈 A와 B의 중심 사이 거리가 8 cm이고, A의 중심으로부터 3 cm 떨어진 지점에 위치한 높이 1 mm인 물체를 A와 B를 통하여 B 쪽에서 바라보고 있다.

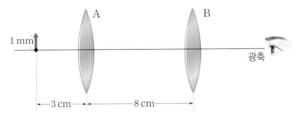

이에 대한 설명으로 옳은 것만을 보기에서 있는 대로 고른 것은?

보기
ㄱ. A에 의한 상은 A의 중심으로부터 오른   으로 6 cm 떨어진 곳에 생긴다.
ㄴ. B에 의한 상은 B의 중심으로부터 왼쪽으로 6 cm 떨어진 곳에 생긴다.
ㄷ. 눈으로 보는 상의 높이는 6 mm이다.

① ㄱ   ② ㄴ   ③ ㄱ, ㄷ   ④ ㄴ, ㄷ   ⑤ ㄱ, ㄴ, ㄷ

• 렌즈 방정식은 $\dfrac{1}{a}+\dfrac{1}{b}=\dfrac{1}{f}$이다. b가 ($-$)이면 허상이고, 배율 $m=-\dfrac{b}{a}$이다.

2
빛과 물질의 이중성

01 빛의 입자성

02 입자의 파동성

03 불확정성 원리

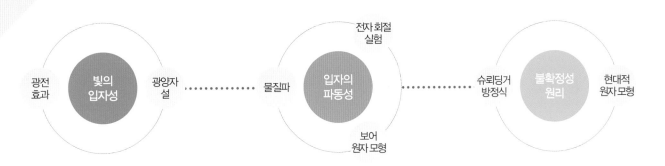

빛의 이중성

물질의 이중성

불확정성 원리

01 빛의 입자성

학습 Point　광전 효과 〉 광양자설 〉 광양자설에 의한 광전 효과 해석 〉 광전 효과의 이용

① 광전 효과

19세기 초부터 빛의 간섭과 회절, 맥스웰의 전자기파 이론, 헤르츠의 전자기파 발생과 검출 등으로 빛의 파동설이 확립되어 가던 중, 19세기 후반 무렵에 빛의 파동설로는 설명되지 않는 현상 하나가 발견되었는데, 이것이 바로 광전 효과이다.

1. 광전 효과의 발견

1887년, 헤르츠는 전자기파 실험을 하던 중에 우연히 금속으로 된 두 전극에 가시광선이나 자외선을 비출 때 방전이 훨씬 잘 일어난다는 사실을 발견하였다. 그 후 영국의 물리학자 톰슨에 의해 전자가 발견되면서, 이 현상이 금속에 빛을 비추면 금속 내부에서 전자가 튀어나오는 현상임이 밝혀졌다. 이를 광전 효과라고 한다.

(1) **광전 효과:** 금속에 빛을 비추었을 때 금속 표면에서 전자가 방출되는 현상을 말한다.

(2) **광전자:** 광전 효과에 의해 금속에서 방출된 전자를 광전자라고 한다.

광전 효과와 광전자

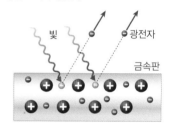

2. 광전 효과 실험

탐구 95쪽

헤르츠 이후 과학자들은 여러 실험을 통해 광전 효과 현상을 더욱 자세히 연구하였다.

(1) **광전 효과 실험 장치:** 다음 그림은 광전 효과를 연구하기 위한 실험 장치로, 광전관에 프리즘을 통해 분리한 특정 진동수의 빛을 비추고, 빛의 세기와 광전관에 걸리는 전압을 변화시키며 회로에 흐르는 전류의 세기를 측정한다. 이 전기 회로에서 광전관의 두 극은 서로 분리되어 있으므로 전류가 흐르지 않지만, 금속판에 빛을 비추어 광전 효과가 일어나면 금속판에서 광전자가 튀어나와 금속 막대로 이동하며 전류가 흐르는데, 이것을 광전류라고 한다.

광전관의 구조 및 음극과 양극
광전 효과를 이용하여 전기적인 신호를 만드는 진공관으로, 금속판으로 된 음극과 금속 막대로 된 양극을 진공 유리관에 넣어 만든다.

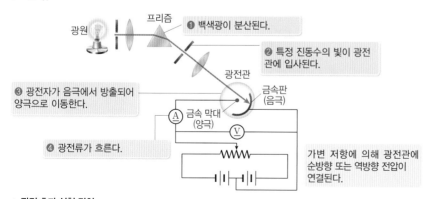

▲ 광전 효과 실험 장치

(2) 광전 효과 실험 결과의 그래프 해석

광전관에 빛을 비춰 광전 효과가 일어나면 광전관에 걸린 전압이 0일 때에도 음극에서 방출된 광전자의 일부가 양극에 도달하여 광전류가 흐른다. 광전관의 음극의 전위를 기준으로 한 양극의 전압을 변화시키며 광전류의 세기를 측정하면 다음 그림과 같이 변한다.

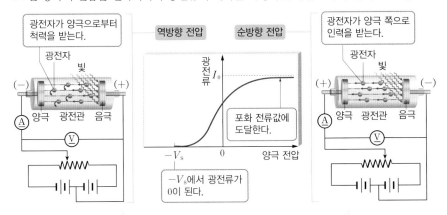

순방향 전압과 역방향 전압
· 순방향 전압: 양극의 전위가 음극의 전위보다 높을 때로, 양극에 전원의 (+)극, 음극에 (−)극이 연결된다.
· 역방향 전압: 양극의 전위가 음극의 전위보다 낮을 때로, 양극에 전원의 (−)극, 음극에 (+)극이 연결된다.

(가) 역방향 전압일 때(양극 전압 < 0)
음극에서 방출된 광전자가 양극으로부터 밀리는 전기력을 받으므로, 운동 에너지가 큰 일부 광전자만 역방향 전압을 극복하고 양극에 도달한다. 따라서 역방향 전압이 증가할수록 광전류의 세기는 서서히 감소한다.

(나) 순방향 전압일 때(양극 전압 > 0)
양극의 전위를 음극보다 높게 하면, 음극에서 방출된 광전자가 전기력을 받아 양극 쪽으로 끌려간다. 따라서 순방향 전압이 증가할수록 광전류의 세기는 점점 증가한다.

▲ 광전 효과 실험 결과

양극 전압이 0일 때
광전 효과가 일어나면 전압이 0인 상태에서도 광전자의 일부는 양극에 도달하므로 광전류가 흐른다.

① 광전자의 최대 운동 에너지(E_k)와 정지 전압(V_s): (가)에서 역방향 전압이 계속 증가하다가 어느 값이 되면 광전류의 세기가 0이 되는데, 이 전압을 정지 전압이라고 한다. 정지 전압은 방출된 광전자가 역방향 전압에 의해 운동 반대 방향으로 전기력을 받아 양극에 하나도 도달하지 못하게 되는 최소의 전압이다. 따라서 광전자의 최대 운동 에너지는 정지 전압일 때 전기력이 광전자에 한 일과 같다. 질량 m인 광전자가 음극에서 튀어나오는 최대 속력을 v_0이라고 하면, 광전자의 최대 운동 에너지 E_k와 정지 전압 V_s 사이의 관계는 다음과 같다.

$$E_k = \frac{1}{2}mv_0^2 = eV_s \ (m: \text{전자의 질량}, \ e: \text{전자의 전하량})$$

➡ 광전자의 최대 운동 에너지는 정지 전압에 비례한다.

② 광전자의 수와 포화 광전류(I_0): (나)에서 순방향 전압이 계속 증가하면, 어느 순간 음극에서 방출된 광전자가 모두 양극에 도달하여 광전류의 세기가 더 이상 증가하지 않는 포화 전류값에 도달한다. 이 포화 전류값을 측정하면 음극에서 방출된 광전자의 수를 알 수 있다. 전류의 세기는 단위 시간 동안 도선의 한 단면을 지나는 전하량으로 정의하므로, 시간 Δt 동안 음극에서 방출된 광전자의 수를 N, 전자의 전하량을 e라고 하면, 포화 광전류의 세기 I_0은 다음과 같다.

$$I_0 = \frac{Q}{\Delta t} = \frac{Ne}{\Delta t}$$

➡ 단위 시간 동안 방출된 광전자의 수는 포화 광전류의 세기에 비례한다.

파장 550 nm의 노란색 단색광을 광전관에 비추면서 정지 전압을 측정하였더니 −0.5 V였다. (단, 전자의 질량은 9.1×10^{-31} kg이고, 전자의 전하량은 1.6×10^{-19} C이다.)

(1) 방출되는 광전자의 최대 운동 에너지는 몇 J인지 구하시오.

(2) 방출되는 광전자의 최대 속력은 몇 m/s인지 구하시오.

해설 (1) 광전자의 최대 운동 에너지(E_k)는 정지 전압일 때 전기력이 광전자에 한 일(eV_s)과 같으므로, 다음과 같다.
$$E_k = eV_s = 1.6 \times 10^{-19} \text{ C} \times 0.5 \text{ V} = 8.0 \times 10^{-20} \text{ J}$$

(2) 운동 에너지 $E_k = \frac{1}{2}mv^2$이므로, 광전자의 최대 속력 v는 다음과 같다.

$$v = \sqrt{\frac{2E_k}{m}} = \sqrt{\frac{2 \times 8 \times 10^{-20} \text{ J}}{9.1 \times 10^{-31} \text{ kg}}} \approx 4.2 \times 10^5 \text{ m/s}$$

정답 (1) 8.0×10^{-20} J (2) 약 4.2×10^5 m/s

3. 광전 효과 실험 결과와 고전 물리학적 해석의 한계   집중 분석 96쪽

(1) 빛의 세기 및 진동수와 광전자의 최대 운동 에너지의 관계

① 광전관에 진동수가 같고 세기가 다른 빛을 비췄을 때 실험 결과는 그림 (가)와 같았다.

• 세기가 센 빛과 세기가 약한 빛의 정지 전압이 같다.

 ➡ 광전자의 최대 운동 에너지는 빛의 세기와 무관하다.

• 빛의 세기가 셀수록 포화 광전류의 세기가 증가한다.

 ➡ 빛의 세기가 셀수록 방출되는 광전자의 수가 많다.

② 광전관에 세기가 같고 진동수가 다른 빛을 비췄을 때, 실험 결과는 그림 (나)와 같았다.

• 진동수가 큰 빛일수록 정지 전압이 크다.

 ➡ 빛의 진동수가 클수록 광전자의 최대 운동 에너지가 크다.

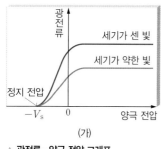

▲ 광전류－양극 전압 그래프

고전 물리학적 해석의 한계: 빛의 세기 문제

빛이 파동이라면 세기가 센 빛을 비추었을 때 1개의 광전자가 얻는 에너지도 커져야 한다. 그러나 광전 효과 실험 결과, 광전자의 최대 운동 에너지는 빛의 세기와 무관하고, 빛의 진동수에 의해서만 결정되었다.

---

(2) 문턱 진동수의 존재

빛의 진동수를 증가시키며 정지 전압을 측정하면, 다음 그림과 같이 광전자의 최대 운동 에너지가 빛의 진동수에 비례하여 증가하는 것을 알 수 있다. 그러나 빛의 진동수가 어떤 특정한 값 f_0보다 작으면, 아무리 센 빛을 비춰도 광전자가 방출되지 않는다. 이때 이 특정한 진동수를 문턱 진동수라고 한다.

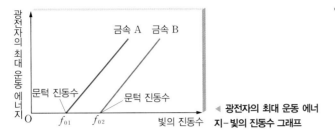

◀ 광전자의 최대 운동 에너지-빛의 진동수 그래프

① 문턱 진동수(f_0): 금속판에서 광전자를 방출시킬 수 있는 최소한의 빛의 진동수이다.

② 문턱 진동수는 금속의 종류에 따라 다르다.

③ 빛의 진동수와 광전자의 최대 운동 에너지 관계 그래프에서 그래프의 기울기는 금속의 종류에 관계없이 모두 같다.

> **고전 물리학적 해석의 한계: 빛의 진동수 문제**
>
> 빛이 파동이라면 어떤 진동수의 빛이라도 세기를 세게 하면 충분한 에너지를 전자에 전달할 수 있으므로, 광전자가 튀어나와야 한다. 그러나 광전 효과 실험 결과, 문턱 진동수보다 작은 진동수의 빛에서는 빛의 세기를 아무리 세게 하여도 광전자가 방출되지 않았다.

(3) 빛의 입사와 광전자 방출 사이의 시간 간격: 빛의 세기에 관계없이 문턱 진동수보다 큰 진동수의 빛을 비추면 비추는 즉시 광전자가 방출된다.

> **고전 물리학적 해석의 한계: 방출 시간 문제**
>
> 빛이 파동이라면 문턱 진동수 이상의 빛이라 하더라도 빛의 세기가 약할 경우 전자가 에너지를 축적하는 데 시간이 걸리므로, 광전자가 방출되는 데 걸리는 시간이 측정되어야 한다. 그러나 광전 효과 실험 결과, 아무리 빛의 세기가 약해도 문턱 진동수 이상의 빛을 비추면 광전자가 즉시 방출되었다.

4. 광전 효과 실험 결과와 빛의 파동성의 모순

고전 물리학의 전자기학에 의하면 빛은 전기장과 자기장의 진동이 공간으로 퍼져 나가는 것이므로, 물체 표면에 빛을 비추면 전기장의 진동에 의해 물체 표면에 있는 전자들이 강제 진동을 하게 되어 빛에서 전자로 에너지가 전달된다. 그러므로 충분한 양의 에너지가 전자에 전달되면 전자의 운동 에너지가 커져서 전자가 물체 표면에서 벗어나 방출된다고 해석할 수 있다. 전기장의 세기는 빛의 세기가 셀수록 세지기 때문에 빛의 세기가 세지면 방출되는 전자의 운동 에너지도 커질 것으로 예측할 수 있다. 따라서 고전 물리학에 의하면 아무리 진동수가 작은 빛이라도 빛의 세기를 세게 하거나 오랫동안 비추면 전자에 전달되는 에너지가 누적되어 광전자가 방출될 수 있을 것이다. 그리고 전자가 에너지를 충분히 얻는 데에는 어느 정도의 시간이 걸릴 것이므로 물체 표면에 빛을 비춘 순간부터 광전자가 방출되기까지 약간의 시간이 필요할 것이라고 예측하였다. 그러나 실제 광전 효과 실험 결과에서는 광전자가 문턱 진동수보다 큰 진동수를 갖는 빛에 의해서만 방출되고, 문턱 진동수보다 큰 진동수를 갖는 빛은 아무리 세기가 약해도 비추는 즉시 광전자가 방출된다. 또, 광전자의 최대 운동 에너지는 빛의 세기와는 무관하고 진동수(또는 파장)에 의해서 결정된다.

광전 효과 실험 결과와 빛의 파동성의 모순
광전 효과 실험 결과를 빛의 파동성으로 설명하려면 모순점이 생긴다. 따라서 광전 효과 실험 결과의 설명을 위해서 빛의 파동 이론 이외에 다른 이론이 필요하게 되었다. 이것이 1905년에 발표된 아인슈타인의 광양자설이다.

② 아인슈타인의 광양자설

양자화 되었다는 것은 어떤 물리량이 어떤 기본값의 정수배만을 갖는다는 것을 의미하며, 플랑크에 의해 처음 제안되었다. 아인슈타인은 이러한 양자설을 이용하여 빛의 파동성으로 설명할 수 없었던 광전 효과를 완벽하게 해석하였다.

1. 광양자설

(1) **플랑크의 양자설:** 19세기 말, 물리학자들은 뜨거운 물체에서 방출되는 빛의 연속 스펙트럼을 연구하면서 파장에 따른 빛의 세기를 수학적으로 나타내려고 노력하였다. 1900년에 플랑크는 진동수가 f인 빛이 연속적인 에너지를 갖지 않고 hf의 정수배에 해당하는 불연속적인 에너지를 갖는다면 실험 결과와 일치하는 식이 도출됨을 제시하였다. 즉, 플랑크는 빛의 에너지가 양자화 되었다고 하는 양자설을 주장하였다. 플랑크는 자신의 양자설이 흑체 복사 스펙트럼 곡선을 이론적으로 이끌어 내기 위한 수학적 방법일 뿐이고, 어떤 물리적인 의미가 있는 것은 아니라고 생각하였다.

(2) **아인슈타인의 광양자설:** 아인슈타인은 고전 물리학 이론으로는 설명이 되지 않는 광전 효과를 설명하기 위해 플랑크의 양자설을 이용하여 빛을 광자(광양자)라고 하는 에너지 양자의 흐름으로 생각하였다. 각각의 광자는 진공 속에서 빛의 속력 c로 움직이며, 빛의 진동수에 비례하는 에너지를 가진다. 즉, 진공 속에서 빛의 속력을 c, 빛의 진동수와 파장을 각각 f, λ라고 하면 광자(광양자) 1개의 에너지 E는 다음과 같다.

$$E = hf = \frac{hc}{\lambda} \quad (\text{플랑크 상수 } h = 6.63 \times 10^{-34} \text{ J·s} = 4.14 \times 10^{-15} \text{ eV·s})$$

아인슈타인의 광양자설에서 빛은 다음과 같은 특징을 가진다.

① 빛의 에너지는 파동처럼 연속적인 값을 가지는 것이 아니라, 광자의 개수에 따라 hf, $2hf$, $3hf$, …의 불연속적인 값으로 나타난다.

② 빛의 세기는 단위 시간당 단위 면적에 입사하는 광자의 개수에 비례한다.

③ 빛의 흡수나 방출은 원자에서 일어난다. 빛이 어떤 물질에 흡수될 때 광자 1개의 에너지 hf가 빛에서 원자로 이동하며 이 광자는 사라진다. 또, 진동수 f인 빛이 원자에서 방출될 때 hf의 에너지가 원자에서 빛으로 이동하며 광자 1개가 나타난다.

예제

1. 다음의 전자기파를 광자의 에너지가 큰 것부터 순서대로 나열하시오.

마이크로파, 감마(γ)선, 자외선, X선, 라디오파, 적외선, 가시광선

해설 광자의 에너지는 빛의 진동수에 비례하므로, 진동수가 큰 순서대로 광자의 에너지가 크다.
정답 감마(γ)선, X선, 자외선, 가시광선, 적외선, 마이크로파, 라디오파

2. 파장이 400 nm인 빛의 광자 1개의 에너지는 몇 J인지 구하시오. (단, 빛의 속력은 약 3×10^8 m/s이다.)

해설 파장이 400 nm인 광자 1개의 에너지는 다음과 같다.
$$E = hf = \frac{hc}{\lambda} = \frac{(6.63 \times 10^{-34} \text{ J·s}) \times (3 \times 10^8 \text{ m/s})}{400 \times 10^{-9} \text{ m}} \fallingdotseq 4.97 \times 10^{-19} \text{ J}$$
정답 약 4.97×10^{-19} J

플랑크(Planck, M.K.E.L., 1858~1947)
독일의 이론 물리학자로, 복사론, 양자론의 기초를 확립하였다.

흑체
빛을 비췄을 때 반사하지 않고 모두 흡수하는 물체를 말한다. 빛을 반사시키지 않으므로 검게 보인다고 하여 흑체라고 한다. 그러나 흑체라도 복사 에너지는 방출한다.

아인슈타인(Einstein, A., 1879~1955)
독일 태생 물리학자로, 광양자설을 수립하고 광전 효과를 설명하였으며, 브라운 운동 이론, 특수 상대성 이론, 일반 상대성 이론을 발표하였다.

빛의 파동설과 입자설을 주장한 과학자
· 빛의 파동설: 하위헌스(하위헌스 원리), 영(이중 슬릿 간섭), 프레넬(회절과 편광), 맥스웰(전자기파) 등
· 빛의 입자설: 뉴턴(미립자설), 플랑크(양자설), 아인슈타인(광양자설), 콤프턴(X선 산란) 등

2. 광양자설에 의한 광전 효과 해석

(1) 광전 효과에 대한 아인슈타인의 모형: 광전 효과를 광자와 전자의 충돌로 설명하였다.

① **에너지 전달:** 에너지 전달은 광자와 전자 사이에 일대일로 이루어진다. 그림 (가)와 같이 금속 표면에 진동수 f인 빛을 쪼일 때 광자 1개가 금속 내부의 전자 1개에 자신의 에너지 hf를 모두 전달하며 흡수된다.

② **광전자의 방출:** 금속 내의 전자가 방출되려면 금속 내의 양이온에 의한 인력을 거슬러서 일을 해 주어야 하므로, 전자는 결합 에너지 이상의 에너지를 가진 광자를 흡수할 때만 금속으로부터 방출될 수 있다. 이때 방출된 광전자의 운동 에너지는 흡수한 광자의 에너지에서 결합 에너지를 뺀 만큼이 된다.

③ **광전자의 최대 운동 에너지:** 금속 표면 가까이에 있는 전자보다 표면에서 멀리 있는 전자가 금속으로부터 벗어나는 데 필요한 에너지가 클 것이다. 따라서 동일한 빛을 쪼였을 때 표면에서 먼 깊숙한 곳에서 방출되는 전자의 운동 에너지보다 표면에 가까운 얕은 곳에서 방출되는 전자의 운동 에너지가 크다. 금속에서 광전자를 방출시키는 데 필요한 최소한의 에너지를 일함수 W라고 하면, 방출되는 광전자의 최대 운동 에너지 E_k는 다음과 같다.

$$E_k = \frac{1}{2}mv^2 = hf - W$$

위 식에서 금속에 비추는 빛의 진동수 f와 광전자의 최대 운동 에너지 E_k 사이의 관계 그래프는 그림 (나)와 같이 기울기가 플랑크 상수 h인 직선이 된다.

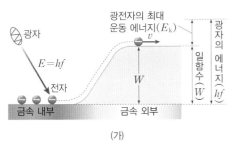
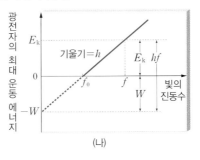

▲ 광양자설에 의한 광전 효과 해석

(2) 빛의 진동수에 따른 광전자의 최대 운동 에너지 해석

① 플랑크 상수는 금속의 종류에 관계없이 일정한 상수이므로, 그래프의 기울기가 금속에 관계없이 모두 같다는 광전 효과 실험 결과를 설명할 수 있다.

② **문턱 진동수(f_0)와 일함수(W):** 문턱 진동수 f_0은 그래프의 x절편으로, 광자 1개의 에너지가 금속의 일함수(W)와 같은 빛의 진동수이다.

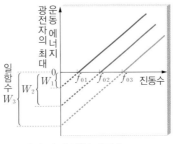

▲ 문턱 진동수와 일함수의 관계

$$f_0 = \frac{W}{h}$$

일함수는 금속의 종류에 따라 달라지므로, 금속마다 고유한 문턱 진동수를 가진다.

③ 금속의 문턱 진동수보다 진동수가 작은 빛이 입사하면 광자 1개의 에너지가 일함수보다 작아 금속에서 광전자가 방출될 수 없다.

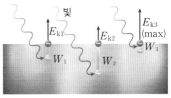
일함수

1883년, 에디슨은 가열된 물체에서 전자가 방출되는 현상을 발견하고, 이때 방출된 전자를 열전자라고 하였다. 물체를 매우 뜨겁게 가열하면 내부의 전자가 표면의 결합 에너지보다 큰 열에너지를 얻어 물체의 표면에서 방출될 수 있는 것이다. 이와 같이 물체에서 전자 1개가 방출되는 데 필요한 최소 에너지를 일함수라고 하며, 일함수는 물질에 따라 다르다.

물질	일함수(eV)
나트륨(Na)	2.46
알루미늄(Al)	4.08
철(Fe)	4.50
구리(Cu)	4.70
아연(Zn)	4.31

(3) 빛의 세기에 따른 광전자의 최대 운동 에너지 해석: 앞의 식에서 광전자의 최대 운동 에너지는 빛의 세기와 무관하다. 즉, 금속에 비추는 빛의 세기를 증가시키면 단위 시간당 같은 면적에 도달하는 광자의 수가 증가하지만, 광자 1개의 에너지는 변하지 않는다. 따라서 빛의 세기가 증가할수록 방출되는 광전자의 수는 증가하지만, 광전자의 최대 운동 에너지는 변하지 않는다.

(4) 빛의 입사와 광전자 방출 사이의 시간 간격: 진동수가 문턱 진동수 이상인 빛이라면 빛의 세기가 아무리 약해도 각각의 광자는 전자를 즉시 방출시킬 만한 충분한 에너지를 가진다. 따라서 문턱 진동수 이상인 빛을 비추면 광전자는 즉시 방출된다.

3. 빛의 입자성과 콤프턴 효과

광전 효과를 해석한 아인슈타인의 광양자설에 의하여 빛이 가지고 있는 에너지가 연속적이지 않고 양자화 되어 있다는 것이 밝혀졌다. 그러나 빛이 입자들로 이루어졌다는 것은 빛과 전자의 충돌을 입자들 사이의 충돌로 기술할 수 있음을 실험적으로 보인 콤프턴 효과에 의해 완전히 입증되었다.

콤프턴(Compton, A. H., 1892~1962)
미국의 실험 물리학자로, 콤프턴 효과를 발견하여 빛의 입자성을 보여 주는 실험을 하는 등 여러 연구를 하였다.

(1) 콤프턴 효과

얇은 흑연 표적에 X선을 입사시켰을 때 입사한 X선의 파장 λ보다 산란된 X선의 파장 λ'가 더 길어지는 현상을 콤프턴 효과라고 한다. 콤프턴 효과에서 각 광자는 표적 내에서 자유롭게 움직이거나 아주 약하게 결합하고 있는 단일 전자와 탄성 충돌을 한다.

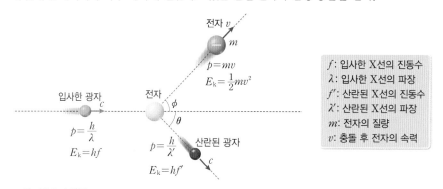

f: 입사한 X선의 진동수
λ: 입사한 X선의 파장
f': 산란된 X선의 진동수
λ': 산란된 X선의 파장
m: 전자의 질량
v: 충돌 후 전자의 속력

▲ **콤프턴 효과 실험**

콤프턴 효과 실험 장치

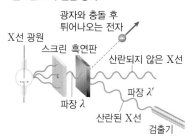

산란된 광자는 입사한 광자보다 작은 에너지를 가지므로 파장이 길어진다.

콤프턴은 진동수가 f인 입사한 X선이 운동 에너지(E_k)가 hf, 운동량(p)이 $\dfrac{h}{\lambda}$인 광자의 흐름이고, X선과 전자의 충돌을 탄성 충돌이라고 가정하여 광자와 전자의 충돌을 분석하였다. 탄성 충돌에서는 역학적 에너지와 운동량이 보존되므로 다음 식이 성립한다.

- 운동 에너지 보존: $hf = hf' + \dfrac{1}{2}mv^2$

- 운동량 보존
$$\left.\begin{array}{l} x\text{축}: \dfrac{h}{\lambda} = \dfrac{h}{\lambda'}\cos\theta + mv\cos\phi \\[2mm] y\text{축}: 0 = \dfrac{h}{\lambda'}\sin\theta - mv\sin\phi \end{array}\right\} \Rightarrow \varDelta\lambda = \lambda' - \lambda = \dfrac{h}{mc}(1-\cos\theta)$$

$\varDelta\lambda = \dfrac{h}{mc}(1-\cos\theta)$식의 유도

운동량 보존 식에서 ϕ를 소거하면 $m^2v^2 = \dfrac{h^2}{\lambda^2} + \dfrac{h^2}{\lambda'^2} - 2\dfrac{h^2}{\lambda\lambda'}\cos\theta$가 되고, 이 식에 운동 에너지 보존 식을 대입하여 v를 소거하면 $2mch\left(\dfrac{1}{\lambda} - \dfrac{1}{\lambda'}\right) = \dfrac{h^2}{\lambda^2} + \dfrac{h^2}{\lambda'^2} - 2\dfrac{h^2}{\lambda\lambda'}\cos\theta$가 된다. 근사적으로 $\lambda^2 \fallingdotseq \lambda'^2 \fallingdotseq \lambda\lambda'$으로 생각하여 위 식의 양변에 곱하면 $\lambda' - \lambda = \dfrac{h}{mc}(1-\cos\theta)$가 된다.

위 식에서 X선의 산란각 θ가 커질수록 파장 λ'가 더 길어진다. 콤프턴은 이 식과 실험 결과가 잘 일치하는 것을 확인하여 빛이 입자라고 하는 아인슈타인의 광양자설이 옳다는 것을 실험적으로 보여 주었다.

3 광전 효과의 이용

앞서 배운 광전 효과는 광통신이나 광센서 등에 이용되는 광 다이오드나 빛으로 전기 에너지를 생산하는 태양 전지, 그리고 복사기와 레이저 프린터 등 다양한 곳에 이용된다. 여기서는 각각의 작동 원리에 대해 좀 더 자세히 살펴보도록 하자.

1. 광전 효과의 범위

광전 효과는 금속 표면에 자외선 또는 X선을 비추었을 때 전자가 방출되는 현상으로부터 발견되었다. 따라서 좁은 의미에서 광전 효과는 금속 표면에 빛을 비출 때 전자가 방출되는 것을 일컫는다. 하지만 많은 연구를 통하여 금속이 아닌 물질에 빛을 비추었을 때 전자가 발생되는 현상이 발견됨에 따라 넓은 의미에서는 빛에 의하여 전도 전자가 발생되는 일련의 현상을 모두 통틀어서 광전 효과라고 부르며, 우리 생활 여러 곳에서 이용되고 있다. 아인슈타인의 광전 효과 이론은 많은 응용을 통하여 우리의 실생활과 더 밀접하게 연관을 맺고 있다. 사실 초고속 정보 통신 기술의 핵심 요소인 광전자 소자 중에 많은 종류가 광전 효과를 이용하는 소자라는 점을 보면, 광전 효과의 이해와 응용이 현대 IT 문명에 아주 중요한 조건이라고 말할 수 있을 것이다. 아인슈타인의 광양자설과 같이 외견상 응용과 직접 관련이 없을 것 같은 기초 과학의 연구도 응용 기술을 개발하는 데 아주 중요한 역할을 한다는 것을 알 수 있다.

2. 광 다이오드

(1) **광 다이오드**: p형 반도체와 n형 반도체의 접합 구조로 되어 있는 다이오드의 한 종류로, 빛을 전류로 전환시키는 장치이다.

(2) **작동 원리**: 광 다이오드의 접합면 부근에 빛을 비추면 접합부에서 전자·양공의 쌍이 생겨 전자는 전도띠로 들뜨고 원자가 띠에는 양공이 생긴다. 접합면 부근의 전위차 때문에 생긴 내부 전기장으로부터 전기력을 받아 전자는 n형 반도체 쪽으로 움직이고 양공은 p형 반도체 쪽으로 움직여서 기전력이 생기고 전류가 흐르게 된다. 이렇게 발생한 전류의 세기를 측정하면 빛의 유무나 빛의 세기를 알 수 있다.

(3) **이용**: 빛을 전류로 바꾸는 기능이 있으므로, 빛 신호를 전기 신호로 바꾸는 광통신, 리모컨 수신기, 광센서 등에 사용된다. 디지털카메라나 캠코더에 사용되는 전하 결합 소자(CCD)도 광 다이오드와 유사하다. 전하 결합 소자는 주로 반도체를 작은 면적의 픽셀로 나누어 각 픽셀에 닿는 빛의 세기에 따라 발생하는 전도 전자의 전하량을 측정하여 각 픽셀에 닿는 빛의 세기를 기록하고, 이로부터 2차원 영상 정보를 기록한다.

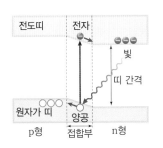

▲ 광 다이오드의 원리

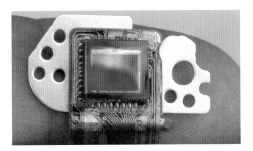

▲ 전자 결합 소자(CCD)의 모습

전도 전자
원자가 띠에 있던 전자가 전도띠로 전이하여 물질 내를 자유로이 움직일 수 있게 된 전자를 말한다.

전자 결합 소자(CCD)의 발명
1969년, 미국 벨연구소에서 윌러드 보일과 조지 스미스가 CCD를 발명하여, 이 업적으로 2009년에 노벨 물리학상을 공동 수상했다. 하지만 원래 CCD는 이미지 센서용이 아닌, 메모리 소자를 개발할 목적으로 연구가 되었었다.

3. 광전지(태양 전지)

(1) **광전지**: 빛에너지를 전기 에너지로 직접 변환하는 장치로, 흔히 태양 전지라고 한다.

(2) **작동 원리**

광전지도 광 다이오드와 유사한 원리를 이용한다. 광전지도 p형 반도체와 n형 반도체의 접합으로 이루어지는데, 빛을 흡수함으로써 전자와 양공이 생기고, 이들이 각각 n형 반도체와 p형 반도체 쪽으로 이동하여 기전력을 발생시킨다.

태양 전지는 전력을 얻는 것이 주목적이므로 빛을 비췄을 때 발생하는 전력이 최대가 되는

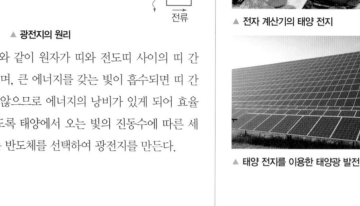

▲ **광전지의 원리**

조건으로 최적화해야 한다. 금속에서의 일함수와 같이 원자가 띠와 전도띠 사이의 띠 간격보다 낮은 에너지를 갖는 빛은 흡수되지 않으며, 큰 에너지를 갖는 빛이 흡수되면 띠 간격 만큼의 에너지 이외에는 전력으로 변환되지 않으므로 에너지의 낭비가 있게 되어 효율이 떨어진다. 따라서 에너지 효율이 최대가 되도록 태양에서 오는 빛의 진동수에 따른 세기 분포를 고려하여 가장 적절한 띠 간격을 갖는 반도체를 선택하여 광전지를 만든다.

4. 복사기와 레이저 프린터

(1) **복사기와 레이저 프린터**: 정전기 유도와 함께 넓은 의미의 광전 효과를 이용한다.

(2) **작동 원리**

복사기나 레이저 프린터의 감광 드럼은 처음에 (+)전하로 대전되어 있다. 여기에 인쇄하려는 문서의 빛을 비추면 빛이 닿은 부분의 저항이 낮아져서 그 부분의 (+)전하가 방전된다. 그 다음에 (−)전하로 대전된 토너 가루를 이 드럼에 골고루 뿌리면 전기력에 의해 (+)전하를 띤 부분에만 토너 가루가 달라붙게 되고, 이를 다시 정전기를 이용해서 종이 위에 옮긴 다음 열을 가해서 녹여 붙여 인쇄하게 된다. 토너 가루는 열에 녹는 접착제 성분을 포함하고 있다. 따라서 빛이 닿지 않은 부분에만 토너 가루가 묻어서 원하는 문서가 인쇄된다.

태양 전지의 이용

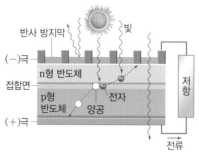

▲ **전자 계산기의 태양 전지**

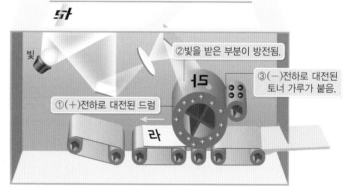

▲ **복사기의 원리**

시야확장 ⊕ 달의 먼지

달 표면에 있는 먼지에 햇빛이 비추어지면 광전 효과가 일어나 먼지는 전자를 잃게 되고 (+)전하를 띠게 된다. (+)전하를 띤 먼지는 전기력에 의하여 서로 밀어내면서 공중으로 떠오르게 된다. 이렇게 떠오른 먼지는 지구와 같이 달 표면에도 마치 공기가 있는 것처럼 얇은 안개나 아지랑이의 형태로 관측된다. 이러한 현상은 1960년 서베이어 프로그램의 달 탐사선에 의하여 처음으로 촬영되었다. 그 먼지들이 전하를 잃고, 다시 전하를 띠는 것을 반복하면서 달 표면에서 1 km 상공까지 상승하기도 한다.

탐구

광전지를 이용한 광전 효과 실험

광전지를 이용한 광전 효과 실험을 통해 빛의 세기와 광전류의 세기 사이의 관계를 알 수 있다.

과정

1 그림과 같이 광전지를 위쪽에 작은 구멍이 있는 상자에 넣고, 광전지의 양 단자에 멀티테스터를 연결한다.

2 광전지로부터 30 cm 위에 빛의 세기를 조절할 수 있는 전등을 설치한다.

3 광전지에 빛을 비추고 멀티테스터로 광전지에 흐르는 전류의 세기를 여러 번 측정하여 평균 값을 구한다.

4 빛의 세기를 변화시키며 과정 **3**을 반복한다.

5 전등 대신 적외선 등을 비추고 과정 **3**을 반복한다.

유의점
· 전등에서 광전지까지의 거리는 일정하게 유지한다.
· 광전지에서 광전류가 흐르려면 광자의 에너지 hf가 광전지의 띠 간격 E보다 커야 한다.
$$hf \geq E$$

결과

빛의 세기와 전등의 종류를 변화시키며 광전지에 흐르는 전류의 세기를 측정한 결과는 다음과 같다.

구분		전류(mA)			평균값(mA)
전등	빛의 세기가 약할 때	0.51	0.48	0.50	0.50
	빛의 세기가 중간일 때	0.69	0.70	0.72	0.70
	빛의 세기가 셀 때	0.91	0.92	0.89	0.91
	적외선 등	0	0	0	0

정리

· 광전지에 흐르는 전류의 세기는 비춰 준 빛의 세기가 셀수록 증가한다.
➡ 빛의 세기가 세면 광전지에 도달하는 단위 면적당 광자의 수가 증가하여, 더 많은 광전자가 발생하므로 광전지에 흐르는 전류의 세기가 증가한다.
· 적외선을 비출 때는 전류가 흐르지 않는다.
➡ 광자 1개의 에너지가 광전지의 띠 간격보다 작아서, 아무리 센 빛을 비추더라도 광전자가 발생하지 않으므로 광전지에 전류가 흐르지 않는다. 이는 광전 효과에서 광자의 에너지가 일함수보다 작을 때 광전자가 방출되지 않는 것과 같은 원리이다.

탐구 확인 문제

> 정답과 해설 **164**쪽

01 그림은 광전지에 빛을 비췄을 때 접합면 부근에서 전자와 양공 쌍이 생성되는 것을 나타낸 것이다. 이에 대한 설명으로 옳은 것만을 보기에서 있는 대로 고르시오.

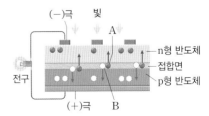

보기
ㄱ. A는 전자, B는 양공이다.
ㄴ. 전류는 (−)극에서 전구를 지나 (+)극 쪽으로 흐른다.
ㄷ. 빛의 세기가 셀수록 전구에 흐르는 전류의 세기는 증가한다.

광전 효과 실험 결과 그래프의 해석

광전 효과 실험 결과에서 빛이 파동이라는 관점으로 설명할 수 없는 부분이 무엇인지 알고, 광양자설에서 이를 어떻게 설명하고 있는지 알아야 한다. 그리고 광전류의 세기와 전압 사이의 관계 그래프, 광전자의 최대 운동 에너지와 비춰 준 빛의 진동수 사이의 관계 그래프를 해석하는 문제가 주로 출제되므로, 두 그래프를 정확하게 해석할 수 있어야 한다.

❶ 광전류의 세기와 전압의 관계 그래프

그림은 단색광 A, B, C를 동일한 금속판에 비추었을 때 양극 전압 V에 따른 광전류의 세기 I를 나타낸 것이다.

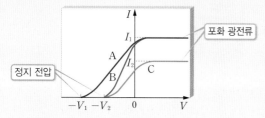

(1) 정지 전압이 클수록($V_1 > V_2$)

→ 광전자의 최대 운동 에너지 E_k가 크다.($E_k = eV_s$)

→ 입사한 광자의 에너지 E가 크다.($E = E_k + W$)

→ 금속판에 진동수가 큰 빛이 입사하였다.($E = hf$)

➡ 입사한 빛의 진동수 비교: A > B = C

(2) 포화 광전류의 세기가 클수록($I_1 > I_2$)

→ 단위 시간당 방출된 광전자의 수가 많다.

→ 단위 시간당 입사한 광자의 수가 많다.

→ 세기가 더 센 빛이 입사하였다.

➡ 빛의 세기 비교: A, B > C

❷ 광전자의 최대 운동 에너지와 빛의 진동수의 관계 그래프

그림은 금속판 A, B에 입사하는 단색광의 진동수를 변화시키며 광전자의 최대 운동 에너지를 측정한 결과를 나타낸 것이다.

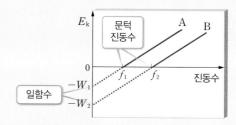

(1) 그래프 기울기: $E_k = hf - W$이므로, 그래프의 기울기는 플랑크 상수 h로 모든 금속에서 동일하다.

(2) x절편: 광전자의 최대 운동 에너지가 0일 때 빛의 진동수이므로, 그 금속의 문턱 진동수이다.

→ 금속의 종류에 따라 문턱 진동수가 다르다.($f_1 < f_2$)

➡ 금속의 문턱 진동수 비교: A < B

(3) y절편: $f = 0$일 때의 E_k값이므로, 그래프를 연장한 y절편의 절댓값은 일함수를 의미한다.

→ 문턱 진동수가 클수록 금속의 일함수가 크다.($W_1 < W_2$)

➡ 금속의 일함수 비교: A < B

유제

› 정답과 해설 164쪽

그림은 광전관의 금속판에 진동수가 다른 단색광을 비추었을 때, 방출되는 광전자의 최대 운동 에너지 E_k를 빛의 진동수에 따라 나타낸 것이다.

이에 대한 설명으로 옳은 것만을 보기에서 있는 대로 고른 것은? (단, h는 플랑크 상수이다.)

보기
ㄱ. 광전관의 금속판의 일함수는 hf이다.

ㄴ. 진동수가 f보다 작더라도 충분히 센 단색광을 비추면 광전자가 방출된다.

ㄷ. 진동수가 $2f$인 단색광을 비췄을 때 광전자의 최대 운동 에너지는 hf이다.

① ㄱ   ② ㄴ   ③ ㄱ, ㄷ   ④ ㄴ, ㄷ   ⑤ ㄱ, ㄴ, ㄷ

01 빛의 입자성

2. 빛과 물질의 이중성

① 광전 효과

1. 광전 효과 금속에 (**①**   )을 비추었을 때 표면에서 광전자가 방출되는 현상

2. 광전 효과 실험 결과 광전관의 금속판(음극)에 단색광을 비추면 (**②**   )
가 튀어나와 금속 막대(양극)에 도달하여 회로에 전류가 흐른다.

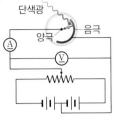

정지 전압(V_s)	포화 광전류(I_0)
광전자의 (**③**)에 비례	단위 시간 동안 방출된 광전자의 (**④**)에 비례

3. 광전 효과 실험 결과와 빛의 파동성의 모순

• 광전자의 최대 운동 에너지는 빛의 세기에 관계없고, 빛의 (**⑤**   )에 의해서만 달라졌다.

• 광전자를 방출시킬 수 있는 최소한의 빛의 진동수인 (**⑥**   )가 존재했다.

• 빛의 세기가 아무리 약해도 문턱 진동수보다 큰 빛을 비추면 광전자가 즉시 방출되었다.

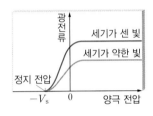
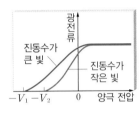
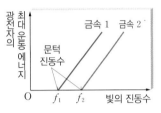

② 아인슈타인의 광양자설

1. (⑦   **)** 빛은 연속적인 파동이 아니라 광자(광양자)라고 하는 에너지 양자의 흐름이다. 진동수가 f
인 빛의 광자 1개의 에너지 E는 다음과 같다. ➡ $E=($**⑧** $)$ (플랑크 상수 $h=6.63\times10^{-34}$ J·s)

2. 광양자설에 의한 광전 효과 해석 일함수가 W인 금속에 진동수 f인 빛
을 쪼이면 광자 1개가 자신의 에너지 hf를 전자 1개에 전달하며 흡수
된다. 이때 광전자의 최대 운동 에너지 $E_k=\dfrac{1}{2}mv^2=($**⑨** $)$이다.

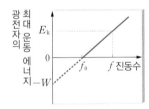

• **문턱 진동수(f_0):** 광자의 에너지가 금속의 (**⑩**   )와 같은 빛의 진동수

• 빛의 세기가 증가하면 단위 시간당 입사하는 광자의 (**⑪**   )가 증가
하므로, 방출되는 광자의 수도 증가한다.

3. 콤프턴 효과 얇은 흑연 표적에 X선을 입사시켰을 때 입사된 X선의 파장보다 산란된 X선의 파장이
더 (**⑫**   )지는 현상 ➡ X선 광자와 전자의 탄성 충돌로 해석할 수 있다.

③ 광전 효과의 이용

1. 광 다이오드 광 다이오드의 접합부에 빛을 비추면 전자가 전도띠로 들뜨고
원자가 띠에는 양공이 생긴다. 이렇게 발생한 전자·양공 쌍에 의해 전류가
발생한다. ➡ (**⑬**   ) 신호를 전기 신호로 바꾸는 장치에 사용된다.
예 광통신, 리모컨 수신기, 광센서, 전하 결합 소자(CCD)

2. 광전지 빛에너지를 (**⑭**   ) 에너지로 직접 변환하는 장치로, 원리는 광
다이오드와 유사하다.

3. 복사기 대전된 감광 드럼에 복사하려는 문서에서 반사된 빛을 비추면 빛이 닿은 부분이 저항이 낮아져
서 방전된다. 여기에 반대 전하로 대전된 토너 가루를 뿌린 후 이를 다시 종이에 옮겨 문서를 복사한다.

01 광전 효과 실험 결과에서 빛의 파동성으로 설명이 가능한 현상만을 보기에서 있는 대로 고르시오.

보기
ㄱ. 문턱 진동수보다 진동수가 큰 빛을 비출 때만 광전자가 방출된다.
ㄴ. 문턱 진동수 이상인 빛은 그 세기를 증가시킬수록 광전류의 세기가 증가한다.
ㄷ. 진동수가 문턱 진동수 이상인 빛은 그 세기가 아무리 약해도 비추는 즉시 광전자를 방출시킨다.

02 그림 (가)는 문턱 진동수가 f_0인 금속판에 단색광을 비출 때의 모습을 나타낸 것이다. 그림 (나)는 금속판에 비추는 단색광의 시간에 따른 진동수와 세기를 각각 나타낸 것이다.

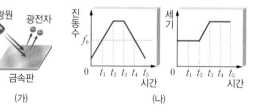

(가)　　　　　　　　　　(나)

광전자의 최대 운동 에너지가 가장 큰 시간 구간을 쓰시오.

03 그림은 광전관의 금속판에 진동수가 f인 단색광을 비추고 양극 전압을 변화시키면서 광전류의 세기를 측정한 결과를 나타낸 것이다. (단, 플랑크 상수는 h, 전자의 전하량은 e이다.)

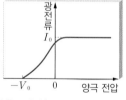

(1) 금속판에서 방출된 광전자의 최대 운동 에너지를 구하시오.

(2) 금속판의 일함수를 구하시오.

(3) 광전류의 세기가 최대일 때 1초 동안 음극에서 방출된 광전자의 수를 구하시오.

04 그림은 광전관의 금속판에 진동수가 다른 단색광을 비추었을 때 발생한 광전자의 최대 운동 에너지와 빛의 진동수 사이의 관계를 나타낸 것이다. (단, 플랑크 상수는 h이다.)

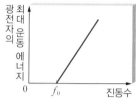

(1) 금속판의 일함수를 구하시오.

(2) 진동수가 $3f_0$인 단색광을 비췄을 때 방출되는 광전자의 최대 운동 에너지를 구하시오.

(3) 광전자의 최대 운동 에너지가 E_k, 비춰 준 단색광의 진동수가 f일 때, 위 그래프를 식으로 나타내시오.

05 그림과 같이 광전 효과 실험 장치에 단색광을 비추고, 전원 장치의 전압을 변화시키면서 전압과 전류의 세기를 측정하였다. 광전관의 금속판은 전원 장치의 (−)극에, 금속 막대는 전원 장치의 (+)극에 연결되어 있다.

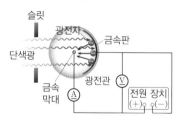

이에 대한 설명으로 옳은 것만을 보기에서 있는 대로 고르시오.

보기
ㄱ. 방출되는 광전자의 수는 금속판과 금속 막대 사이의 전압에 비례한다.
ㄴ. 전류계에 흐르는 전류의 세기가 0일 때 비춰 주는 빛의 진동수를 증가시키면 전류가 흐를 수 있다.
ㄷ. 금속판을 전원 장치의 (+)극에, 금속 막대를 (−)극에 연결하고 전압을 증가시키면 전류계에 흐르는 전류의 세기는 감소한다.

06 그림 (가)는 광전 효과 실험 장치를 나타낸 것이고, (나)는 (가)의 음극에 단색광 a, b, c를 각각 비추고 양극 전압을 변화시키면서 전압과 전류를 측정한 결과를 나타낸 것이다.

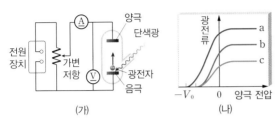

(가)   (나)

이에 대한 설명으로 옳은 것만을 보기에서 있는 대로 고르시오.

보기
ㄱ. a보다 진동수가 큰 빛을 비추면 정지 전압은 V_0보다 작아진다.
ㄴ. a의 진동수는 b의 진동수보다 크다.
ㄷ. b는 c보다 빛의 세기가 세다.

07 그림은 콤프턴 효과 실험에서 파장이 λ인 광자가 정지해 있는 전자에 의해 산란될 때 질량 m인 전자가 v의 속력으로 튕겨 나가는 것을 나타낸 것이다. (단, 플랑크 상수는 h이고, 빛의 속력은 c이다.)

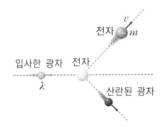

(1) 입사한 광자의 운동량의 크기를 구하시오.

(2) 입사한 광자와 비교할 때 산란된 광자의 파장과 속력은 각각 어떻게 변하는지 쓰시오.

(3) 이 실험이 직접적으로 뒷받침하는 사실로 옳은 것만을 보기에서 있는 대로 고르시오.

보기
ㄱ. 빛은 입자성을 가진다.
ㄴ. 빛은 파동성을 가진다.
ㄷ. 빛은 이중성을 가진다.

08 콤프턴 효과에 대한 설명으로 옳은 것만을 보기에서 있는 대로 고르시오.

보기
ㄱ. 산란된 빛의 진동수는 입사한 빛의 진동수와 같다.
ㄴ. 광양자설을 확인할 수 있는 현상이다.
ㄷ. 광자와 전자의 충돌은 탄성 충돌이다.

09 다음은 광 다이오드의 원리에 대한 설명이다. ㉠, ㉡에 들어갈 알맞은 말을 쓰시오.

광 다이오드의 접합부에 빛을 비추면 원자가 띠의 전자가 (㉠)(으)로 들뜨고, 원자가 띠에는 (㉡)이/가 생긴다. 접합면 부근의 전위차에 의해 전자는 n형 반도체 쪽으로 전기력을 받아 움직이고, 양공은 p형 반도체 쪽으로 움직여서 기전력이 발생하게 된다.

10 다음은 복사기의 원리에 대하여 간략하게 설명한 것이다.

검은색으로 글자가 쓰인 흰 종이에 빛을 비추면, 글자가 없는 흰색 부분에서 반사된 빛이 복사기의 드럼에 닿아 대전되어 있던 ㉠전하가 사라진다. 반면 글자가 있는 부분에서는 빛이 반사되지 않으므로 드럼에 대전된 전하가 사라지지 않으며, 이곳에 (−)전하를 띠는 토너 가루가 달라붙어 복사가 이루어진다.

이에 대한 설명으로 옳은 것만을 보기에서 있는 대로 고르시오.

보기
ㄱ. ㉠은 (−)전하이다.
ㄴ. 광전 효과에 의하여 드럼에서 ㉠이 사라진다.
ㄷ. 전기력에 의하여 토너 가루가 드럼에 달라붙는다.

01 〉광전 효과

그림 (가)는 광전관의 금속판에 단색광을 비추었을 때 발생하는 광전류를 측정하는 장치를 나타낸 것이고, (나)는 측정한 광전류와 양극 전압 사이의 관계를 나타낸 것이다.

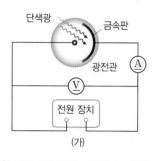

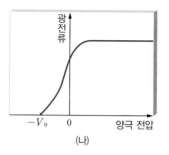

(가)   (나)

• 양극 전압에 따라 광전류의 세기가 변하는 것은 전기력에 의하여 양극에 도달하는 광전자의 수가 달라지기 때문이다.

이에 대한 설명으로 옳은 것만을 보기에서 있는 대로 고른 것은? (단, 전자의 전하량은 e이다.)

보기

ㄱ. 방출된 광전자의 최대 운동 에너지는 eV_0이다.

ㄴ. (나)에서 광전류가 0일 때 금속판에서 광전자가 방출되지 않는다.

ㄷ. (나)에서 광전류가 최대일 때 금속판은 전원 장치의 (+)극에 연결된 상태이다.

① ㄱ   ② ㄴ   ③ ㄷ   ④ ㄴ, ㄷ   ⑤ ㄱ, ㄴ, ㄷ

02 〉광양자설에 의한 광전 효과 해석

그림은 광양자설에 따라 전자가 광자를 흡수하여 최대 운동 에너지 E_k를 가지고 금속판에서 방출되는 것을 나타낸 것이다. W는 금속의 일함수이다.

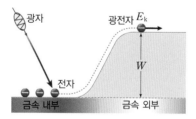

• 광전자의 최대 운동 에너지는 광자의 에너지에서 금속의 일함수를 뺀 값과 같다.

이에 대한 설명으로 옳은 것만을 보기에서 있는 대로 고른 것은?

보기

ㄱ. 광자의 에너지는 $(E_k + W)$와 같다.

ㄴ. 광자의 에너지가 W보다 작으면 광전자는 방출되지 않는다.

ㄷ. 금속의 종류에 따라 W가 달라진다.

① ㄱ   ② ㄱ, ㄴ   ③ ㄱ, ㄷ   ④ ㄴ, ㄷ   ⑤ ㄱ, ㄴ, ㄷ

03 > 광전 효과

그림 (가)는 광전관을 이용한 광전 효과 실험 장치를 나타낸 것이고, (나)는 진동수가 각각 $3f$, $2f$인 단색광 A, B를 금속판에 각각 비추었을 때 흐르는 광전류와 양극 전압 사이의 관계를 나타낸 것이다.

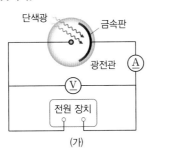

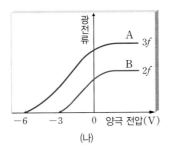

(가)　　　　　　　(나)

이에 대한 설명으로 옳은 것만을 보기에서 있는 대로 고른 것은?

> 보기

ㄱ. A에 의하여 발생한 광전자의 최대 운동 에너지는 6 eV이다.

ㄴ. 금속판의 문턱 진동수는 f이다.

ㄷ. B의 광자 1개의 에너지는 6 eV이다.

① ㄱ　　　　② ㄷ　　　　③ ㄱ, ㄴ　　　　④ ㄴ, ㄷ　　　　⑤ ㄱ, ㄴ, ㄷ

• 정지 전압일 때 전기력이 광전자에 한 일은 광전자의 최대 운동 에너지와 같다.

04 > 광전 효과

표는 광전관을 이용한 광전 효과 실험에서 사용한 단색광의 파장과 세기, 금속판의 종류를 나타낸 것이고, 그림은 표와 같이 실험하여 얻은 광전류의 세기와 양극 전압의 관계를 나타낸 것이다.

구분	실험 1	실험 2	실험 3
단색광의 파장	λ_1	λ_1	λ_2
단색광의 세기	I_1	I_2	I_3
금속판의 종류	A	B	B

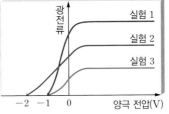

실험에서 사용한 단색광의 파장 λ_1, λ_2와 금속판 A, B의 일함수의 크기를 옳게 비교한 것은?

	파장	일함수
①	$\lambda_1 = \lambda_2$	A=B
②	$\lambda_1 > \lambda_2$	A>B
③	$\lambda_1 > \lambda_2$	A<B
④	$\lambda_1 < \lambda_2$	A>B
⑤	$\lambda_1 < \lambda_2$	A<B

• 정지 전압은 광전자의 최대 운동 에너지에 비례하고, 광전자의 최대 운동 에너지는 광자의 에너지에서 금속판의 일함수를 뺀 값과 같다.

05 〉광전 효과

그림 (가)는 광전관의 음극에 단색광을 비추어 발생한 광전자가 양극에 도달하지 않게 되는 정지 전압을 측정하는 장치를 나타낸 것이고, (나)는 음극을 금속 **A**, **B**로 각각 실험하였을 때 정지 전압과 단색광의 진동수의 관계를 나타낸 것이다.

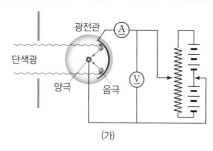

(가)

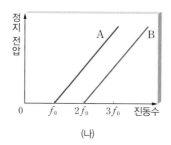

(나)

• 금속에 따라 고유한 문턱 진동수가 존재하며, 금속에 진동수가 문턱 진동수 이상인 빛을 쪼이면 광전자가 즉시 방출된다.

이에 대한 설명으로 옳은 것만을 보기에서 있는 대로 고른 것은?

보기
ㄱ. A의 일함수가 B의 일함수보다 크다.
ㄴ. 진동수가 $3f_0$인 빛을 비출 때 A에서 방출된 광전자의 최대 운동 에너지는 B일 때의 2배이다.
ㄷ. A에 진동수가 $2f_0$인 빛을 비추면서 빛의 세기를 감소시키면 광전자는 방출되지 않는다.

① ㄴ   ② ㄷ   ③ ㄱ, ㄴ   ④ ㄱ, ㄷ   ⑤ ㄱ, ㄴ, ㄷ

06 〉광전 효과

그림은 두 광전관의 음극 **P**, **Q**에 각각 진동수가 다른 단색광을 비추었을 때 방출되는 광전자의 최대 운동 에너지와 단색광의 진동수 사이의 관계를 나타낸 것이다.
이에 대한 설명으로 옳은 것만을 보기에서 있는 대로 고른 것은?

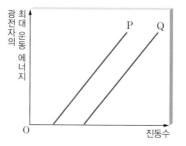

• 광전 효과는 빛을 광자의 흐름으로 생각하는 광양자설로 설명할 수 있다.

보기
ㄱ. 빛의 파동성을 보여 주는 결과이다.
ㄴ. P와 Q에 대한 각 그래프의 기울기는 동일하다.
ㄷ. Q의 문턱 진동수보다 큰 진동수의 단색광을 비추었을 때 정지 전압은 P가 Q보다 크다.

① ㄱ   ② ㄴ   ③ ㄷ   ④ ㄴ, ㄷ   ⑤ ㄱ, ㄴ, ㄷ

07 〉콤프턴 효과

그림은 정지해 있던 전자에 파장이 λ인 X선이 충돌하여 입사 방향과 ϕ의 각으로 산란될 때 전자가 θ의 각으로 튀어나오는 것을 나타낸 것이다. 충돌 후 산란된 X선의 파장은 λ'이고, 전자의 속력은 v이다.

• 콤프턴 효과는 광자와 전자의 탄성 충돌로 설명할 수 있다.

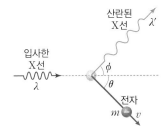

이와 관련된 식으로 옳은 것만을 보기에서 있는 대로 고른 것은? (단, 플랑크 상수는 h이고, 전자의 질량은 m이다.)

보기
ㄱ. $\lambda > \lambda'$

ㄴ. $\dfrac{h}{\lambda'} = mv\dfrac{\sin\theta}{\sin\phi}$

ㄷ. $\dfrac{1}{2}mv^2 = h\lambda - h\lambda'$

① ㄱ   ② ㄴ   ③ ㄱ, ㄷ   ④ ㄴ, ㄷ   ⑤ ㄱ, ㄴ, ㄷ

08 〉광전 효과의 이용

그림은 태양 전지의 접합면 부근에 빛이 도달하여 전자와 양공이 생긴 모습을 모식적으로 나타낸 것이다.

• 접합면 부근에 비춘 빛에 의하여 광전 효과가 일어나 원자가 띠의 전자가 전도띠로 전이한다.

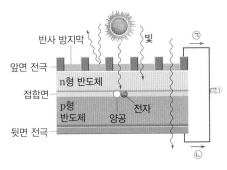

이에 대한 설명으로 옳은 것만을 보기에서 있는 대로 고른 것은?

보기
ㄱ. 접합면 부근에서 광전 효과가 일어난다.

ㄴ. 접합면 부근에서 발생한 양공은 n형 반도체 쪽으로 이동한다.

ㄷ. 전류의 방향은 ㉠ 방향이다.

① ㄱ   ② ㄴ   ③ ㄷ   ④ ㄱ, ㄷ   ⑤ ㄴ, ㄷ

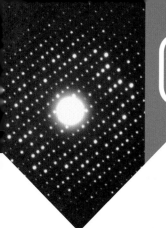

02 입자의 파동성

학습 Point 　물질파 ＞ 데이비슨·거머 실험, 톰슨의 전자 회절 실험 ＞ 보어의 원자 모형과 물질파

 물질파 이론

빛은 간섭과 회절을 하는 파동이지만, 동시에 광자의 형태로 에너지와 운동량을 물질에 전달한다. 그렇다면 입자도 똑같은 특징을 가지지 않을까? 다시 말해 전자와 같은 입자를 에너지와 운동량을 전달하는 물질파라고 생각할 수는 없을까? 물질파 이론은 드브로이의 이러한 생각에서 시작되었다.

1. 빛의 이중성과 물질파 이론

(1) **빛의 파동성**: 1803년, 영국의 물리학자 영은 이중 슬릿 실험을 통해 빛의 간섭 현상을 관찰하는 데 성공하였다. 사람들은 영의 이중 슬릿 실험 이전까지는 뉴턴의 주장에 따라 빛이 입자라고 생각하였으나, 이중 슬릿 실험 이후 빛이 파동이라고 생각하게 되었다. 그 후 맥스웰이 전자기파의 존재를 예언하고, 빛도 전자기파의 일종이라고 주장하였다. 그리고 1887년 헤르츠가 전자기파를 발생시키고 검출함으로써 빛의 파동설이 확립되었다.

(2) **빛의 입자성**: 이중 슬릿 실험에 의하여 빛이 파동의 성질을 갖고 있다고 확신하였지만, 광전 효과와 콤프턴 효과를 통해 빛이 입자성을 가짐을 알게 되었다.

(3) **물질파 이론**: 1924년, 프랑스의 물리학자 드브로이는 파동으로 알고 있던 빛이 입자의 성질을 가지고 있다면 입자도 파동의 성질을 가질 수 있을 것이라고 생각하였다. 이것은 물질 입자가 파동의 성질을 갖는다고 해서 드브로이의 물질파 이론이라고 하고, 입자들이 나타내는 파동을 물질파 또는 드브로이파라고 하였다.

드브로이는 발표 당시에 아무런 실험적 뒷받침 없이 물질파 이론을 주장하였으며, 몇 년 후에 물질파 이론이 옳다는 것이 실험적으로 확인되었다.

드브로이(de Broglie, L. V., 1892~1987)
프랑스의 이론 물리학자로, 양자론 연구라는 논문에 물질파 이론을 발표하였다. 이 논문은 아인슈타인에 의해 그 중요성이 인정되었고, 양자 역학의 입자-파동 이중성 개념에 결정적인 영향을 주었다. 드브로이는 전자의 파동성을 예측하여 1929년에 노벨 물리학상을 받았다.

2. 물질파

(1) **물질파 파장(드브로이 파장)**: 콤프턴 효과에서 파장이 λ인 광자의 운동량 $p = \dfrac{hf}{c} = \dfrac{h}{\lambda}$라고 정의하였다. 드브로이는 이 식이 광자뿐만 아니라 입자에도 적용된다고 생각하고, 운동량이 p인 입자는 $\lambda = \dfrac{h}{p}$로 주어지는 고유의 파장을 가진다고 제안하였다. 즉, 질량 m인 입자가 속력 v로 운동할 때 입자의 물질파 파장은 다음과 같다.

$$\lambda = \frac{h}{p} = \frac{h}{mv} \text{ (플랑크 상수 } h = 6.63 \times 10^{-34} \text{ J·s)}$$

(2) **파동성의 관찰**: 회절과 간섭은 입자가 보일 수 없는 성질이다. 파동 이론에 따르면 일반적으로 회절과 간섭을 나타내는 슬릿의 크기는 파장과 비슷해야 한다. 슬릿의 폭이 파장에 비해 너무 크면 회절이 거의 일어나지 않는다. 빛의 간섭이 19세기 초에 발견된 것도 빛의 파장이 너무 짧아서 일상에서 쉽게 관찰되는 틈에서는 회절이 거의 일어나지 않기 때문이다.

(3) **물질파의 파장과 입자의 파동성 관찰**: 플랑크 상수 h는 아주 작은 수이기 때문에, 우리 주변에서 볼 수 있는 물체들의 물질파 파장은 아주 짧다. 예를 들어 질량이 1 kg인 입자가 10 m/s의 속력으로 운동할 때 이 입자의 물질파 파장은

$$\lambda = \frac{h}{mv} = \frac{6.63 \times 10^{-34} \text{ J} \cdot \text{s}}{1 \text{ kg} \times 10 \text{ m/s}} = 6.63 \times 10^{-35} \text{ m}$$

로 아주 작으며 이와 비슷한 크기의 슬릿을 만드는 것은 불가능하므로, 입자의 파동성을 관찰할 수 없었다. 그러나 전자와 같이 질량이 작은 입자의 경우에는 이와 다르다. 예를 들어 전자를 100 V의 전압으로 가속할 때 전자의 속력은 $\frac{1}{2}mv^2 = eV$에서 $v = \sqrt{\frac{2eV}{m}}$가 되므로, 이때 전자의 물질파 파장은 다음과 같다.

$$\lambda = \frac{h}{mv} = \frac{h}{\sqrt{2meV}} = \frac{6.63 \times 10^{-34} \text{ J} \cdot \text{s}}{\sqrt{2 \times (9.11 \times 10^{-31} \text{ kg}) \times (1.60 \times 10^{-19} \text{ C}) \times (100 \text{ V})}} = 1.23 \times 10^{-10} \text{ m}$$

이 파장은 원자의 크기와 비슷하므로, 만약 전자가 파동성을 가진다면 얇은 금속에서 일정하게 배열된 원자들은 낮은 전압으로 가속된 전자 물질파의 슬릿 역할을 할 수 있다. 즉, 얇은 금속에 쪼인 전자선은 금속의 원자들이 배열된 틈에서 회절하므로 파동성을 관측할 수 있다. 이런 관점에서 데이비슨과 거머, 톰슨 등이 전자가 회절하는 현상을 실험적으로 확인하는 데 성공함으로써 드브로이의 물질파 이론은 하나의 추측에서 사실로 받아들여졌고, 물질의 이중성을 확인할 수 있었다.

물질파
공기 중을 진행하는 음파의 진폭은 진동하는 공기 입자의 변위와 관련되어 있고, 전자기파의 진폭은 진동하는 전기장과 자기장의 세기와 관련되어 있다. 반면, 입자와 관련된 파동인 물질파의 진폭은 이러한 물리적 의미를 가지지 않는다. 118쪽에서 배우게 될 물질파의 의미는 입자가 발견될 확률과 관련되어 있다.

예제

1. 질량이 0.15 kg인 야구공을 40 m/s로 던졌을 때 야구공의 물질파 파장은 몇 m인지 구하시오. 또, 야구공의 파동성을 관찰할 수 있는지 쓰시오.

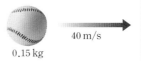
40 m/s
0.15 kg

   해설 야구공의 물질파 파장 $\lambda = \frac{h}{mv} = \frac{6.63 \times 10^{-34} \text{ J} \cdot \text{s}}{0.15 \text{ kg} \times 40 \text{ m/s}} = 1.11 \times 10^{-34}$ m이다. 이 파장은 너무 짧아서 야구공의 파동성을 관찰할 수 있는 슬릿을 만드는 것이 불가능하다. 따라서 야구공은 파동성을 확인하는 것이 불가능하다.
   정답 약 1.11×10^{-34} m, 야구공의 파동성을 관찰할 수 없다.

2. 정지 상태에서 20 V의 전압으로 가속된 전자의 물질파 파장은 몇 m인지 구하시오. 또, 이 전자의 파동성을 관찰할 수 있는지 쓰시오. (단, 전자의 질량은 9.11×10^{-31} kg이고, 전자의 전하량은 1.60×10^{-19} C이다.)

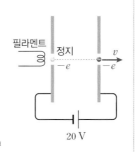
필라멘트
정지
$-e$
v
$-e$
20 V

   해설 전기력이 전자에 한 일이 전자의 운동 에너지가 되므로 전자의 물질파 파장은 $\frac{1}{2}mv^2 = eV$에서 $\lambda = \frac{h}{mv} = \frac{h}{\sqrt{2meV}}$이므로, 다음과 같다.
   $$\lambda = \frac{6.63 \times 10^{-34} \text{ J} \cdot \text{s}}{\sqrt{2 \times (9.11 \times 10^{-31} \text{ kg}) \times (1.60 \times 10^{-19} \text{ C}) \times (20 \text{ V})}} = 2.75 \times 10^{-10} \text{ m}$$
   정답 약 2.75×10^{-10} m, 전자의 파동성을 관찰할 수 있다.

② 물질파의 확인

1924년에 있었던 물질의 파동성에 관한 드브로이의 제안은 당시에는 실험적인 증거가 존재하지 않았다. 그러나 3년 후 데이비슨과 거머가 전자의 회절을 관측하고, 전자의 물질파 파장을 측정하는 데 성공하면서 드브로이가 제안한 물질파에 대한 실험적인 증거를 최초로 제시하였다.

1. 데이비슨·거머 실험

1927년, 데이비슨과 거머는 그림 (가)와 같이 54 V의 낮은 전압으로 가속한 전자를 니켈 결정에 때려서 산란시키는 실험을 하였다. 전자가 입자라면 니켈 원자가 전자에 비해 매우 크기 때문에 종이 위에서 빛이 난반사하는 것처럼 전자도 니켈 표적 위에서 난반사해야 했다. 그러나 니켈에 의하여 산란되는 전자들은 그림 (나)와 같이 입사하는 전자선으로부터 50°의 각도에서 최대 세기를 보이는 것을 발견하였다.

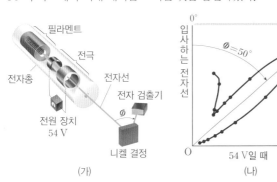

(가)

◀ (가) 데이비슨·거머 실험 장치와 (나) 각도에 따라 산란된 전자선의 세기
원점으로부터 거리가 멀수록 산란된 전자 수가 많은 것을 의미한다.

데이비슨과 거머는 이러한 결과가 X선이 결정 표면에서 반사할 때 회절하는 것과 같이 니켈 결정의 규칙적인 원자 배열에 의해 전자들의 물질파가 특정한 각도에서 보강 간섭 하는 것으로, 다음과 같이 해석하였다.

(1) **브래그 회절**: 결정면 사이의 간격이 d인 규칙적인 결정 구조에 파장이 λ인 X선이 결정면에 θ의 각도로 입사하였을 때 보강 간섭이 일어나는 조건은 다음과 같다.

$$2d\sin\theta = m\lambda \, (m=1, 2, 3, \cdots)$$

(2) **니켈 결정에서 보강 간섭이 일어나는 파장**: 니켈 결정에 입사하는 전자선에 대해 50°로 반사되는 전자의 수가 가장 많았으므로, $\alpha=25°$가 되어 반사가 일어나는 결정면은 오른쪽 그림과 같이 정해진다. 니켈 결정에서 원자 사이의 거리 $D=0.215$ nm이므로, 결정면 사이의 간격은 $d=D\sin\alpha=2.15\times10^{-10}$ m$\times\sin25°=0.91$ Å이므로, 이 값을 대입하여 각 $\theta=90°-25°=65°$에서 첫 번째 보강 간섭이 일어나는 파장 λ를 구하면 다음과 같다.

$$\lambda = 2d\sin\theta = 2\times0.91\text{ Å}\times\sin65° \fallingdotseq 1.65\text{ Å}$$

(3) **전자의 물질파 파장**: 전자를 54 V로 가속시켰을 때 전자의 물질파 파장을 계산해 보면

$$\lambda=\frac{h}{mv}=\frac{h}{\sqrt{2meV}}=\frac{6.63\times10^{-34}\text{ J·s}}{\sqrt{2\times(9.11\times10^{-31}\text{ kg})\times(1.60\times10^{-19}\text{ C})\times(54\text{ V})}}$$

$$\fallingdotseq 1.67\times10^{-10}\text{ m}=1.67\text{ Å}$$

으로, (2)에서 구한 전자의 파장과 거의 일치한다. 이와 같이 데이비슨과 거머는 위의 산란 실험의 결과와 전자의 물질파 파장을 계산한 결과가 거의 일치하는 것을 확인함으로써 드브로이의 물질파 이론이 옳다는 것을 증명하였다.

데이비슨(Davisson, C. J., 1881~1958)
미국의 물리학자로, 전자선의 회절을 발견하여 물질파 이론을 증명하였다.

거머(Germer, L. H., 1896~1971)
미국의 물리학자로, 데이비슨과 함께 전자의 파동성을 증명하였다.

브래그 회절

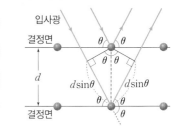

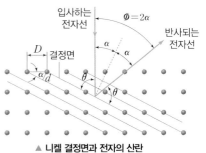

▲ 니켈 결정면과 전자의 산란

Å(옹스트롬)
수소 원자 1개의 지름에 대응하는 길이 단위로, 1 Å $=10^{-10}$ m이다.

2. 톰슨의 전자 회절 실험

데이비슨·거머 실험에 의하여 전자가 파동성을 가지고 있다는 것이 알려졌던 해에 영국의 톰슨은 아주 얇은 알루미늄 결정에 전자선을 쏘아 전자의 회절 무늬를 관측하였다.

톰슨(Thomson, G. P., 1892∼1975)
영국의 물리학자로, 전자의 파동성을 실증하여 1937년에 노벨 물리학상을 받았다.

⑴ **톰슨의 실험:** 파장이 λ인 X선을 알루미늄 결정에 쏘면 알루미늄 결정의 원자 배열에 의한 회절 무늬가 그림과 같이 나타난다. 톰슨은 전자의 물질파 파장이 X선의 파장 λ와 동일하도록 전자선을 가속시킨 후 동일한 알루미늄 결정에 입사시켜 그림과 같이 X선에 의한 회절 무늬와 유사한 회절 무늬가 나타나는 것을 확인하였다. 이것은 X선이 얇은 금속에 의하여 회절되는 것과 같이 전자도 파동성을 가지고 있어 얇은 금속에 의하여 회절된다는 것을 보여 주는 것이다. 드브로이가 예상한 것처럼 전자와 같은 입자가 파동성을 가지고 있다는 것이 데이비슨과 거머뿐만 아니라 톰슨에 의하여 다시 한번 실험적으로 확인된 것이다. 톰슨은 알루미늄, 금, 셀룰로이드 등의 분말에 의해서 전자가 회절되는 사진을 찍는 데 성공했으며, 다른 여러 물리학자들은 입자, 이온 및 중성자가 회절되는 실험에 성공하였다. 이로써 드브로이가 제시한 것처럼 입자가 파동성을 가진다는 것이 입증되었다.

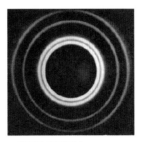
▲ X선의 회절 무늬

▲ 전자선의 회절 무늬

⑵ **전자의 가속 전압과 회절 무늬의 반지름의 변화:** 전자의 가속 전압이 커지면, 입사하는 전자의 물질파 파장은 $\lambda = \dfrac{h}{mv} = \dfrac{h}{\sqrt{2meV}}$에서 감소한다. 이때 보강 간섭이 일어나는 두 빛의 경로차도 감소하므로, 그림과 같이 입사하는 전자선과 회절한 전자선이 이루는 각도 ϕ는 작아진다. 따라서 전자의 가속 전압이 커지면 전자선의 회절 무늬의 반지름은 감소한다.

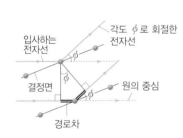

◀ 톰슨의 전자 회절 실험

시선 집중 ★ **이중 슬릿에 의한 전자의 간섭 실험**

그림과 같이 이중 슬릿을 통해 전자를 쏘아 주면 전자들이 슬릿을 통과하여 감지기가 있는 벽에 도달한다. 벽에 도달한 전자의 위치를 점으로 나타내면, 전자의 수가 증가함에 따라 다음과 같이 전형적인 이중 슬릿에 의한 간섭무늬를 보게 된다. 즉, 전자가 입자라면 전자의 수가 최대인 지점이 두 군데만 생겨야 하지만, 간섭무늬가 생겼으므로 이 실험 결과는 전자의 파동성을 보여 주는 것을 알 수 있다.

➡ 간섭무늬 사이의 간격: $\Delta x = \dfrac{L\lambda}{d} = \dfrac{Lh}{dp}$

③ 보어 원자 모형과 물질파

드브로이의 물질파 이론에 따라 전자도 파동성을 가질 수 있음을 알게 되었다. 이러한 물질파 개념은 보어의 원자 모형을 설명하는 데 사용되기도 하였다.

1. 보어 원자 모형

보어는 전자기파를 방출한 전자가 원자핵에 흡수되지 않는 것과 원자가 방출하는 불연속 스펙트럼(선 스펙트럼)을 설명하기 위하여 다음과 같은 두 가설을 제시하였다.

[첫 번째 가설] 양자 조건

원자 속의 전자는 특정한 조건을 만족하는 원 궤도에서 회전할 때만 전자기파를 방출하지 않고 안정된 상태로 존재하며, 이를 정상 상태라고 한다. 이 정상 상태는 전자의 각운동량 L이 $\hbar = \dfrac{h}{2\pi}$의 정수배와 같다는 조건에 의해 정해진다. 즉, 전자의 질량이 m, 속력이 v이고, 회전 반지름이 r일 때

$$L = n\hbar \implies rmv = n\left(\frac{h}{2\pi}\right) (n = 1, 2, 3, \cdots)$$

를 만족하는 상태이다. 이 조건을 양자 조건이라 하고, n을 양자수라고 한다.

[두 번째 가설] 진동수 조건

전자가 양자 조건을 만족하는 안정된 한 궤도(에너지 E_n)에서 다른 궤도(에너지 E_m)로 전이할 때에는 두 궤도의 에너지 차이에 해당하는 에너지를 갖는 광자를 방출하거나 흡수한다.

$$E_n - E_m = hf$$

---

(1) 물질파 이론과 양자 조건

보어 원자 모형에서 양자 조건을 전자의 물질파 파장 λ를 이용하여 나타내면 다음과 같다.

$$2\pi r = n\left(\frac{h}{mv}\right) = n\lambda \, (n = 1, 2, 3, \cdots)$$

이것은 원 궤도의 둘레 $2\pi r$가 전자의 물질파 파장 λ의 정수배인 궤도를 의미하는 것으로, 전자의 물질파가 원 궤도의 둘레에서 정상파를 이루는 조건과 동일하다.

(2) 그림은 길이가 파장의 정수배일 때 줄과 원 궤도에 생긴 정상파로, 마찰이나 공기 저항이 없으면 정상파의 에너지가 감소하지 않고 계속 일정하게 유지된다. 마찬가지로 전자의 물질파가 원자 속에서 정상파를 이룬다고 가정하면, 전자가 에너지를 방출하지 않아 전자의 에너지가 감소하지 않으므로, 원자가 안정한 상태를 유지하는 것을 설명할 수 있다.

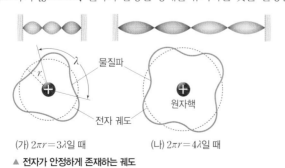

(가) $2\pi r = 3\lambda$일 때   (나) $2\pi r = 4\lambda$일 때

▲ 전자가 안정하게 존재하는 궤도

정상 상태
전자가 전자기파를 방출하지 않고 원자핵 주위를 회전할 수 있는 상태를 정상 상태라고 한다. 즉, 양자 조건을 만족하는 상태에 있을 때 전자는 정상 상태에 있다고 한다.

각운동량
회전 운동에서의 운동량으로, 반지름 r인 원 궤도를 따라 속력 v로 운동하는 질량 m인 물체의 각운동량의 크기 L은 다음과 같다.

$$L = mvr$$

전자가 존재할 수 없는 궤도(예 $2\pi r = 4.5\lambda$일 때)

존재할 수 없음.

원자핵

수소 원자가 바닥상태일 때 원자의 지름은 약 10^{-10} m이고, 전자는 양자수가 1인 상태이다.

(1) 이때 전자의 물질파 파장은 몇 m인지 구하시오.

(2) 이때 전자의 속력은 몇 m/s인지 구하시오. (단, 전자의 질량은 9.11×10^{-31} kg이고, 플랑크 상수는 6.63×10^{-34} J·s이다.)

해설 (1) 양자수가 1일 때 안정한 원 궤도의 둘레의 길이는 전자의 물질파 파장과 같다.

$$\lambda = 2\pi r = 2\pi \times \frac{10^{-10} \text{ m}}{2} = \pi \times 10^{-10} \text{ m}$$

(2) 전자의 물질파 파장 $\lambda = \frac{h}{mv}$이므로 전자의 운동량 $mv = \frac{h}{\lambda} = \frac{6.63 \times 10^{-34} \text{ J·s}}{\pi \times 10^{-10} \text{ m}} ≒ 2.11 \times 10^{-24} \text{ kg·m/s}$

이다. 따라서 수소 원자가 안정한 상태에 있을 때 전자의 속력은 다음과 같다.

$$v = \frac{\frac{h}{\lambda}}{m} = \frac{2.11 \times 10^{-24} \text{ kg·m/s}}{9.11 \times 10^{-31} \text{ kg}} ≒ 2.32 \times 10^6 \text{ m/s}$$

정답 (1) $\pi \times 10^{-10}$ m (2) 약 2.32×10^6 m/s

2. 보어의 수소 원자 모형

수소 원자는 보어 원자 모형이 가장 잘 적용되며, 보어 원자 모형으로 수소 원자 스펙트럼을 정확히 설명할 수 있다.

(1) 보어의 수소 원자 모형

수소 원자는 전하량이 $+e$인 양성자가 원자핵이고, 이 원자핵 주위를 전하량이 $-e$인 전자가 원자핵과의 전기력에 의하여 양자 조건을 만족하는 특정 궤도에서 원운동을 하고 있다고 생각한다.

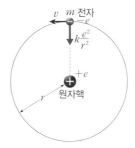

▲ 보어의 수소 원자 모형

(2) 수소 원자의 궤도 반지름

전자의 질량을 m, 속력을 v, 궤도 반지름을 r라고 할 때 전자에 작용하는 구심력이 원자핵과 전자 사이에 작용하는 전기력이므로 다음과 같다.

$$\frac{mv^2}{r} = k\frac{e^2}{r^2} \text{ (쿨롱 상수 } k = 8.99 \times 10^9 \text{ N·m}^2/\text{C}^2)$$

또한 전자의 궤도 반지름은 양자 조건을 만족해야 하므로, 전자의 속력 v는

$$(\text{양자 조건}) \ rmv = n\left(\frac{h}{2\pi}\right) \implies v = \frac{nh}{2\pi rm} \ (n = 1, 2, 3, \cdots)$$

가 된다. 이 두 식에서 v를 소거하여 정리하면 양자수 n인 정상 상태의 궤도 반지름 r_n을 구할 수 있다.

$$r_n = \frac{h^2}{4\pi^2 kme^2}n^2 = a_0 n^2 \ (n = 1, 2, 3, \cdots)$$

즉, 수소 원자에서 전자의 궤도 반지름은 양자수의 제곱(n^2)에 비례함을 알 수 있다. 위 식에서 상수 a_0은 양자수 $n=1$일 때의 궤도 반지름으로, 보어 반지름이라고 하며, 그 값은 다음과 같다.

$$a_0 = \frac{h^2}{4\pi^2 kme^2} ≒ 0.53 \times 10^{-10} \text{ m} = 0.53 \text{ Å}$$

즉, 수소 원자의 지름은 1.06 Å으로, 이 값은 당시에 알고 있었던 수소 원자의 크기 10^{-10} m와 대체로 일치한다.

보어의 수소 원자 모형에서 전자의 궤도 반지름

보어의 수소 원자 모형에서 전자의 궤도 반지름은 양자수 n의 제곱에 비례한다. 즉, 불연속적인 값을 가진다.

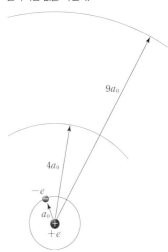

(3) 수소 원자의 에너지 준위

수소 원자핵 주위를 반지름 r인 원운동을 하는 전자의 운동 에너지는 $\dfrac{mv^2}{r}=k\dfrac{e^2}{r^2}$에서

$$E_k=\frac{1}{2}mv^2=\frac{1}{2}k\frac{e^2}{r}$$

이다. 원자핵으로부터 무한히 먼 곳을 전기력에 의한 퍼텐셜 에너지가 0인 지점으로 하면, 원자핵으로부터 r만큼 떨어진 곳에 있는 양성자와 전자 사이에 작용하는 전자의 전기력에 의한 퍼텐셜 에너지는

$$E_p=-k\frac{e^2}{r}$$

이 된다. 따라서 반지름이 r인 궤도에 있는 전자의 역학적 에너지 E는 다음과 같다.

$$E=E_k+E_p=\frac{1}{2}k\frac{e^2}{r}-k\frac{e^2}{r}=-\frac{ke^2}{2r}$$

위 식에 수소 원자의 궤도 반지름 r_n을 적용하면, 양자수 n인 상태에 있는 전자의 에너지인 수소 원자의 에너지 준위 E_n은 다음과 같이 불연속적인 값을 가지는 것을 알 수 있다.

$$E_n=-\frac{2\pi^2 k^2 me^4}{h^2}\frac{1}{n^2}\ (n=1,\ 2,\ 3,\ \cdots)$$

$$=-13.6\frac{1}{n^2}\ (eV)$$

$$=-2.18\times10^{-18}\frac{1}{n^2}\ (J)$$

▲ 수소 원자의 에너지 준위

위 식에서 전자의 역학적 에너지가 (−)값이 되는 것은 전자가 원자핵에 속박되어 있음을 의미한다. 양자수 $n=1$인 전자의 에너지는 $-13.6\ eV$이고, 이때가 바닥상태이다. $n=2$, 3, …을 대입하면 들뜬상태의 에너지를 구할 수 있다.

(4) 수소 원자의 선 스펙트럼과 뤼드베리 상수

보어의 진동수 조건과 수소 원자의 에너지 준위 식을 이용하면, 전자가 양자수 n인 상태에서 m인 상태로 전이할 때 방출하는 빛의 파장 λ를 알 수 있다.

$$(\text{진동수 조건})\ hf=E_n-E_m$$

$$\frac{1}{\lambda}=\frac{E_n-E_m}{ch}=\frac{2\pi^2 k^2 me^4}{ch^3}\left(\frac{1}{m^2}-\frac{1}{n^2}\right)=R\left(\frac{1}{m^2}-\frac{1}{n^2}\right)\ (\text{단},\ n>m)$$

위 식에서 비례 상수 R값을 계산하면 $R=\dfrac{2\pi^2 k^2 me^4}{ch^3}=1.097\times10^7\ m^{-1}$로, 실험적으로 구한 수소의 뤼드베리 상수와 거의 일치한다.

 예제

보어의 수소 원자 모형에서 전자가 양자수 $n=2$와 $n=3$인 정상 상태에 각각 있을 때, 궤도 반지름의 비 $r_2 : r_3$과 에너지의 비 $E_2 : E_3$을 각각 구하시오.

해설　$r_n \propto n^2$이므로, $r_2 : r_3 = 2^2 : 3^2 = 4 : 9$이다. $E_n \propto \dfrac{1}{n^2}$이므로, $E_2 : E_3 = \dfrac{1}{2^2} : \dfrac{1}{3^2} = 9 : 4$이다.

정답　$r_2 : r_3 = 4 : 9$, $E_2 : E_3 = 9 : 4$

---

eV(전자볼트)

$1\ eV = 1.6 \times 10^{-19}\ J$이다.

뤼드베리 상수

H$_\delta$H$_\gamma$　H$_\beta$　　　　H$_\alpha$
410.2　　　　　　　656.3(nm)

가열된 수소 기체는 선 스펙트럼을 방출한다. 발머는 이 중 가시광선 영역의 스펙트럼선 파장을 예측하는 실험식을 발견하였고, 후에 뤼드베리가 이를 수정하여 수소 원자의 선 스펙트럼을 나타낼 수 있는 일반화된 식을 다음과 같이 정리하였다.

$$\frac{1}{\lambda}=R\left(\frac{1}{m^2}-\frac{1}{n^2}\right)(\text{단},\ n>m)$$

위 식에서 비례 상수 R를 뤼드베리 상수라고 하며, 실험으로 구한 수소 원자의 뤼드베리 상수는 $1.097\times10^7\ m^{-1}$이었다.

02 입자의 파동성

2. 빛과 물질의 이중성

1 물질파 이론

1. (**❶**   ) 빛이 입자성을 가지는 것처럼, 전자와 같은 입자가 나타내는 파동을 말한다.

2. **물질파 파장** 질량 m이고 속력 v인 입자의 물질파 파장은 다음과 같다.

$$\lambda = \frac{h}{p} = \frac{h}{mv} \ (\text{플랑크 상수 } h = 6.63 \times 10^{-34} \ \text{J·s})$$

- 일상에서 물질의 파동성을 관측할 수 없는 까닭: 플랑크 상수 h가 아주 작아서, 주변 물체들의 물질파 파장이 매우 (**❷**   ) 때문이다.

- 전자처럼 질량이 작은 입자를 낮은 전압으로 가속하면 원자 크기와 비슷한 물질파 파장을 얻을 수 있으므로, 파동성을 관측할 수 있다.

2 물질파의 확인

1. **데이비슨·거머 실험** 니켈 결정에 54 V의 전압으로 가속한 전자를 입사시켰을 때 산란되는 전자의 수를 측정하였더니, 입사하는 전자선과 50°의 각도를 이루는 지점에서 최대가 되는 것을 발견하였다. 데이비슨과 거머는 이를 니켈 결정에 의해 전자들의 물질파가 회절하여 특정한 각도에서 (**❸**   ) 하는 것으로 해석하였다.

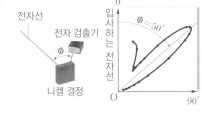

- 첫 번째 보강 간섭이 일어나는 파장: $\lambda = 2d\sin\theta \fallingdotseq 1.65$ Å

- 54 V로 가속한 전자의 물질파 파장: $\lambda = \frac{h}{\sqrt{2meV}} \fallingdotseq 1.67$ Å ➡ 산란 실험의 결과와 거의 일치한다.

2. **톰슨의 전자 회절 실험** 톰슨은 얇은 알루미늄 결정에 전자선을 쏘았을 때 나타나는 회절 무늬가 동일한 파장의 X선으로 실험했을 때와 동일한 것을 확인하였다.

- 전자의 가속 전압이 커지면 물질파 파장이 (**❹**   )하므로, 회절 무늬의 반지름은 감소한다.

▲ X선의 회절 무늬   ▲ 전자선의 회절 무늬

3 보어 원자 모형과 물질파

1. **보어 원자 모형의 두 가지 가설** (**❺**   )과 진동수 조건

2. **물질파 이론과 보어의 양자 조건** 원자 내의 전자는 다음의 조건을 만족하는 특정한 궤도에서 전자기파를 방출하지 않는 정상 상태로 존재한다. 이것은 정상 상태인 궤도는 전자의 물질파가 원 궤도의 둘레에서 (**❻**   )를 이루는 조건과 같다.

$$rmv = n\left(\frac{h}{2\pi}\right) \Rightarrow 2\pi r = n\left(\frac{h}{mv}\right) = n\lambda \ (n = 1, 2, 3, \cdots)$$

3. **보어의 수소 원자 모형**

- 수소 원자의 궤도 반지름: $r_n = \frac{h^2}{4\pi^2kme^2}n^2 = a_0(\mathbf{❼}\quad) \ (n = 1, 2, 3, \cdots)$

  ➡ 보어 반지름 $a_0 = 0.53$ Å으로, 당시에 알고 있던 수소 원자의 반지름과 대체로 일치하였다.

- 수소 원자의 에너지 준위: $E_n = -\frac{2\pi^2k^2me^4}{h^2}\frac{1}{n^2} = -13.6\frac{1}{n^2} \ (\text{eV}) \ (n = 1, 2, 3, \cdots)$

01 파동만이 나타낼 수 있는 현상만을 보기에서 있는 대로 고르시오.

> 보기
> ㄱ. 반사　　　　　ㄴ. 굴절
> ㄷ. 간섭　　　　　ㄹ. 회절

02 드브로이의 물질파 이론을 뒷받침하는 대표적인 실험만을 보기에서 있는 대로 고르시오.

> 보기
> ㄱ. 톰슨의 전자선 회절 실험
> ㄴ. 데이비슨·거머 실험
> ㄷ. 영의 이중 슬릿 간섭 실험

03 그림은 균일한 전기장에서 P점에 가만히 놓은 전자가 Q점을 거쳐 R점으로 이동하는 것을 나타낸 것이다. $\overline{PQ}=\overline{QR}$이다.

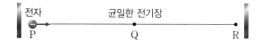

R에서 전자의 물질파 파장은 Q에서 전자의 물질파 파장의 몇 배인지 구하시오.

04 그림과 같이 질량 m, 전하량 $-e$인 전자가 음극판에서 정지 상태로부터 출발하여 일정한 전압 V에 의해 가속되어 양극판을 통과한다.

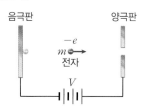

양극판을 통과하는 순간 전자의 물질파 파장을 구하시오. (단, 플랑크 상수는 h이다.)

05 운동 에너지가 E_k인 입자의 물질파 파장을 λ라 할 때, 입자의 운동 에너지 E_k에 따른 물질파 파장 λ를 개략적으로 나타낸 그래프로 옳은 것만을 보기에서 있는 대로 고르시오.

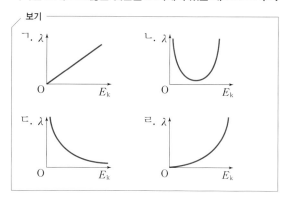

06 그림 (가)는 이중 슬릿을 통과한 단색광에 의해 생긴 밝고 어두운 무늬를 나타낸 것이고, (나)는 이중 슬릿을 통과한 전자선이 형광판에 만든 무늬이다. 이중 슬릿 사이의 간격은 (가)와 (나)에서 같고, 이웃한 밝은 무늬 사이의 간격은 (가)에서가 (나)에서보다 작다.

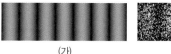
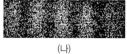

(가)　　　　　　　　　(나)

이에 대한 설명으로 옳은 것만을 보기에서 있는 대로 고르시오.

> 보기
> ㄱ. (가)는 빛이 파동성을 가졌음을 알려 준다.
> ㄴ. (나)는 전자가 파동성을 가졌음을 알려 준다.
> ㄷ. (가)의 단색광의 파장은 (나)의 전자의 물질파 파장보다 크다.

07 그림은 전자총에 의해 정지 상태로부터 V의 전압으로 가속된 전자를 이중 슬릿에 입사시켰을 때 스크린에 간섭무늬가 생기는 것을 나타낸 것이다. 전자의 질량은 m, 전하량은 $-e$이고, 슬릿 사이의 간격은 d, 슬릿에서 스크린까지의 거리는 L, 이웃한 밝은 무늬 사이의 거리는 Δx이다.

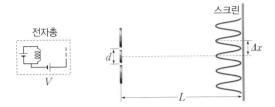

(1) 이 실험에 사용된 전자의 물질파 파장을 구하시오.

(2) 가속 전압 V를 크게 할 때 이웃한 밝은 무늬 사이의 간격 Δx는 어떻게 변하는지 쓰시오.

08 다음은 데이비슨·거머 실험에서 결정면 사이의 간격이 d인 결정에 전자선을 결정면에 대해 θ의 각도로 입사시켰을 때 산란된 전자선이 첫 번째 보강 간섭 하는 모습을 나타낸 것이다. 이때 입사한 전자선의 물질파 파장을 구하시오.

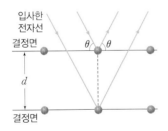

09 보어는 원자의 안정성과 원자가 방출하는 선 스펙트럼을 설명하기 위하여 두 가지 가설로 표현되는 원자 모형을 제시하였다. 각각의 현상을 설명하기 위하여 제시한 보어의 가설 조건을 쓰시오.

(1) 원자의 안정성: (　　　　　　　)

(2) 원자가 방출하는 선 스펙트럼: (　　　　　　　)

10 그림 (가)~(다)는 보어의 수소 원자 모형에서 양자수 n이 서로 다른 전자의 원운동 궤도와 전자의 물질파가 만드는 정상파를 모식적으로 나타낸 것이다. 실선과 점선은 각각 원운동 궤도와 정상파를 나타낸다.

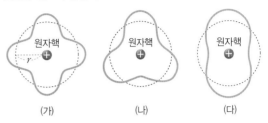

(1) (가)에서 전자의 원운동 궤도의 반지름이 r일 때, 이 궤도를 도는 전자의 운동량을 구하시오.

(2) 양자수가 n일 때 원자의 에너지 준위 $E_n = -E_0\dfrac{1}{n^2}$이다. 전자가 (나) 상태에서 (다) 상태로 전이할 때 방출하는 광자의 파장을 구하시오. (단, 플랑크 상수는 h이고, 빛의 속력은 c이다.)

11 그림 (가)는 보어의 수소 원자 모형을 나타낸 것이고, (나)는 양자수 n인 각 궤도에서 전자가 갖는 에너지를 나타낸 것이다. (단, 빛의 속력은 3×10^8 m/s이고, 플랑크 상수 $h = 6.6 \times 10^{-34}$ J·s, 1 eV $= 1.6 \times 10^{-19}$ J이다.)

양자수(n)	에너지 준위
1	-13.6 eV
2	-3.4 eV
3	-1.5 eV

(1) 양자수 $n=3$에서 $n=1$로 전이하는 전자에 의해 방출되는 빛의 파장을 구하시오.

(2) 양자수 $n=2$에서 $n=1$로 전이하는 전자에 의해 방출되는 빛의 파장을 구하시오.

01 ▶전자 회절 실험

그림 (가)는 알루미늄 박막에 X선을 비춰 주었을 때의 회절 무늬를 나타낸 것이고, (나)는 전자선을 비춰 주었을 때의 회절 무늬를 나타낸 것이다. 회절 무늬의 반지름은 (가)와 (나)에서가 같다.

• 회절은 파동만이 나타내는 특성이다.

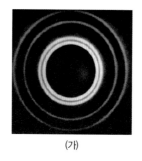 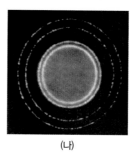

(가)   (나)

이에 대한 설명으로 옳은 것만을 보기에서 있는 대로 고른 것은?

보기

ㄱ. X선이 입자성을 가졌음을 알려 준다.

ㄴ. 전자가 파동성을 가졌음을 보여 준다.

ㄷ. X선의 파장과 전자선의 물질파 파장은 같다.

① ㄱ   ② ㄷ   ③ ㄱ, ㄴ   ④ ㄴ, ㄷ   ⑤ ㄱ, ㄴ, ㄷ

02 ▶물질파

그림은 질량이 다른 두 입자 A, B의 속력에 따른 물질파 파장을 나타낸 것이다.

• 입자의 물질파 파장은 운동량에 반비례한다.

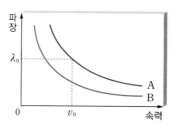

이에 대한 설명으로 옳은 것만을 보기에서 있는 대로 고른 것은?

보기

ㄱ. 입자의 속력이 v_0으로 같을 때, 질량은 A가 B보다 작다.

ㄴ. 물질파 파장이 λ_0으로 같을 때, 운동량의 크기는 A가 B보다 크다.

ㄷ. 물질파 파장이 λ_0으로 같을 때, 운동 에너지는 A와 B가 서로 같다.

① ㄱ   ② ㄴ   ③ ㄷ   ④ ㄱ, ㄴ   ⑤ ㄴ, ㄷ

03 ❯ 물질파

그림은 양성자와 전자가 각각 금속판에서 정지 상태에서 출발하여 같은 크기의 전압 V로 가속되는 모습을 나타낸 것이다.

• 전하량이 e인 전하를 전압 V로 가속했을 때 운동 에너지는 eV만큼 증가한다.

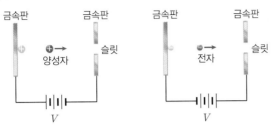

슬릿을 빠져나오는 순간 양성자와 전자에 대한 설명으로 옳은 것만을 보기에서 있는 대로 고른 것은? (단, 기본 전하량은 e이고, 양성자의 질량은 전자 질량의 1837배이다.)

보기
ㄱ. 양성자의 운동 에너지는 eV이다.
ㄴ. 운동량의 크기는 양성자가 전자의 1837배이다.
ㄷ. 전자의 물질파 파장은 양성자의 물질파 파장의 $\sqrt{1837}$배이다.

① ㄱ ② ㄴ ③ ㄱ, ㄷ ④ ㄴ, ㄷ ⑤ ㄱ, ㄴ, ㄷ

04 ❯ 데이비슨·거머 실험

그림 (가)는 니켈 표면에서 54 V로 가속시킨 전자선이 산란하는 실험 장치를 나타낸 것이고, (나)는 전자의 입사 방향에 대해 산란되는 전자선의 세기를 나타낸 것이다.

• 산란된 전자가 특정한 각도에서 많이 검출되는 것은 그 각도에서 전자의 물질파가 보강 간섭 하기 때문이다.

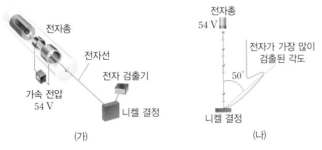

이에 대한 설명으로 옳은 것만을 보기에서 있는 대로 고른 것은?

보기
ㄱ. (가)에서 가속 전압을 높이면 (나)에서 $50°$의 각으로 산란되는 전자의 개수는 증가한다.
ㄴ. (나)에서 $50°$의 각으로 산란되는 전자선은 보강 간섭 하였다.
ㄷ. 드브로이의 물질파 이론이 옳음을 뒷받침하는 실험이다.

① ㄱ ② ㄷ ③ ㄱ, ㄴ ④ ㄴ, ㄷ ⑤ ㄱ, ㄴ, ㄷ

05 > 물질파

그림은 전자총에서 방출된 전자가 V의 전압으로 가속되어 대전된 금속판 A, B를 각각 v, $2v$의 속력으로 통과하는 것을 나타낸 것이다. 전자의 질량은 m, 전하량은 $-e$이다.

이에 대한 설명으로 옳은 것만을 보기에서 있는 대로 고른 것은?(단, 플랑크 상수는 h이다.)

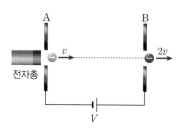

보기

ㄱ. A와 B 사이를 이동하는 동안 전자의 운동 에너지는 eV만큼 증가한다.

ㄴ. A를 지날 때 전자의 물질파 파장은 $\dfrac{h}{\sqrt{2meV}}$이다.

ㄷ. 전자의 물질파 파장은 A를 지날 때가 B를 지날 때의 2배이다.

① ㄴ ② ㄷ ③ ㄱ, ㄴ ④ ㄱ, ㄷ ⑤ ㄱ, ㄴ, ㄷ

• 운동량이 p, 질량이 m, 운동 에너지가 E일 때, $E=\dfrac{p^2}{2m}$이다.

06 > 입자의 파동성

그림은 물질파의 이중 슬릿에 의한 간섭을 관측하는 장치와 관측된 간섭무늬를 모식적으로 나타낸 것이다.

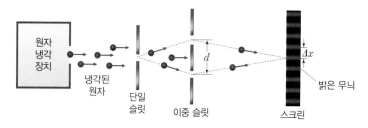

다음의 과학 잡지 기사는 그림과 관련된 설명의 일부이다.

○○○연구소에서는 원자 냉각 장치로 질량이 m인 원자의 속력을 v로 만들었다. 이 원자를 슬릿의 간격이 d인 이중 슬릿을 지나게 하여 이웃한 밝은 무늬 사이의 간격이 $\varDelta x$인 물질파 간섭무늬를 얻었다. 이들이 만든 장치는 ……

이 장치를 이용한 실험 조건을 표와 같이 변화시켰을 때 밝은 무늬 사이의 간격이 $\varDelta x$보다 커지는 경우만을 표에서 있는 대로 고른 것은?(단, 이중 슬릿과 스크린 사이의 거리는 일정하다.)

실험 조건	원자의 질량	원자의 속력	슬릿의 간격
ㄱ	m	$\dfrac{1}{2}v$	d
ㄴ	m	v	$\dfrac{1}{2}d$
ㄷ	$2m$	v	d

① ㄱ ② ㄴ ③ ㄱ, ㄴ ④ ㄴ, ㄷ ⑤ ㄱ, ㄴ, ㄷ

• 이중 슬릿에 의한 간섭무늬 사이의 간격 $\varDelta x$가 증가하려면 파동의 파장이 증가하거나 슬릿의 간격이 감소하여야 한다. 입자의 운동량이 감소하면 물질파 파장은 증가한다.

입자의 물질파 파장은 운동량에 반비례하며, 정상파의 마디와 마디 사이의 거리는 파장에 비례한다.

07 ＞ 입자의 파동성

다음은 물질파와 관련된 기사의 일부이다.

○○대학의 연구자들은 레이저와 자기장으로 기체 상태의 원자 사이의 간격을 좁히고 원자의 속력을 매우 느리게 하여, 원자들의 물질파 파장과 위상이 모두 같아지는 보즈-아인슈타인 응축 현상을 관찰하였다.

그림 (가)는 보즈-아인슈타인 응축된 원자들이 서로 반대 방향으로 운동하는 것을 모식적으로 나타낸 것이다. 그림 (나)는 이 원자들이 겹쳤을 때 원자의 분포를 찍은 사진이며, 물질파의 중첩에 의해 정상파가 생성된 것을 보여 주고 있다. d는 이웃한 어두운 무늬 사이의 간격이다.

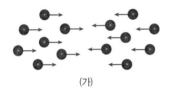 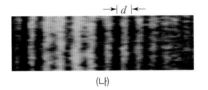

(가) (나)

이에 대한 설명으로 옳은 것만을 보기에서 있는 대로 고른 것은?

보기
ㄱ. (나)의 무늬는 원자가 파동성을 가지고 있기 때문에 나타난다.
ㄴ. 원자의 운동량이 커지면 물질파 파장은 짧아진다.
ㄷ. 운동량이 더 큰 원자들이 겹쳐지면 d가 커진다.

① ㄴ　　② ㄷ　　③ ㄱ, ㄴ　　④ ㄱ, ㄷ　　⑤ ㄴ, ㄷ

수소 원자에서 전자의 궤도 반지름 $r_n = a_0 n^2$이고, 에너지 준위 $E_n = -E_0 \dfrac{1}{n^2}$이다.

08 ＞ 보어의 수소 원자 모형

그림 (가), (나)는 각각 보어의 수소 원자 모형에서 전자의 물질파가 정상파를 이루는 모습을 모식적으로 나타낸 것이다. 양자수가 n일 때 전자의 궤도 반지름은 r_n이고, 에너지 준위는 E_n이다.
이에 대한 설명으로 옳은 것만을 보기에서 있는 대로 고른 것은?

 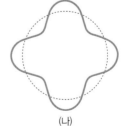

(가) (나)

보기
ㄱ. (가)에서 양자수 $n=1$이다.
ㄴ. (나)에서 전자의 에너지 준위는 E_4이다.
ㄷ. (나)에서 전자의 궤도 반지름은 (가)에서의 궤도 반지름의 4배이다.

① ㄱ　　② ㄷ　　③ ㄱ, ㄴ　　④ ㄴ, ㄷ　　⑤ ㄱ, ㄴ, ㄷ

03 불확정성 원리

학습 Point 불확정성 원리 〉 슈뢰딩거 파동 방정식 〉 수소 원자 모형 〉 다전자 원자

 불확정성 원리

빛과 물질의 이중성에 대한 인식은 양자라는 새로운 모형을 탄생시켰으며, 양자 이론은 입자의 위치와 운동량을 동시에 무한한 정밀도로 측정하는 것이 근본적으로 불가능하다는 새로운 사실을 예측한다.

1. 고전 물리학의 한계

20세기 초, 아인슈타인은 파동이라고 여겨지던 빛이 입자의 성질을 가진다는 사실을 발견하였다. 반대로 드브로이는 입자가 파동의 성질을 갖는다는 물질파 이론을 주장하였고, 이는 데이비슨·거머 실험과 톰슨의 전자 회절 실험을 통하여 확인되었다. 또, 보어의 원자 모형은 고전 물리학으로 설명할 때보다 물질파 이론을 적용하여 설명할 때 더 쉽게 이해된다. 이와 같은 새로운 물리 현상이 발견되기 전 물리학자들은 뉴턴의 고전 역학과 맥스웰의 전자기학으로 모든 자연 현상을 충분히 설명할 수 있다고 믿었다. 그러나 물리학자들은 물체가 빛의 속력에 가까운 속력으로 운동하거나 중력이 매우 큰 곳에서 운동할 때에는 고전 물리학이 아닌 상대성 이론을 적용하여야 한다는 것을 알게 되었다. 이와 함께 전자나 원자처럼 매우 작은 입자의 운동을 나타낼 때에도 입자가 파동의 성질을 갖기 때문에 고전 물리학으로는 설명할 수 없다는 것을 알게 되었다. 즉, 미시적인 세계에서 입자와 빛 등의 운동을 설명하기 위해 새로운 물리학이 필요하게 되었는데, 이것이 바로 양자 역학이다.

2. 물질파의 해석

입자의 파동성을 나타내기 위해 불연속적인 물리량을 갖는 입자를 파동 함수로 다루고, 1928년에 보른이 처음으로 파동 함수의 해를 다음과 같이 확률과 관련지어 해석하였다.

⑴ **파동 함수**: 입자는 위치를 시간에 대한 함수로 나타내어 그 운동을 표현할 수 있고, 파동은 주기적으로 변하는 물리량을 시간과 공간에 대한 함수로 나타내어 그 운동을 표현할 수 있다. 이때 주기적으로 변하는 물리량은 음파에서는 공기 입자의 변위가 될 수 있고, 전자기파는 전기장과 자기장이 된다. 물질파에서는 이 양을 $\Psi(x, t)$로 표현하며, 파동 함수라고 한다. 물질파의 진폭에 해당하는 파동 함수 $\Psi(x, t)$는 물리적 의미가 없지만, 진폭의 제곱인 $|\Psi(x, t)|^2$은 확률 밀도 함수로, 다음과 같은 의미를 가진다.

> **확률 밀도 함수 $|\Psi|^2$** 물질파 내의 한 지점에서 단위 부피당 입자가 발견될 상대적인 확률은 그 지점에서 $|\Psi|^2$의 값에 비례한다.

$\Psi(x, t)$
파동 함수는 보통 복소수로, 복소수는 실수와 허수가 조합된 $a+ib$ 형태로 표현된다. a, b는 실수이며, i는 $i^2=-1$인 허수이다. 복소수에 대하여 허수부의 부호를 바꾼 $a-ib$를 켤레복소수라고 한다. $|\Psi|^2$은 $\Psi(x, t)$에 $\Psi(x, t)$의 켤레복소수인 $\overline{\Psi}(x, t)$를 곱하여 구하며, 그 값은 항상 실수이며 양수이다.

(2) **파속과 입자:** 입자는 공간의 일정한 영역을 차지하므로, 불연속적인 물리량을 가지는 입자를 물질파로 나타낼 때에도 그 파동이 공간의 일정 영역에 있어야 하는 것이 타당할 것이다. 이렇게 공간의 일정 영역에만 모여 있는 파동을 파동 묶음 또는 파속(wave packet)이라고 하며, 파속의 위치가 입자의 위치에 해당한다. 파속은 파장이 다른 수많은 파동을 중첩하여 특정 위치에서만 보강 간섭을 하고 나머지 위치에서는 상쇄 간섭을 하도록 하여 만든다. 공간 영역이 좁은 파속을 얻기 위해서는 파장이 서로 다른 더 많은 파동을 중첩하여야 한다.

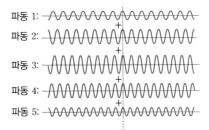

▲ 파속의 구성

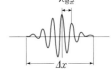

▲ 중첩된 파장 영역이 더 넓은 파속

3. 불확정성 원리

(1) **위치와 운동량의 불확정성:** 어떤 입자의 물질파 파장을 정확하게 알고 있다고 가정하자. 파장이 λ일 때 이 입자의 운동량은 정확히 $p = \dfrac{h}{\lambda}$가 된다. 그림 (가)와 같이 이 파동은 공간의 모든 위치에서 일정하게 존재하므로, 이 입자의 특정한 위치는 알 수 없다. 따라서 위치의 불확정량 Δx는 무한대가 된다.

반면, 입자의 운동량이 불확실하여 Δp의 범위에 있다면, 드브로이의 물질파 식에 따라 입자를 나타내는 파장도 어떤 범위의 값을 가진다. 이 영역에 있는 파장의 조합은 그림 (나)와 같이 파속을 형성하므로, 위치의 불확정량 Δx는 파속이 존재하는 영역으로 줄어들게 된다. 만약, 운동량에 대한 모든 정보를 잃어 $\Delta p = \infty$가 된다면, 모든 가능한 파장이 중첩되어 파속을 형성하므로 파속의 길이 Δx는 0이 될 것이다.

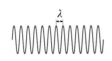

(가) 파장이 λ로 일정한 물질파   (나) 여러 파장의 물질파가 중첩되어 만들어진 파속

▲ **파속에 따른 위치의 불확정성**

(2) **불확정성 원리:** 위의 경우와 같이 임의의 어느 순간에 입자의 위치와 운동량을 동시에 정확하게 측정하는 것은 근본적으로 불가능하다. 1927년, 독일의 물리학자 하이젠베르크가 이 개념을 발표하였으며, 이를 하이젠베르크 불확정성 원리라고 한다.

입자의 위치를 측정할 때 위치의 불확정량이 Δx이고, 운동량을 동시에 측정할 때의 불확정량을 Δp라고 하면 하이젠베르크 불확정성 원리는 다음과 같이 나타낼 수 있다.

$$\Delta x \Delta p \geq \frac{\hbar}{2}$$

즉, 어떤 정밀한 장치로 측정하더라도 위치의 불확정량과 운동량의 불확정량의 곱은 항상 $\Delta x \Delta p \geq \dfrac{\hbar}{2}$의 관계가 성립한다. 이와 같은 측정의 한계는 실험 장치의 한계 때문이 아니라 측정하고자 하는 입자 자체가 가지고 있는 물리적 성질에 기인하는 것으로, 입자가 가진 파동성에 의해 근원적으로 발생하는 현상이다.

불확정량(부정확도, 불확정도)
아무리 정확하게 측정하려고 하여도 그 이상으로는 정확하게 측정할 수 없다는 의미이다.

하이젠베르크(Heisenberg, W., 1901~1976)
독일의 이론 물리학자로, 행렬 역학이라는 추상적인 수학적 모형을 개발하여 양자 역학을 이론적으로 정립하는 데 크게 기여하였다. 불확정성 원리, 분자 수소의 두 가지 형태, 핵의 이론적 모형 등을 포함하여 물리학에 많은 기여를 하였으며, 불확정성 원리로 1932년에 노벨 물리학상을 받았다.

$\hbar$
플랑크 상수 $h(=6.63 \times 10^{-34} \text{ J·s})$를 2π로 나눈 값으로, $\hbar(=1.05 \times 10^{-34} \text{ J·s})$라고 쓰고 'h bar(에이치 바)'로 읽는다.

$$\hbar = \frac{h}{2\pi}$$

(3) 에너지와 시간의 불확정성 원리

위치와 운동량을 동시에 정확히 측정할 수 없듯이 에너지와 시간도 동시에 정확히 측정할 수 없는데, 이를 에너지와 시간의 불확정성 원리라고 한다. 에너지와 시간의 불확정성도 입자의 파동성에 의해 나타난다.

① 에너지와 시간의 불확정성 식의 유도

운동하는 하나의 입자를 파속으로 나타낼 수 있으므로, 입자의 위치는 파속의 폭 Δx만큼의 불확정량을 가진다. 따라서 입자가 한 지점을 통과하는 시간도 파속의 폭이 통과하는 시간만큼 불확정량을 가진다. 입자의 속력을 v라고 하면, 한 지점을 통과하는 시간의 불확정량 $\Delta t = \dfrac{\Delta x}{v}$이다. 입자의 에너지 $E = \dfrac{p^2}{2m}$이므로, 에너지의 불확정량 $\Delta E = \dfrac{p}{m}\Delta p = v\Delta p$이다. 따라서 에너지와 시간 사이의 불확정성은 다음과 같다.

$$\Delta E \Delta t = v\Delta p \frac{\Delta x}{v} = \Delta x \Delta p \geq \frac{\hbar}{2}$$

② 에너지와 시간의 불확정성

입자의 에너지를 정확하게 알 때	입자의 에너지가 ΔE의 범위 안에 있을 때
입자의 에너지를 정확하게 알 때 물질파의 파장은 $\left(\lambda = \dfrac{h}{p} = \dfrac{h}{\sqrt{2mE}} \right)$  의 관계가 있으므로 정확히 구할 수 있다. 그러나 물질파가 계속해서 같은 모양으로 진동하고 있으므로, 언제 이 입자가 지나갔는지 알 수 없다. ➡ ΔE의 불확정량은 0이지만, Δt의 불확정량은 무한대가 된다.	입자의 에너지가 불확실하여 ΔE의 범위 안에 있다면, 입자의 물질파 파장도 어느 범위 안에 있게 된다. 이 영역에 있 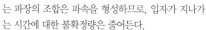 는 파장의 조합은 파속을 형성하므로, 입자가 지나가는 시간에 대한 불확정량은 줄어든다. ➡ ΔE가 유한한 값을 가지면 시간의 불확정량 Δt도 필연적으로 얼마 이상의 값을 가진다.

(4) 일상생활과 불확정성 원리

실제 일상생활에서 자동차와 같은 물체의 속력과 위치를 모두 정확하게 측정하는 것은 쉬운 일이다. 이것은 불확정성 원리가 일상적인 물체에 영향을 주기에는 불확정량이 너무나 작기 때문이다. 위치와 운동량의 불확정성 원리 $\Delta x \Delta p \geq \dfrac{\hbar}{2}$에 의하면 불확정량의 곱이 약 10^{-34} J·s 정도로 아주 작으므로, 자동차의 위치와 운동량을 측정하는 데 거의 영향을 주지 못한다. 즉, 불확정성 원리는 원자나 원자의 구성 입자처럼 극히 작은 입자에서 의미가 있다.

예제

> 광학 현미경을 이용하여 전자를 5 nm 이내의 정밀도로 위치를 관찰하려고 한다. 이렇게 측정된 전자 속력의 최소한의 불확정량을 구하시오. (단, 전자의 질량은 9.11×10^{-31} kg이고, 플랑크 상수 h는 6.63×10^{-34} J·s이다.)

해설 불확정성 원리에 의하여 $\Delta x \Delta p \geq \dfrac{\hbar}{2}$이므로, $\Delta p \geq \dfrac{\hbar}{2\Delta x} = \dfrac{1.05 \times 10^{-34} \text{ J·s}}{2 \times (5 \times 10^{-9} \text{ m})} \approx 1.05 \times 10^{-26}$ kg·m/s이다. 전자의 질량이 9.11×10^{-31} kg이므로, 전자의 속력의 불확정량 Δv는 다음과 같다.

$$\Delta v = \frac{\Delta p}{m} \geq \frac{1.05 \times 10^{-26} \text{ kg·m/s}}{9.11 \times 10^{-31} \text{ kg}} \approx 1.15 \times 10^4 \text{ m/s}$$

이는 전자의 속력이 1.15×10^4 m/s보다 커야 함을 알려준다.

정답 1.15×10^4 m/s

에너지와 시간의 불확정성 원리의 의미

위치와 운동량은 주어진 시간에 대하여 동시에 측정된다. 따라서 특정한 시간에서 이들의 확률적인 분포가 이들의 불확정성을 결정한다. 그러나 에너지와 시간은 근본적으로 서로 다른 역할을 하는 양이므로, 이들 사이의 불확정성은 계의 상태가 변하는 시간 간격 Δt와 에너지의 불확정량 ΔE를 연결하고 있다. 에너지와 시간의 불확정성 원리에 의하면 입자의 에너지는 아주 짧은 시간 동안에도 크기가 변할 수 있다. 진공에서도 쌍생성과 쌍소멸과 같이 실제로는 수많은 소립자가 매우 짧은 시간 동안 생겨났다가 소멸되고 있다. 진공의 에너지가 항상 0이라면 짧은 시간 동안 일어나는 이러한 현상은 불확정성 원리에 위배된다.

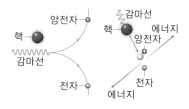

불확정성 원리의 의의

불확정성 원리는 전자와 같은 미시 세계의 입자 운동에서는 중요한 의미를 가지지만, 거시 세계의 물체 운동은 이 원리의 영향을 거의 받지 않는다.

4. 불확정성 원리와 관련된 실험

(1) **하이젠베르크의 현미경 사고 실험:** 불확정성 원리는 위치의 측정이 운동량을 변화시키고 운동량의 측정이 위치를 변화시켜, 두 물리량을 동시에 정확하게 측정하는 데 한계가 있다는 의미로 다음과 같이 설명하기도 한다.

① **전자의 운동 관측에 대한 물리학적 생각:** 하이젠베르크는 불확정성 원리를 간단하게 설명하기 위하여 전자를 관찰할 수 있는 현미경을 가정하였다. 현미경으로 전자를 관측하기 위해서는 전자에 충돌한 빛이 현미경으로 들어와야 하며, 이때의 충돌로 인해 전자의 운동량을 변화시키게 된다. (콤프턴 산란 실험에서 확인함.)

하이젠베르크의 감마선 현미경
입사한 광자가 전자에 충돌한 후 산란되고, 산란된 광자는 현미경의 관측 구경에 임의의 각도로 들어오게 된다.

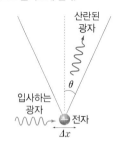

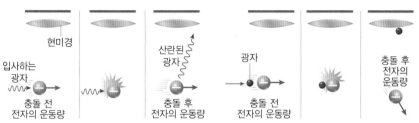

▲ **고전 물리학적 생각** 빛이 전자에서 반사된 후 현미경으로 들어오면 전자의 위치를 알게 된다. 이때 빛은 전자의 운동량을 변화시키지 않는다.

▲ **현대 물리학적 생각** 광자가 전자와 충돌한 후 현미경으로 들어오면 전자의 위치를 알게 된다. 이때 전자의 운동량은 광자와의 충돌로 변하게 된다.

② **빛의 파장에 따른 전자의 위치와 운동량의 불확정성:** 전자를 관측하기 위해 파장이 짧은 빛을 사용하면 빛이 렌즈를 지날 때 회절이 덜 일어나므로 전자의 위치를 작은 오차로 측정할 수 있으나, 광자의 에너지가 커서 전자의 운동량을 크게 변화시키므로 전자의 운동량 측정에서 오차가 커진다. 반대로 파장이 긴 빛을 사용하면 광자의 에너지가 작아 전자의 운동량을 작은 오차로 측정할 수 있으나, 렌즈를 지나며 더 크게 회절하므로 전자의 위치 측정에서 오차가 커진다. 즉, 전자의 위치와 운동량을 동시에 정확하게 측정하는 것은 불가능하다.

빛	짧은 파장의 빛을 사용할 때	긴 파장의 빛을 사용할 때
전자의 위치 측정 모습	스크린 / 현미경 / 광자 전자 Δx Δp	스크린 / 현미경 / 광자 전자 Δx Δp
Δp	광자의 에너지가 커서 Δp가 증가한다.	광자의 에너지가 작아서 Δp가 감소한다.
Δx	회절이 덜 일어나므로, Δx가 감소한다.	회절이 잘 일어나므로, Δx가 증가한다.

위 사고 실험에서 파장이 λ인 빛을 사용한다면 회절에 의한 분해능의 한계 때문에 전자 위치의 불확정량 $\Delta x \geq \lambda$가 된다. 파장이 λ인 광자는 운동량 $p = \dfrac{h}{\lambda}$를 가지고 있으므로, 전자에 충돌할 때 전자에 이 정도 크기의 운동량의 교란을 일으키게 된다. 즉, 광자와 충돌한 전자는 운동량의 불확정량 $\Delta p \approx \dfrac{h}{\lambda}$가 된다. 따라서 전자의 위치와 운동량의 불확정량이 각각 Δx, Δp라면, 다음과 같이 불확정성 원리를 만족한다.

$$\Delta x \Delta p \geq h > \frac{h}{2}$$

(2) 불확정성 원리와 단일 슬릿에 의한 전자의 회절 실험

전자가 단일 슬릿을 지날 때 빛의 회절과 마찬가지로 스크린에 회절 무늬가 나타난다. 이때 슬릿의 폭이 좁아지면 회절이 잘 일어나 가운데 회절 무늬의 폭이 증가하고, 슬릿의 폭이 넓어지면 회절이 잘 일어나지 않아 회절 무늬의 폭은 줄어든다.

① 단일 슬릿을 지나는 순간 전자의 위치와 운동량의 불확정성

y축 방향으로 놓인 폭이 a인 단일 슬릿을 전자가 통과하는 경우, 슬릿을 지나는 순간 전자의 위치는 $-\dfrac{a}{2}$에서 $+\dfrac{a}{2}$의 범위에 있을 것이므로, y축 방향으로의 위치 불확정량 $\Delta y \approx a$가 된다. 한편, 슬릿을 지나는 순간 전자의 운동량을 p라고 하면, 운동량의 y 성분 $p_y = p\sin\theta$가 된다. 단일 슬릿에 의한 회절에서 첫 번째 어두운 무늬가 나타나는 각을 θ라

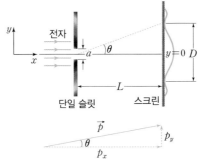

▲ 전자의 단일 슬릿에 의한 회절과 운동량

고 하면, $\sin\theta = \dfrac{\lambda}{a}$이므로, 슬릿을 지나는 순간의 운동량의 y 성분의 범위는 다음과 같이 정해진다.

$$-\dfrac{p\lambda}{a} < p_y < \dfrac{p\lambda}{a} \ \Rightarrow\ \Delta p_y = \dfrac{2p\lambda}{a}$$

따라서 Δy와 Δp_y의 곱은 $\lambda = \dfrac{h}{p}$를 대입하면 다음과 같다.

$$\Delta y \Delta p_y = a \times \dfrac{2p\lambda}{a} = 2p\lambda = \dfrac{2ph}{p} = 2h$$

Δy와 Δp_y의 곱인 $2h$는 $\dfrac{\hbar}{2}$보다 8π배만큼 크므로, 다음과 같이 불확정성 원리가 성립한다.

$$\Delta y \Delta p_y \geq \dfrac{\hbar}{2}$$

② 슬릿의 폭에 따른 전자의 위치와 운동량의 불확정성

슬릿의 폭 a가 작을수록 전자의 위치의 불확정량 Δy는 감소하지만, 회절 무늬의 폭 D가 넓어지므로 운동량의 불확정량 Δp_y는 증가하여 불확정성 원리가 성립하게 된다.

구분	슬릿의 폭이 좁을 때	슬릿의 폭이 넓을 때
전자의 회절 모습		
Δy	슬릿의 폭이 좁으므로, 위치의 불확정량 Δy는 감소한다.	슬릿의 폭이 넓으므로, 위치의 불확정량 Δy는 증가한다.
Δp_y	슬릿의 폭이 좁을수록 회절 무늬의 폭이 넓어지므로, 운동량의 불확정량 Δp_y는 증가한다.	슬릿의 폭이 넓을수록 회절 무늬의 폭이 좁아지므로, 운동량의 불확정량 Δp_y는 감소한다.

단일 슬릿에 의한 빛의 회절에서 첫 번째 어두운 무늬가 생기는 각도 θ

슬릿의 폭 a를 2등분 했을 때 슬릿의 중앙에서 나온 빛과 슬릿의 끝에서 나온 빛의 경로차가 $\dfrac{\lambda}{2}$가 되는 각도 θ에서 첫 번째 어두운 무늬가 나타난다.

$$\Delta = \dfrac{a}{2}\sin\theta = \dfrac{\lambda}{2} \ \Rightarrow\ \sin\theta = \dfrac{\lambda}{a}$$

즉, 슬릿의 폭 a가 좁을수록 첫 번째 어두운 무늬가 나타나는 각도 θ는 커진다.

1927년, 코펜하겐에서 개최된 국제 물리학회에서 보어와 하이젠베르크, 보른 등은 양자 물리학에 관하여 새로운 해석을 발표하였다. 즉, 양자 물리학은 입자가 어떤 상태에 있다는 것을 설명하는 것이 아니라 입자가 어떤 값을 가질 수 있는지 그 확률만을 설명할 수 있으며, 불확정성 원리에 의해 입자에 대한 두 가지 물리량을 동시에 정확히 측정하는 것은 불가능하다는 것이다. 이것을 코펜하겐 해석이라고 하며, 아인슈타인과 슈뢰딩거 등 당시의 저명한 과학자들은 특히 불확정성 원리를 강력히 비판하였고, 아인슈타인은 '신은 주사위 놀이를 하지 않는다.'는 표현으로 양자 물리학 자체를 부정하였다. 아인슈타인은 측정 결과가 확률로 나타나는 것은 입자의 행동을 규제하는 모든 변수들을 우리가 알지 못해서 생긴 결과라는 숨은 변수 이론을 주장하였다. 아인슈타인의 주장에 대하여 보어는 양자 물리학의 확률적인 결과는 입자가 가지고 있는 기본적인 성질에 기인하는 것이지 측정 장치와는 관계가 없다고 주장하였다.

❶ 위치와 운동량의 불확정성에 관한 아인슈타인의 사고 실험

아인슈타인은 입자가 벽에 난 작은 슬릿을 통과 하는 경우에 대한 실험을 예를 들어 불확정성 원 리를 비판하였다.

만약 입자가 벽 A에 있는 폭이 d인 단일 슬릿을 통과한다고 가정하면 벽을 통과하는 동안 이 입 자의 위치의 오차는 d보다 작을 것이고, 불확정 성 원리에 의하여 운동량의 오차는 $\frac{h}{d}$ 이상일 것 이라고 하였다. 또, 아인슈타인은 각 입자들이 A 의 슬릿에 수직인 방향으로 이동하면 운동량 보 존 법칙에 따라 A는 입자의 운동 방향과 반대 방

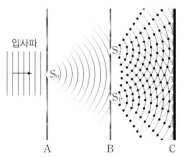

▲ **위치와 운동량의 불확정성에 관한 아인슈타인의 사고 실험**

향으로 이동할 것이라고 생각하였다. 실제 A의 질량은 입자에 비해 매우 크기 때문에 A는 거의 움직이지 않겠지만, 이론적으로는 운동량을 정밀하게 측정하는 것이 가능하고, 각 입자가 슬릿 을 지나갈 때마다 A가 수직 방향으로 어떻게 움직이는지를 기록한다면, 그 입자가 벽 B의 이중 슬릿의 어느 쪽으로 지나가는지를 알 수 있을 것이라고 주장하였다. A의 운동량을 측정하는 것 이 슬릿을 통과한 후 입자의 운동에 영향을 주지 않을 것이므로 여전히 스크린 C에는 간섭무늬 가 나타날 것이고, 불확정성 원리는 성립하지 않게 된다.

이에 대하여 보어는 벽의 운동량 변화량을 측정하여 입자의 운동량 변화량을 측정하려면, 입자 가 슬릿을 통과하기 전후의 벽의 운동량을 정밀하게 측정할 수 있어야 한다고 생각하였다. 그러 나 벽의 운동량을 정밀하게 측정하려면 벽의 위치 오차가 발생하게 되고, 이것은 입자의 위치 오차 를 증가시키기 때문에 아인슈타인의 주장과 다르게 불확정성 원리는 여전히 성립한다고 하였다.

❷ 에너지와 시간의 불확정성에 관한 아인슈타인의 사고 실험

아인슈타인은 광자가 가득 차 있고 정밀한 시계 장치가 들어있는, 창문이 달린 상자를 생각하여 시간과 에너지 사이의 불확정성을 비판하였다. 아인슈타인은 창문에 달린 시계 장치를 이용하여 매우 짧은 시간 T 동안 창문이 열렸다 닫히고, 이 사이에 광자가 밖으로 빠져나간다고 가정하 였다. 광자가 빠져나가면 상자의 무게가 감소하는데 상자에 매달린 용수철을 이용하여 상자의 무게를 정확히 측정할 수 있으므로 에너지의 불확정량 ΔE는 0이 될 것이고, 시간의 불확정량 은 T로 유한한 값을 가질 것이므로 결국 에너지와 시간 불확정량 $\Delta E \times \Delta t = 0$이 되어 불확정 성 원리는 성립하지 않는다고 주장하였다. 이에 대하여 보어는 광자가 빠져나가 질량이 감소하 면 용수철의 길이 변화에 의해 질량을 가리키는 바늘의 위치의 불확정량이 생기고, 이는 상자의 운동량의 불확정량을 동반하므로 에너지의 불확정량이 생기게 된다고 하였다. 일반 상대성 이론 을 적용하면 광자가 빠져나가 중력장이 약해지면 시간이 빠르게 흘러 시간 측정에도 불확정량 이 생기게 되므로 에너지와 시간의 불확정성은 여전히 성립한다고 주장하였다. 아인슈타인의 주 장은 중력이 시간의 흐름에 영향을 준다는 자신의 일반 상대성 이론에 의하여 반박된 것이다.

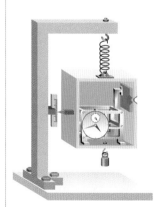

▲ **에너지와 시간의 불확정성에 관한 아인슈타인의 사고 실험**

② 슈뢰딩거 방정식과 수소 원자

보어 원자 모형은 수소 원자의 선 스펙트럼은 정확하게 예측하지만, 더 복잡한 원자는 설명할 수 없는 등 그 한계가 있었다. 물리학자들은 많은 연구 끝에 원자에서 전자는 퍼텐셜 우물에 갇힌 물질파이며, 이로부터 슈뢰딩거 방정식을 풀어 구한 파동 함수로 일정 범위에서 전자가 존재할 확률만을 알 수 있음을 깨닫게 되었다.

1. 불확정성 원리와 보어 원자 모형의 한계

보어 원자 모형으로 구한 수소 원자의 선 스펙트럼의 파장이 발머와 파셴이 측정한 실험 결과와 완전히 일치함으로써 보어는 러더퍼드 원자 모형의 문제점을 해결하는 데 성공하였다. 그러나 헬륨 원자부터는 보어 원자 모형이 잘 맞지 않았는데, 이는 전자들 사이의 전기력을 고려하지 않아서 이론적으로 계산한 값과 실험적으로 측정한 값이 불일치하였기 때문이다. 따라서 보어 원자 모형은 다전자 원자에는 적용할 수 없었다.

더구나 보어 원자 모형은 불확정성 원리에 위배된다. 보어 원자 모형에서는 양자수 n인 전자의 궤도 반지름이 $r_n = a_0 n^2$으로 정확히 주어지므로, 전자 궤도 반지름의 불확정량 $\Delta r = 0$이다. 또, 전자의 에너지도 $E_n = -\dfrac{13.6}{n^2}$ eV로 정확한 값을 가지므로, 운동량의 불확정량 $\Delta p = 0$이 된다. 따라서 $\Delta r \Delta p = 0$이 되어 보어 원자 모형은 불확정성 원리에 위배된다. 이로써 원자 내 전자의 궤도를 설명하는 새로운 이론이 필요하게 되었다.

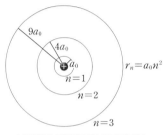

▲ 보어 원자 모형에 따른 전자의 궤도

다전자 원자
수소보다 원자 번호가 큰 원자이다.

2. 슈뢰딩거 파동 방정식

고전 역학에서 입자의 운동은 뉴턴의 운동 방정식으로 나타내고, 전자기파는 맥스웰 방정식으로 나타낼 수 있다. 물질파가 만족하는 파동 방정식은 1926년에 슈뢰딩거에 의하여 처음으로 제안되었다. 미시 세계를 기술하기 위하여 파동 방정식을 풀어서 해를 구하고 경계 조건을 적용하면, 기술하고자 하는 계의 파동 함수와 에너지 값을 구할 수 있다.

(1) **슈뢰딩거 방정식**: 슈뢰딩거는 x축상에서 움직이는 질량이 m인 입자가 퍼텐셜 에너지 $U(x)$인 공간에 존재할 때 입자의 물질파가 만족하는 방정식이 다음과 같다고 하였다.

$$i\hbar \frac{\partial \Psi(x, t)}{\partial t} = -\frac{\hbar^2}{2m} \frac{\partial^2 \Psi(x, t)}{\partial x^2} + U(x)\Psi(x, t)$$

이 방정식을 시간에 의존하는 슈뢰딩거 방정식이라고 한다. 퍼텐셜 에너지 U가 시간에 관계없이 일정할 경우 방정식을 풀면 파동 함수는 다음과 같다. E는 입자가 가진 에너지이다.

$$\Psi(x, t) = \Psi(x)e^{-iEt/\hbar}$$

이 파동 함수의 제곱 $|\Psi(x, t)|^2$이 확률 밀도 함수이고, 어떤 시간과 장소에서 입자가 존재할 확률을 나타낸다. 이 파동 함수를 슈뢰딩거 방정식에 대입하여 정리하면

$$-\frac{\hbar^2}{2m} \frac{d^2\Psi(x)}{dx^2} + U(x)\Psi(x) = E\Psi(x)$$

가 되며, 이를 시간에 무관한 슈뢰딩거 방정식이라고 한다.

슈뢰딩거(Schrödinger, E., 1887~1961)
오스트리아의 물리학자로, 양자 역학의 이론을 확립하였고, 1933년에 슈뢰딩거 방정식으로 노벨 물리학상을 수상하였다.

편미분
$\dfrac{\partial}{\partial t}$와 $\dfrac{\partial}{\partial x}$는 편미분을 나타내며 다른 변수는 상수로 취급하고 t나 x에 대해 미분하는 것을 의미한다.

➊ 1차원 상자 속의 입자

길이 L인 1차원 상자 속에 질량이 m인 입자가 놓여 있을 때 상자 속의 입자는 상자 외부에서는 존재할 수 없으므로, 상자 외부의 퍼텐셜 에너지는 무한대이고, 상자 내부의 퍼텐셜 에너지는 0이다. 따라서 1차원 상자 속에 있는 입자의 퍼텐셜 에너지 $U(x)$는 다음과 같다.

$$U(x)=\begin{cases} 0 & (0<x<L) \\ \infty & (x\leq 0,\ x\geq L) \end{cases}$$

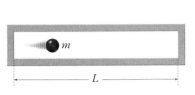

▲ **1차원 상자 속의 입자**

▲ **1차원 상자 속 입자의 퍼텐셜 에너지**

⑴ **파동 함수**: 상자 속에서 퍼텐셜 에너지 $U(x)=0$이므로, 시간에 무관한 슈뢰딩거 방정식은

$$-\frac{\hbar^2}{2m}\frac{d^2\Psi(x)}{dx^2}=E\Psi(x) \Rightarrow \frac{d^2\Psi(x)}{dx^2}=-k^2\Psi(x),\ k^2=\frac{2mE}{\hbar^2}=\frac{8\pi^2 mE}{h^2}$$

가 되므로, 위 방정식의 해는 다음과 같이 나타낼 수 있다.

$$\Psi(x)=A\sin kx+B\cos kx$$

상자의 경계에서 입자가 존재할 확률은 0이므로, $\Psi(0)=0$, $\Psi(L)=0$을 위의 해에 대입하면, $B=0$, $A\sin kL=0$에서 $k=\frac{n\pi}{L}$이다. 또, 상자 속에서 입자가 존재할 확률이 1이라는 조건을 적용하면 $A=\sqrt{\frac{2}{L}}$가 되므로, 상자 속 입자의 파동 함수는 다음과 같이 주어진다.

$$\Psi_n(x)=A\sin\left(\frac{n\pi x}{L}\right)=\sqrt{\frac{2}{L}}\sin\left(\frac{n\pi x}{L}\right)(n=1,2,3,\cdots)$$

파동 함수는 사인 함수 모양이며, $|\Psi|^2$이 클수록 입자가 발견될 확률이 크다. 따라서 $n=1$일 때 입자는 상자의 중심인 $x=\frac{L}{2}$에서 발견될 확률이 가장 크고, $n=2$인 경우에는 $x=\frac{L}{4}$, $\frac{3L}{4}$인 곳에서 발견될 확률이 가장 크다. n이 무한히 커질수록 상자 내부에서 입자가 발견될 확률은 위치에 관계없이 같아진다.

$A=\sqrt{\dfrac{2}{L}}$인 이유

확률 밀도 함수 그래프의 아랫부분의 전체 면적은 1이다.

$$\int_0^L A^2\left[\sin\left(\frac{n\pi x}{L}\right)\right]^2 dx=1$$

$$\therefore A=\sqrt{\frac{2}{L}}$$

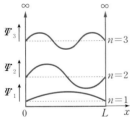

▲ **상자 내 입자의 파동 함수 Ψ**

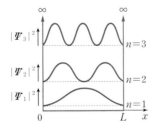

▲ **상자 내 입자의 확률 밀도 함수 $|\Psi|^2$**

⑵ **입자의 에너지**: 입자의 물질파 파장이 $\frac{2L}{n}$로 주어지므로, 물질파 파장 $\lambda=\frac{h}{p}$를 이용하면, 운동량은

$$p=\frac{h}{\lambda}=\frac{nh}{2L}$$

가 된다. 상자 안에서 퍼텐셜 에너지는 0이므로, 이 입자는 운동 에너지 $E=\frac{p^2}{2m}$만 가지며, 위에서 구한 운동량을 대입하면, 입자의 에너지 준위는 다음과 같이 양자화되어 있는 것을 알 수 있다.

$$E_n=\frac{h^2}{8mL^2}n^2\ (n=1,2,3,\cdots)$$

② **수소 원자**

(1) 수소 원자의 슈뢰딩거 방정식

직교 좌표계로 표현한 슈뢰딩거 방정식은 다음과 같다.

$$-\frac{\hbar^2}{2m}\frac{\partial^2 \Psi}{\partial x^2}-\frac{\hbar^2}{2m}\frac{\partial^2 \Psi}{\partial y^2}-\frac{\hbar^2}{2m}\frac{\partial^2 \Psi}{\partial z^2}=(E-U)\Psi$$

그런데 수소 원자를 설명할 때는 오른쪽 그림과 같은 구면 좌표계를 사용하는 것이 더 편리하므로, 위의 슈뢰딩거 방정식을 구면 좌표계로 다시 표현하면 다음과 같다.

$$\frac{1}{r^2}\frac{\partial}{\partial r}\left(r^2\frac{\partial \Psi}{\partial r}\right)+\frac{1}{r^2\sin\theta}\frac{\partial}{\partial \theta}\left(\sin\theta\frac{\partial \Psi}{\partial \theta}\right)+\frac{1}{r^2\sin^2\theta}\frac{\partial^2 \Psi}{\partial \phi^2}=-\frac{2m}{\hbar^2}(E-U)\Psi$$

수소 원자에서 전자의 퍼텐셜 에너지 $U(r)=-\dfrac{e^2}{4\pi\varepsilon_0 r}$이므로, 구면 좌표계로 나타내었을 때 수소 원자의 슈뢰딩거 방정식은

$$\frac{1}{r^2}\frac{\partial}{\partial r}\left(r^2\frac{\partial \Psi}{\partial r}\right)+\frac{1}{r^2\sin\theta}\frac{\partial}{\partial \theta}\left(\sin\theta\frac{\partial \Psi}{\partial \theta}\right)+\frac{1}{r^2\sin^2\theta}\frac{\partial^2 \Psi}{\partial \phi^2}+\frac{2m}{\hbar^2}\left(E+\frac{e^2}{4\pi\varepsilon_0 r}\right)\Psi=0$$

이 된다. 여기에 파동 함수를 각각 r, θ, ϕ에만 관계하는 함수 $R(r)\Theta(\theta)\Phi(\phi)$의 곱으로 나타내어 $\Psi(r, \theta, \phi)=R(r)\Theta(\theta)\Phi(\phi)$를 적용하고, $R\Theta\Phi$로 양변을 나누면 다음과 같다.

$$\frac{\sin^2\theta}{R}\frac{d}{dr}\left(r^2\frac{dR}{dr}\right)+\frac{\sin\theta}{\Theta}\frac{d}{d\theta}\left(\sin\theta\frac{d\Theta}{d\theta}\right)+\frac{2m}{\hbar^2}r^2\sin^2\theta\left(E+\frac{e^2}{4\pi\varepsilon_0 r}\right)=-\frac{1}{\Phi}\frac{d^2\Phi}{d\phi^2}$$

위 식에서 언제나 양변이 같기 위해서는 양변이 r, θ, ϕ에 무관한 상수여야 하므로 이를 m_l^2으로 놓으면 위 식의 우변은 다음과 같다.

(ⅰ) Φ에 관한 식: $\dfrac{d^2\Phi}{d\phi^2}+m_l^2\Phi=0$

좌변을 다시 θ와 r의 식으로 분리하면

$$\frac{1}{R}\frac{d}{dr}\left(r^2\frac{dR}{dr}\right)+\frac{2mr^2}{\hbar^2}\left(\frac{e^2}{4\pi\varepsilon_0 r}+E\right)=\frac{m_l^2}{\sin^2\theta}-\frac{1}{\Theta\sin\theta}\frac{d}{d\theta}\left(\sin\theta\frac{d\Theta}{d\theta}\right)$$

이 되고, 이 식의 양변도 상수가 되어야 하므로 이를 $l(l+1)$로 놓으면 다음의 두 방정식을 얻을 수 있다.

(ⅱ) Θ에 관한 식: $\dfrac{1}{\sin\theta}\dfrac{d}{d\theta}\left(\sin\theta\dfrac{d\Theta}{d\theta}\right)+\left[l(l+1)-\dfrac{m_l^2}{\sin^2\theta}\right]\Theta=0$

(ⅲ) R에 관한 식: $\dfrac{1}{r^2}\dfrac{d}{dr}\left(r^2\dfrac{dR}{dr}\right)+\left[\dfrac{2m}{\hbar^2}\left(E+\dfrac{e^2}{4\pi\varepsilon_0 r}\right)-\dfrac{l(l+1)}{r^2}\right]R=0$

(2) 수소 원자의 양자수

수소 원자에 대한 슈뢰딩거 방정식 중에서 ϕ에 관한 식을 풀면 $\Phi(\phi)=Ae^{im_l\phi}$가 된다. 구면 좌표계에서 ϕ, $\phi+2\pi$는 동일한 평면이므로 $\Phi(\phi)=\Phi(\phi+2\pi)$이어야 한다. 따라서

$$Ae^{im_l\phi}=Ae^{im_l(\phi+2\pi)}$$

이고, 이 조건은 $m_l=0$, ±1, ±2, ⋯인 경우에 성립한다. 여기서 상수 m_l은 자기 양자수라고 한다.

θ에 관한 슈뢰딩거 방정식은 상수 l이 m_l의 절댓값보다 같거나 클 때에만 풀린다. 따라서 $m_l=0$, ±1, ±2, ⋯, $\pm l$이다. 상수 l은 궤도 양자수라고 한다.

r에 관한 슈뢰딩거 방정식은 E가 양수이거나 다음의 식을 만족하는 음수일 때에만 풀린다.

$$E_n=-\frac{me^4}{8\varepsilon_0^2 h^2}\frac{1}{n^2}=-\frac{13.6}{n^2}\,(\text{eV})\,(n=1, 2, 3, \cdots)$$

이것은 보어 원자 모형에서 계산한 에너지 준위와 일치한다. 여기서 n을 주 양자수라고 한다. 상수 n은 $l+1$보다 크거나 같아야 한다. 따라서 $l=0, 1, 2, \cdots, (n-1)$이다.

➡ 세 양자수 n, l, m_l이 만족하는 조건과 양자수의 의미는 다음과 같다.

주 양자수(n)	$n=1, 2, 3, \cdots$	➡ 수소 원자의 에너지 결정
궤도 양자수(l)	$l=0, 1, 2, \cdots, n-1$	➡ 각운동량의 크기 결정
자기 양자수(m_l)	$m_l=0, \pm1, \pm2, \cdots, \pm l$	➡ 각운동량 벡터의 방향 결정

직교 좌표계(x, y, z)와 구면 좌표계(r, θ, ϕ) 사이의 관계

• $r=\sqrt{x^2+y^2+z^2}$

• $\theta=\cos^{-1}\dfrac{z}{r}$

• $\phi=\tan^{-1}\dfrac{y}{x}$

• $x=r\sin\theta\cos\phi$

• $y=r\sin\theta\sin\phi$

• $z=r\cos\theta$

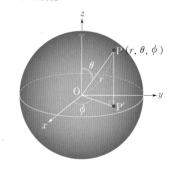

$\Phi(\phi)=\Phi(\phi+2\pi)$

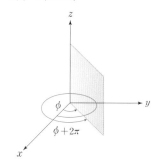

3. 수소 원자의 파동 함수

수소 원자의 퍼텐셜 에너지 $U(r) = -k\dfrac{e^2}{r}$ (k: 쿨롱 상수)을 슈뢰딩거 방정식에 대입하면 전자의 상태를 나타내는 파동 함수를 구할 수 있다. 이때 수소 원자의 허용 상태에서 3개의 양자수 n, l, m_l을 얻을 수 있다.

(1) **수소 원자의 $n=1$인 상태:** 슈뢰딩거 방정식의 해로 얻은 수소 원자의 바닥상태에 대한 파동 함수 Ψ와 이를 제곱한 확률 밀도 함수 $|\Psi|^2$은 다음과 같다.

$$\Psi(r) = \frac{1}{\sqrt{\pi a_0^3}} e^{-\frac{r}{a_0}}, \quad |\Psi|^2 = \left(\frac{1}{\pi a_0^3}\right) e^{-\frac{2r}{a_0}}$$

위 식에서 a_0은 보어 반지름이다. 입자의 확률 밀도 함수가 $|\Psi|^2$일 때 부피 요소 dV 내에서 입자가 발견될 실제 확률은 $|\Psi|^2 dV$가 된다. 위 식은 r에 따라서만 달라지는 구 대칭이므로, 원자핵으로부터 거리가 r이고 두께가 dr인 구 껍질에서 전자를 발견할 확률 $P(r)$를 다음과 같이 나타내면 편리하다.

$$P(r)dr = |\Psi|^2 dV = |\Psi|^2 4\pi r^2 dr \Rightarrow P(r) = \left(\frac{4r^2}{a_0^3}\right) e^{-\frac{2r}{a_0}}$$

즉, 수소 원자가 바닥상태($n=1$)일 때 확률 밀도 함수는 그림 (가)와 같으며, 이것은 전자가 원자핵으로부터 보어 반지름 a_0만큼 떨어진 지점에서 발견될 확률이 가장 높다는 것을 의미한다. 그림 (나)는 이것을 점의 밀도로 나타낸 것으로, 이처럼 현대 원자 모형에서는 일정 범위에서 전자가 존재할 확률을 전자구름 모형으로 나타낸다.

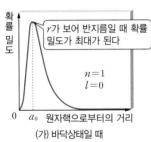
(가) 바닥상태일 때

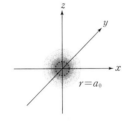
(나) 바닥상태(1, 0, 0)일 때의 전자구름 모형

▲ 주 양자수 $n=1$인 상태의 수소 원자에서 전자가 발견될 확률 밀도 함수

> **구 껍질의 부피**
> 반지름이 r이고 두께가 dr인 구 껍질의 부피 dV는 구의 표면적 $4\pi r^2$과 두께 dr의 곱과 같다.
>
> $$dV = 4\pi r^2 dr$$
>
>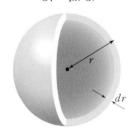

(2) **수소 원자의 $n=2$인 상태:** 수소 원자에서 $n=2$, $l=m_l=0$인 상태일 때 전자가 발견될 확률은 그림 (가)와 같이 극댓값을 두 군데 가지며, 공 안에 또 공이 있는 형태로 나타난다. 그 외의 허용된 양자수 조합 (n, l, m_l)에 따른 전자가 발견될 확률 밀도 함수는 그림 (나)와 같다.

$n=2$인 수소 원자의 허용된 양자수 조합

n (주 양자수)	l (궤도 양자수)	m_l (자기 양자수)
2	0	0
2	1	+1
2	1	0
2	1	−1

(가) (2, 0, 0)인 상태일 때

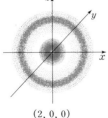
(2, 0, 0)

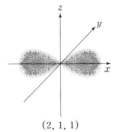
(2, 1, 1)

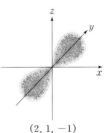
(2, 1, −1)

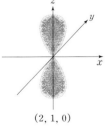
(2, 1, 0)

(나) $n=2$일 때의 전자 구름 모형

▲ 주 양자수 $n=2$인 상태의 수소 원자에서 전자가 발견될 확률 밀도 함수

4. 다전자 원자와 오비탈

수소 원자는 슈뢰딩거 방정식의 완전한 풀이를 얻을 수 있는 원자이다. 다른 원자들은 전자들 사이의 상호 작용이 복잡하여 슈뢰딩거 방정식의 정확한 풀이를 구하지 못하였지만, 수소 원자의 파동 함수와 비슷하다고 생각하여 구한다. 일반적으로 원자에서 전자가 발견될 확률 밀도 함수를 궤도 함수 또는 오비탈(orbital)이라고 한다.

(1) 오비탈과 양자수의 관계: 양자수에 따라 전자가 배치되는 모양이 정해진다.

① **주 양자수(n):** 오비탈의 크기와 에너지를 결정하는 양자수로, 주 양자수가 커질수록 전자가 발견될 확률이 큰 지점의 평균 거리가 증가한다. 같은 주 양자수를 갖는 전자들은 같은 전자 껍질에 있다고 하며, $n=1, 2, 3, \cdots$에 해당하는 전자 껍질을 K, L, M, $\cdots$으로 나타낸다.

② **궤도 양자수(l):** 주 양자수가 같은 전자 껍질에서도 궤도 양자수 l에 따라 확률 밀도 함수의 모양이 달라진다. 한 전자 껍질에서 특정한 궤도 양자수를 갖는 전자들은 같은 버금 껍질에 있다고 한다. 주 양자수 n인 오비탈은 궤도 양자수를 $l=0, 1, 2, \cdots, (n-1)$까지 가질 수 있다. 양자수 대신 주로 $s, p, d, f, \cdots$의 문자로 표시한다.

③ **자기 양자수(m_l):** 전자 구름의 방향 특성을 정한다. 궤도 양자수 l을 갖는 하나의 버금 껍질은 자기 양자수를 $m_l=0, \pm1, \pm2, \cdots, \pm l$까지 가질 수 있다.

④ **스핀 양자수(m_s):** 슈뢰딩거 방정식으로 얻은 3개의 양자수만으로는 원자에 대해 완벽하게 설명할 수 없다. 전자는 마치 스스로 자전하는 것과 같은 고유한 각운동량을 가지는데, 이를 스핀이라고 한다. 전자의 스핀 양자수는 $+\dfrac{1}{2}$ 또는 $-\dfrac{1}{2}$의 두 가지가 가능하다.

▲ 스핀 양자수(m_s)

(2) 오비탈의 표시

오비탈을 표시할 때는 주 양자수를 앞에 쓰고, 궤도 양자수의 기호를 뒤에 쓴다. 예를 들어 $2s$는 $n=2$, $l=0$인 오비탈을, $3d$는 $n=3$, $l=2$인 오비탈을 의미한다.

오비탈의 종류 ─┐ ┌─ 들어 있는 전자 수
$$2p_x^{\,1}$$
주 양자수 ─┘ └─ 오비탈의 공간 방향

(3) 오비탈의 모양

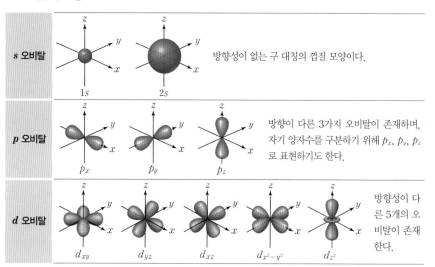

s 오비탈	$1s$ $\quad$ $2s$	방향성이 없는 구 대칭의 껍질 모양이다.
p 오비탈	p_x $\quad$ p_y $\quad$ p_z	방향이 다른 3가지 오비탈이 존재하며, 자기 양자수를 구분하기 위해 p_x, p_y, p_z로 표현하기도 한다.
d 오비탈	d_{xy} $\quad$ d_{yz} $\quad$ d_{xz} $\quad$ $d_{x^2-y^2}$ $\quad$ d_{z^2}	방향성이 다른 5개의 오비탈이 존재한다.

◀ 표의 그림은 오비탈을 확률 밀도 함수 $|\Psi|^2$에 대해 존재 확률이 90 %가 되는 지점까지를 입체적으로 나타낸 것이다.

5. 파울리 배타 원리와 주기율표

(1) 파울리 배타 원리: 원자의 상태는 4가지 양자수 n, l, m_l, m_s로 기술되며, 이를 통해 허용된 양자 상태의 수를 예측할 수 있다. 그러면 여러 개의 전자를 가진 다전자 원자에서 이러한 허용된 양자 상태에 전자는 어떻게 채워질까? 이에 대한 설명은 1925년에 발표된 파울리 배타 원리로 할 수 있다.

> **파울리 배타 원리** 한 원자 내에 있는 어떤 전자도 같은 양자 상태로 존재할 수 없다. 즉, 동일한 원자 내의 어떤 두 전자도 완전히 같은 양자수를 가질 수 없다.

(2) 전자의 배치: 안정된 원자는 총 에너지가 최소가 되도록 가장 에너지가 낮은 오비탈부터 전자가 차례대로 채워진다. 이때 파울리 배타 원리에 의해 각각의 오비탈에는 스핀 방향이 다른 2개의 전자$\left(m_s = +\dfrac{1}{2},\ -\dfrac{1}{2}\right)$까지만 들어갈 수 있다. n, l, m_l에 의해 결정되는 오비탈의 수는 n^2이므로, 주 양자수가 n인 오비탈에 허용되는 최대 전자의 수는 $2n^2$이 된다.

주 양자수(n)	1	2			3									
궤도 양자수(l)	0	0	1		0	1			2					
자기 양자수(m_l)	0	0	1	0	−1	0	1	0	−1	2	1	0	−1	−2
스핀 양자수(m_s)	↑↓	↑↓	↑↓	↑↓	↑↓	↑↓	↑↓	↑↓	↑↓	↑↓	↑↓	↑↓	↑↓	↑↓

▲ 주 양자수 n인 오비탈에 허용되는 최대 전자의 수

(3) 주기율표

① 주기율표의 구조: 주기율표의 세로 줄은 족, 가로 줄은 주기라고 한다. 주기율표는 전자 껍질과 버금 껍질에 전자가 채워지는 순서대로 나열되어 있다. 1주기는 $n=1$인 전자 껍질을 이루며, 2개의 전자가 채워질 수 있다. 2주기는 $n=2$이므로 $2s$, $2p_{x,\,y,\,z}$의 총 4개의 오비탈이 존재하며 각각에 2개의 전자가 채워질 수 있으므로 8개의 원자가 존재한다. 원자에 전자가 채워지는 순서는 파울리 배타 원리를 지키면서 가장 낮은 에너지를 갖도록 하는 것이다. 수소 원자에서는 주 양자수가 클수록 에너지가 크지만, 주기율표를 보면 다전자 원자에서는 전자 사이의 상호 작용으로 인해 에너지 준위의 크기가 주 양자수뿐만 아니라 궤도 양자수에 따라서도 달라진다는 것을 알 수 있다.

② 주기율표와 화학적 성질: 파울리 배타 원리에 의해 원자 내에서 전자는 가장 낮은 에너지 준위에 모두 모여 있지 못하고, 에너지가 낮은 준위부터 차례대로 채우므로 가장 바깥 껍질의 전자 개수가 주기적으로 반복된다. 이로 인해 원소의 화학적 성질이 원자 번호에 따라 반복되어 주기율표의 족을 이루게 된다.

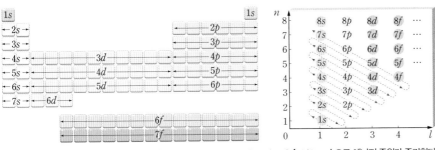

▲ 다전자 원자에서 에너지 준위가 높아지는 순서 $1s < 2s < 2p < 3s < 3p < 4s < 3d < 4p$ … 순으로 에너지 준위가 증가한다.

오비탈의 개수

주 양자수 $n=1$, 2, 3, …의 각각의 n값에 대응하여 n^2개의 서로 다른 오비탈이 형성된다.

- K 전자 껍질: $n=1$, 오비탈 1개(s: 1)
- L 전자 껍질: $n=2$, 오비탈 4개(s: 1, p: 3)
- M 전자 껍질: $n=3$, 오비탈 9개(s: 1, p: 3, d: 5)
- N 전자 껍질: $n=4$, 오비탈 16개(s: 1, p: 3, d: 5, f: 7)

다전자 원자의 전자 배치

몇 가지 원자에서 바닥상태의 전자 배치는 다음과 같다.

- 헬륨(He): 전자가 2개이므로, 에너지 준위가 가장 낮은 $1s$ 오비탈에 2개의 전자가 모두 채워진다.
- 붕소(B): 전자가 5개이므로, $1s$ 오비탈에 전자 2개, $2s$ 오비탈에 전자 2개, $2p$ 오비탈에 전자 1개가 채워진다.

원자	$1s$	$2s$	$2p$			전자 배열
$_1$H	↑					$1s^1$
$_2$He	↑↓					$1s^2$
$_3$Li	↑↓	↑				$1s^2\,2s^1$
$_4$Be	↑↓	↑↓				$1s^2\,2s^2$
$_5$B	↑↓	↑↓	↑			$1s^2\,2s^2\,2p^1$
$_6$C	↑↓	↑↓	↑	↑		$1s^2\,2s^2\,2p^2$
$_7$N	↑↓	↑↓	↑	↑	↑	$1s^2\,2s^2\,2p^3$
$_8$O	↑↓	↑↓	↑↓	↑	↑	$1s^2\,2s^2\,2p^4$
$_9$F	↑↓	↑↓	↑↓	↑↓	↑	$1s^2\,2s^2\,2p^5$

1 원자 모형의 변천

돌턴
단단하고 더 이상 쪼갤 수 없는 작은 공과 같은 모양이다.

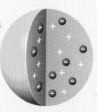

톰슨
원자핵의 개념이 없고, (−)전하를 띤 전자가 (+)전하를 띤 물질 속에 박혀있는 푸딩 모형이다.

러더퍼드
원자의 중심에 아주 작은 원자핵이 있고 전자들이 그 주위를 도는 태양계 모형이다. (전자는 어느 궤도에서나 돌 수 있다.)

보어
전자는 원자핵 주위에서 불연속적인 원 궤도를 그리면서 운동한다. (전자는 특정 궤도에서만 돌 수 있다.)

현대 모형
핵 주위의 전자의 위치를 정확히 알 수 없고, 전자가 존재할 확률만 알 수 있는 전자구름 모형이다.

2 현대의 원자 모형: 1924년, 드브로이는 모든 움직이는 입자(특히 전자와 같은 원자 크기 이하의 입자)는 파동의 성질을 띤다는 것을 제안했다. 슈뢰딩거는 이 아이디어를 이용하여, 1926년에 슈뢰딩거 방정식을 통해 전자를 입자가 아닌 파동 함수로 기술하였다. 그리고 그것은 보어 모델이 설명하지 못했던 많은 스펙트럼 현상을 훌륭하게 설명하였다.

1927년, 하이젠베르크는 양자 역학을 이용하여 전자의 위치와 운동량을 동시에 정확하게 측정할 수 없다는 불확정성 원리를 발표하였다. 따라서 전자의 위치와 속력을 정확하게 결정할 수 있다는 보어의 이론은 틀린 것이 되고 말았다. 현대적 원자 모형에 따르면 전자가 특정 위치에 존재할 확률만 알 수 있다.

3 현대의 원자 모형과 보어 원자 모형의 공통점과 차이점

공통점	차이점
• 원자핵이 있다. • 원자핵과 전자 사이에는 전기력 이 작용한다.	고전적 모형은 전자가 궤도 운동을 하며, 전자가 원운동 하는 궤도 반지름을 정할 수 있다. 하지만 현대의 원자 모형에서는 전자의 정확한 위치를 알 수 없으며, 전자가 존재할 확률만 알 수 있다.

03 불확정성 원리

① 불확정성 원리

1. 물질파의 해석

- 파동 함수: 물질파의 진폭에 해당하는 양으로, Ψ로 표현한다.
- 확률 밀도 함수: $|\Psi|^2$으로, 물질파 내의 단위 부피당 입자가 발견될 상대적인 (❶   )을 나타낸다.
- (❷   ): 파장이 다른 수많은 파동을 중첩하여 일정 영역에만 모여 있는 파동으로, 입자의 파동성을 나타낸다.

2. (❸   ) 원리   입자의 위치와 운동량을 (❹   ) 정확하게 측정하는 것은 불가능하며, 위치와 운동량의 불확정량 사이에는 다음의 관계가 있다. ➡ $\Delta x \Delta p \geq \dfrac{\hbar}{2}$

- 에너지와 시간의 불확정량 사이에는 다음의 관계가 있다. ➡ $\Delta E \Delta t \geq \dfrac{\hbar}{2}$
- 하이젠베르크의 현미경 사고 실험

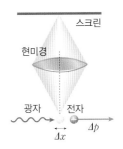

스크린

현미경

광자   전자

Δx Δp

짧은 파장의 빛을 사용할 때	(❼) 파장의 빛을 사용할 때
회절이 덜 일어나므로 전자의 위치 불확정량 Δx가 (❺)하지만, 광자의 에너지가 커서 전자의 운동량 불확정량 Δp가 (❻)한다.	광자의 에너지가 작아서 전자의 운동량 불확정량 Δp가 감소하지만, 회절이 잘 일어나므로, 전자의 위치 불확정량 Δx가 증가한다.

- 단일 슬릿에 의한 전자의 회절 실험: 슬릿의 폭이 작을수록 전자의 (❽   )의 불확정량은 감소하지만, 회절 무늬의 폭이 넓어지므로 (❾   )의 불확정량은 증가하여 불확정성 원리가 성립한다.

② 슈뢰딩거 방정식과 수소 원자

1. 보어 원자 모형의 한계   보어 원자 모형은 전자의 궤도와 운동량이 정확하게 주어지므로, (❿   ) 원리에 위배된다.

2. (⓫   ) 방정식   물질파의 파동 방정식 ➡ $-\dfrac{\hbar^2}{2m}\dfrac{d^2\Psi(x)}{dx^2}+U(x)\Psi(x)=E\Psi(x)$ (시간에 무관)

3. 슈뢰딩거 방정식으로부터 유도된 수소 원자 모형

- 현대 원자 모형에서는 전자가 존재할 (⓬   )를 전자구름 모형으로 나타낸다.
- 양자수에 따라 전자의 확률 밀도 함수 모양이 정해진다.

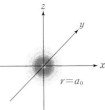

z

y

x

$r=a_0$

양자수	(⓭)(n)	궤도 양자수(l)	자기 양자수 (m_l)
허용된 값	$n=1, 2, \cdots$	$l=0, 1, \cdots, n-1$	$m_l=0, \pm1, \cdots, \pm l$

4. 다전자 원자의 오비탈과 파울리 배타 원리

- (⓮   ): 원자에서 전자가 발견될 확률 밀도를 나타내는 함수로, 양자수 n, l, m_l로 정해진다.
- (⓯   ) 양자수(m_s): 전자 고유의 성질에 의해 도입된 양자수로, $+\dfrac{1}{2}$, $-\dfrac{1}{2}$이 있다.
- (⓰   ) 원리: 한 원자 내에 있는 어떤 전자도 같은 양자 상태로 존재할 수 없다.
- 다전자 원자에서 전자의 배치: 바닥상태의 원자는 파울리 배타 원리에 따라 낮은 에너지 준위부터 전자가 차례대로 채워진다. 이로 인해 원자 번호에 따라 가장 바깥 껍질의 전자 개수가 주기적으로 반복되며, 원소의 (⓱   ) 성질이 원자 번호에 따라 주기적으로 반복된다. ➡ 주기율표의 족을 이룬다.

01 다음은 파동 함수에 대한 보른의 생각을 정리한 내용이다. ㉠, ㉡에 들어갈 알맞은 식을 쓰시오.

> 보른은 슈뢰딩거 방정식을 만족하는 파동 함수 Ψ는 입자가 발견될 확률과 관련있으며, 입자의 확률 밀도 함수는 (㉠)(이)라고 하였다. 따라서 부피 요소 dV 내에서 입자가 발견될 실제 확률은 (㉡)이다.

02 그림은 입자를 파장이 다른 수많은 파동을 중첩하여 얻을 수 있는 파속으로 나타낸 것이다.

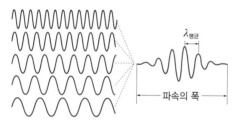

이에 대한 설명으로 옳은 것만을 보기에서 있는 대로 고르시오.

> 보기
> ㄱ. 파속의 폭이 좁을수록 위치의 불확정량이 줄어든다.
> ㄴ. 파속의 폭이 넓을수록 운동량의 불확정량이 줄어든다.
> ㄷ. 입자의 파동성이 본질적으로 불확정성 원리를 내포한다는 것을 의미한다.

03 다음은 하이젠베르크 불확정성 원리에 대하여 얘기한 내용이다. 옳게 말한 사람만을 있는 대로 고르시오.

> 철수: 입자의 위치와 운동량을 동시에 정확하게 측정하는 것은 불가능해.
> 영희: 입자의 에너지와 시간을 동시에 정확하게 측정하는 것은 가능하지.
> 민수: 입자의 기본 성질이 아니라 측정 과정 때문에 나타나는 효과야.

04 광학 현미경을 이용해서 질량이 1 kg인 구슬의 위치를 10 pm($= 10^{-11}$ m) 이내의 정밀도로 측정하려고 한다. 이렇게 측정된 구슬 속력의 최소한의 불확정량을 구하시오.(단, $\hbar$는 1.05×10^{-34} J·s이다.)

05 그림은 하이젠베르크의 현미경 사고 실험을 나타낸 것이다. 입자에 비춘 빛이 산란되어 현미경으로 들어오면 입자의 위치를 측정할 수 있다.

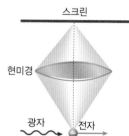

(1) 고전 물리학과 현대 물리학의 관점에서 이를 설명한 것으로 옳은 것만을 보기에서 있는 대로 고르시오.

> 보기
> ㄱ. 빛의 회절에 의해 빛의 파장보다 더 정확하게 위치를 측정할 수 없다.
> ㄴ. 고전 물리학의 관점에서 광자는 전자의 운동량을 변화시키지 않는다.
> ㄷ. 현대 물리학의 관점에서 전자의 위치와 운동량을 동시에 정확히 측정할 수 없다.

(2) 전자에 비춘 빛의 파장과 불확정성의 관계에 대한 설명으로 옳은 것만을 보기에서 있는 대로 고르시오.

> 보기
> ㄱ. 광자의 파장이 짧을수록 전자의 위치의 불확정량은 작아진다.
> ㄴ. 광자의 파장이 짧을수록 전자의 운동량의 불확정량은 작아진다.
> ㄷ. 가시광선 대신 자외선을 사용하면 전자의 위치와 운동량의 불확정량을 모두 줄일 수 있다.

06 그림 (가), (나)는 동일하게 가속된 전자선이 폭이 각각 a, a'인 슬릿을 지나 회절하는 모습을 나타낸 것으로, 스크린 의 중앙에서 첫 번째 어두운 무늬까지의 거리는 각각 D, D'이었다. $a < a'$이고, $D > D'$이다.

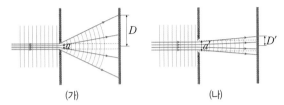

(가)　　　　　　　(나)

(1) (가), (나) 중 슬릿을 지나는 전자의 위치의 불확정량 이 큰 것을 쓰시오.

(2) 다음 글의 ㉠, ㉡에 들어갈 알맞은 말을 고르시오.

> 가속된 전자가 단일 슬릿을 지날 때 슬릿의 폭이 좁을 수록 스크린의 중앙에서 첫 번째 어두운 무늬까지의 거리는 ㉠ (증가, 감소)하므로, 전자의 운동량의 불 확정량은 ㉡ (커진다, 작아진다).

07 그림 (가)는 보어 수소 원자 모형에서 전자가 양자수 $n=2$ 인 궤도에 있는 것을 나타낸 것이고, (나)는 현대 원자 모형 에서 전자가 양자수 $n=2$에 있을 때의 확률 분포를 나타낸 것이다.

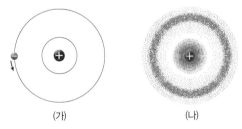

(가)　　　　　　　(나)

이에 대한 설명으로 옳은 것만을 보기에서 있는 대로 고르 시오.

보기
ㄱ. $n=2$일 때 (가)에서 전자는 특정 궤도에만 있지만, (나)에서는 다양한 궤도에 있을 수 있다.
ㄴ. (가)에서 전자의 위치의 불확정량은 0이다.
ㄷ. (나)에서 어떤 지점에 전자가 위치할 가능성은 확률 밀도가 높을수록 크다.

08 현대의 원자 모형에 대한 설명으로 옳은 것만을 보기에서 있는 대로 고르시오.

보기
ㄱ. 전자의 위치와 운동량을 동시에 정확하게 구할 수 없다.
ㄴ. 양자수는 주 양자수, 궤도 양자수, 자기 양자수 등 으로 세분화된다.
ㄷ. 원자 내에서 전자가 존재할 위치는 확률적으로만 알 수 있다.

09 다음은 현대 원자 모형에서 전자의 파동 함수를 나타내기 위해 필요한 양자수를 나타낸 것이다.

명칭	허용된 값
주 양자수(n)	$1, 2, 3, 4, \cdots, \infty$
궤도 양자수(l)	$0, 1, 2, 3, \cdots, n-1$
자기 양자수(m_l)	$-l, -l+1, \cdots, 0, \cdots, l-1, l$

(1) 주 양자수 $n=3$일 때 가능한 양자수 (n, l, m_l)의 가 짓수를 쓰시오.

(2) 주 양자수 $n=3$인 오비탈에 허용되는 최대 전자의 수는 몇 개인지 쓰시오.

10 그림 (가)~(라)는 수소 원자에서 주 양자수 $n=2$일 때 전 자가 발견될 확률 밀도 함수를 나타낸 것이다.

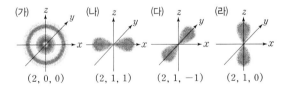

(가) $(2, 0, 0)$　(나) $(2, 1, 1)$　(다) $(2, 1, -1)$　(라) $(2, 1, 0)$

이에 대한 설명으로 옳은 것만을 보기에서 있는 대로 고르 시오.

보기
ㄱ. 에너지 준위는 (가)가 가장 작다.
ㄴ. 스핀 양자수까지 고려하면 (가)에 허용된 양자 상태 는 2개이다.
ㄷ. 전자가 발견될 확률의 전체 합은 1이다.

01 ❯불확정성 원리

그림 (가)는 파장이 일정한 물질파가 진행하는 모습을 나타낸 것이고, (나)는 여러 파장의 물질파가 겹친 파속이 진행하는 모습을 나타낸 것이다.

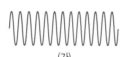

(가)　　　　　　　(나)

이에 대한 설명으로 옳은 것만을 보기에서 있는 대로 고른 것은?

> 보기

ㄱ. (가)에서 에너지의 불확정량은 0이다.

ㄴ. (나)에서 물질파의 파장은 정확히 알 수 없다.

ㄷ. 입자가 지나간 시간의 불확정량은 (가)에서가 (나)에서보다 크다.

① ㄱ　　　　② ㄷ　　　　③ ㄱ, ㄴ　　　　④ ㄴ, ㄷ　　　　⑤ ㄱ, ㄴ, ㄷ

- 물질파의 파장에 따라 입자의 운동량이나 에너지가 달라진다.

02 ❯불확정성 원리

다음은 고속도로에서 제한 속력을 초과한 운전자가 생각한 내용을 정리한 것이다.

> (가) 제한 속력이 120 km/h인 고속도로에서 운전자가 탄 자동차의 속력이 144 km/h로 측정되었다.
>
> (나) 운전자와 자동차의 질량의 합은 1500 kg이다.
>
> (다) 속력 위반 고지서에 제시된 사진은 1 mm의 정확도로 자동차의 위치를 나타낸다.
>
> (라) 위치와 운동량 사이의 불확정성 원리 $\Delta x \Delta p \geq \dfrac{\hbar}{2}$를 적용하면, 운전자가 탄 자동차의 속력이 120 km/h 이하일 수 있다.

이에 대한 설명으로 옳은 것만을 보기에서 있는 대로 고른 것은?

> 보기

ㄱ. 자동차의 속력이 144 km/h일 때 자동차의 운동량은 60000 kg·m/s이다.

ㄴ. 자동차의 위치의 불확정성은 1 mm이다.

ㄷ. 불확정성 원리에 의하면 (라)의 내용은 사실이다.

① ㄱ　　　　② ㄴ　　　　③ ㄱ, ㄴ　　　　④ ㄱ, ㄷ　　　　⑤ ㄴ, ㄷ

- 불확정성 원리는 크기가 아주 작은 미시적인 세계에 적용된다.

03 > 불확정성 원리와 하이젠베르크의 현미경 사고 실험

그림은 전자의 위치를 측정하기 위한 현미경을 나타낸 것으로, (가)는 긴 파장의 빛을 사용할 때이고, (나)는 짧은 파장의 빛을 사용할 때이다.

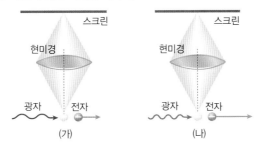

이에 대한 설명으로 옳은 것만을 보기에서 있는 대로 고른 것은?

> 보기
> ㄱ. 위치의 불확정량은 (가)에서가 (나)에서보다 작다.
> ㄴ. 운동량의 불확정량은 (가)에서가 (나)에서보다 크다.
> ㄷ. 위치의 불확정량과 운동량의 불확정량의 곱의 최솟값은 (가)와 (나)에서가 같다.

① ㄴ　　　② ㄷ　　　③ ㄱ, ㄴ　　　④ ㄱ, ㄷ　　　⑤ ㄱ, ㄴ, ㄷ

광자의 운동량은 파장에 반비례한다.

$$p = \frac{h}{\lambda}$$

04 > 불확정성 원리와 단일 슬릿에 의한 전자의 회절 실험

그림과 같이 전자선을 폭이 a인 단일 슬릿에 통과시켰을 때 스크린에 도달한 전자의 수를 측정하였더니, θ의 각에서 첫 번째 극소인 지점이 나타났다. 슬릿을 지나는 순간, 전자의 운동량은 p이고, 전자의 y축 방향의 위치의 불확정량은 Δy이다.

이에 대한 설명으로 옳은 것만을 보기에서 있는 대로 고른 것은?(단, θ의 크기는 작으며, h는 플랑크 상수이다.)

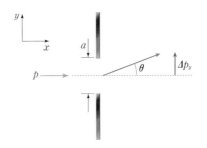

> 보기
> ㄱ. 전자의 물질파 파장은 $\frac{h}{p}$이다.
> ㄴ. 슬릿을 지나는 순간 전자의 운동량의 y축 방향의 불확정량(Δp_y)은 $2p\sin\theta$이다.
> ㄷ. 슬릿을 지나는 순간 전자의 y축 방향의 위치와 운동량 사이의 불확정량은 $\Delta y \Delta p_y = 2h$이다.

① ㄱ　　　② ㄴ　　　③ ㄷ　　　④ ㄴ, ㄷ　　　⑤ ㄱ, ㄴ, ㄷ

슬릿을 통과하는 전자의 위치는 슬릿의 폭만큼의 위치 불확정량을 가지며, θ가 커질수록 Δp_y의 불확정량도 커진다.

05 ❭ 불확정성 원리와 1차원 상자 속 입자의 운동

그림 (가)는 질량이 m인 입자가 $x=0$과 $x=L$ 사이는 퍼텐셜 에너지 $U(x)$가 0이고, 나머지 범위에서 퍼텐셜 에너지 $U(x)$가 무한대인 네모 우물 사이에서 운동하는 것을 나타낸 것이다. 그림 (나)는 이 입자의 파동 함수를 양자수 n에 따라 나타낸 것이다.

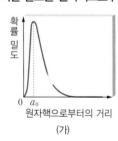

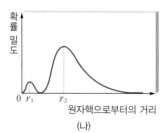

(가)   (나)

• 장벽의 퍼텐셜 에너지가 무한대이므로 입자는 장벽 밖으로 나올 수 없다.

이에 대한 설명으로 옳은 것만을 보기에서 있는 대로 고른 것은?

> 보기

ㄱ. 고전 역학의 해석에 따르면 입자의 에너지는 연속적인 값을 가진다.

ㄴ. $x>L$인 곳에서 입자를 발견할 확률은 0이 아니다.

ㄷ. $n=2$일 때 입자를 발견할 확률은 $x=0.5L$인 곳에서 최대이다.

① ㄱ   ② ㄴ   ③ ㄷ   ④ ㄱ, ㄷ   ⑤ ㄴ, ㄷ

06 ❭ 불확정성 원리와 수소 원자의 확률 밀도 함수

그림 (가), (나)는 수소 원자에서 주 양자수와 궤도 양자수(n, l)가 각각 (1, 0), (2, 0)일 때 전자가 존재할 확률 밀도를 원자핵으로부터의 거리에 따라 나타낸 것이다.

• 확률 밀도 함수 $|\Psi|^2$는 파동 함수 Ψ의 제곱으로, 어떤 지점의 일정 범위에서 전자가 존재할 확률을 나타낸다.

이에 대한 설명으로 옳은 것만을 보기에서 있는 대로 고른 것은?

> 보기

ㄱ. 에너지 준위는 (나)가 (가)보다 높다.

ㄴ. (나)에서 전자가 r_1, r_2에서 발견될 확률은 같다.

ㄷ. (나)에서 전자가 r_2에 있을 때가 r_1에 있을 때보다 큰 에너지를 갖는다.

① ㄱ   ② ㄷ   ③ ㄱ, ㄴ   ④ ㄴ, ㄷ   ⑤ ㄱ, ㄴ, ㄷ

07 › 불확정성 원리와 오비탈

그림은 수소 원자에서 전자가 발견될 실제 확률 $P(r)$를 원자핵으로부터의 거리 r에 따라 나타낸 것이다.

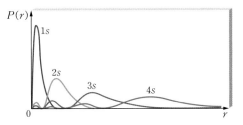

이에 대한 설명으로 옳은 것만을 보기에서 있는 대로 고른 것은?

보기
ㄱ. 바닥상태일 때 수소 원자의 크기가 가장 작다.
ㄴ. 주 양자수 2, 궤도 양자수 0일 때 전자껍질은 두 겹이다.
ㄷ. $1s$ 상태의 전자보다 $2s$ 상태의 전자가 원자핵으로부터 평균적으로 더 멀리 떨어져 있다.

① ㄱ   ② ㄴ   ③ ㄱ, ㄴ   ④ ㄴ, ㄷ   ⑤ ㄱ, ㄴ, ㄷ

• 바닥상태일 때, 전자가 발견될 확률이 가장 높을 때의 반지름이 가장 작다.

08 › 다전자 원자의 오비탈과 파울리 배타 원리

그림은 바닥상태의 다전자 원자에서 전자가 채워지는 순서를 주 양자수 n과 궤도 양자수 l에 따라 나타낸 것이다.

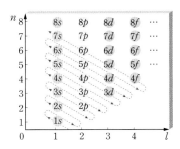

이에 대한 설명으로 옳은 것만을 보기에서 있는 대로 고른 것은?

보기
ㄱ. $4s$ 오비탈의 에너지는 $3d$ 오비탈의 에너지보다 크다.
ㄴ. 전자 사이의 상호 작용에 의해 에너지 준위가 변한다.
ㄷ. 원자가 바닥상태일 때 전자는 에너지가 낮은 준위부터 차례대로 채워진다.

① ㄴ   ② ㄷ   ③ ㄱ, ㄴ   ④ ㄴ, ㄷ   ⑤ ㄱ, ㄴ, ㄷ

• 다전자 원자의 경우 전자 사이의 상호 작용에 의해 에너지 준위가 주 양자수 n에 의해서만 결정되지 않고 궤도 양자수 l에 따라서도 달라진다.

01 > 이중 슬릿에 의한 빛의 간섭

그림과 같이 단일 슬릿에 파장이 λ인 단색광을 비추니 스크린에 간섭무늬가 나타났다. 이중 슬릿의 S_1과 S_2 사이의 거리는 d, 이중 슬릿과 스크린 사이의 거리는 L이고, 인접한 밝은 무늬 사이의 간격은 Δx이다. 이어서 파장이 λ인 빛 대신 파장이 1.5λ, 2λ인 단색광을 차례로 비췄다.

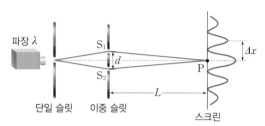

파장 λ / S_1 / d / S_2 / P / L / Δx
단일 슬릿 / 이중 슬릿 / 스크린

이에 대한 설명으로 옳은 것만을 보기에서 있는 대로 고른 것은?(단, 단일 슬릿에서 S_1, S_2까지의 거리는 같고, P점은 S_1, S_2로부터 같은 거리에 있는 스크린상의 점이다.)

> 보기

ㄱ. $\lambda = \dfrac{d \Delta x}{L}$ 이다.

ㄴ. 파장이 1.5λ인 단색광을 비추면 Δx는 작아진다.

ㄷ. 파장이 2λ인 단색광을 비추면 중앙에서 첫 번째 밝은 무늬가 생겼던 곳에 어두운 무늬가 생긴다.

① ㄱ   ② ㄴ   ③ ㄱ, ㄷ   ④ ㄴ, ㄷ   ⑤ ㄱ, ㄴ, ㄷ

- 간섭무늬에서 밝은 무늬 사이의 간격은 파장이 길수록, 슬릿 사이의 간격이 작을수록, 슬릿에서 스크린까지의 거리가 멀수록 크다.

02 > 도플러 효과

그림은 동일 직선상에서 자동차 A와 B가 운동하는 모습을 나타낸 것으로, A에서는 진동수가 f인 소리가 계속 발생하고 있다. 표는 상황 (가), (나), (다)와 같이 A와 B의 속도가 변하는 것을 나타낸 것으로, 오른쪽으로 운동할 때를 (+)로 나타내었다. 소리의 전파 속력은 v이다.

A f / B

상황	A의 속도	B의 속도
(가)	0	$-0.2v$
(나)	$+0.4v$	$+0.2v$
(다)	$+0.1v$	$-0.1v$

(가), (나), (다)에서 B의 음파 측정기에서 측정한 소리의 진동수를 각각 $f_{(가)}$, $f_{(나)}$, $f_{(다)}$라고 할 때, 세 진동수의 크기를 옳게 비교한 것은?

① $f_{(가)} = f_{(나)} = f_{(다)}$ ② $f_{(가)} > f_{(나)} > f_{(다)}$ ③ $f_{(나)} > f_{(가)} = f_{(다)}$

④ $f_{(나)} > f_{(다)} > f_{(가)}$ ⑤ $f_{(다)} > f_{(나)} > f_{(가)}$

- 도플러 효과에서 관찰자가 측정한 소리의 진동수는 파원과 관찰자 사이가 접근할 때는 음원에서 발생한 소리의 진동수보다 크고, 멀어질 때는 음원에서 발생한 소리의 진동수보다 작다.

그림은 LC 진동자를 이용하여 쌍극자 안테나를 통해 전자기파를 발생시키는 과정을 나타낸 것이다.

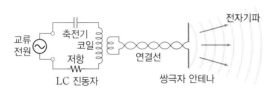

이에 대한 설명으로 옳은 것만을 보기에서 있는 대로 고른 것은?

보기

ㄱ. 쌍극자 안테나의 전하는 LC 진동자의 진동수보다 낮은 진동수로 진동한다.

ㄴ. 쌍극자 안테나에서는 크기와 방향이 변하는 전기장과 자기장이 만들어진다.

ㄷ. 에너지원은 열이나 전자기파의 형태로 소모되는 에너지를 보충한다.

① ㄱ   ② ㄷ   ③ ㄱ, ㄴ   ④ ㄴ, ㄷ   ⑤ ㄱ, ㄴ, ㄷ

• 전하가 진동하면 전기장의 변화와 자기장의 변화가 서로 원인과 결과가 되면서 전자기파가 발생한다.

그림은 폭이 d이고 광축에 평행한 광선이 렌즈 A와 B를 통과한 후 폭이 $\dfrac{d}{2}$가 된 것을 나타낸 것이다. A와 B 사이의 거리는 L이다.

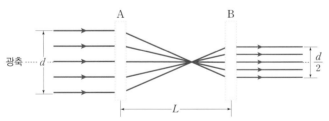

이에 대한 설명으로 옳은 것만을 보기에서 있는 대로 고른 것은?

보기

ㄱ. A는 볼록 렌즈이다.

ㄴ. A의 초점거리는 $\dfrac{2L}{3}$이다.

ㄷ. B는 항상 실상을 만든다.

① ㄴ   ② ㄷ   ③ ㄱ, ㄴ   ④ ㄱ, ㄷ   ⑤ ㄴ, ㄷ

• 볼록 렌즈에 의한 상은 물체에서 렌즈까지의 거리에 따라 달라지는데, 축소된 도립 실상, 확대된 도립 실상, 확대된 정립 허상이 있다.

05 › 빛의 입자성

그림 (가)는 광전관의 음극에 진동수가 f_A, f_B인 단색광 A와 B를 각각 비추는 것을 모식적으로 나타낸 것이고, (나)는 A와 B를 비추면서 양극 전압을 변화시킬 때 전류계에 흐르는 광전류의 세기를 양극 전압에 따라 나타낸 것이다. A, B를 비출 때 정지 전압은 각각 V_0, $2V_0$이다.

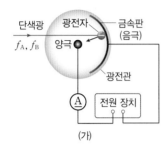

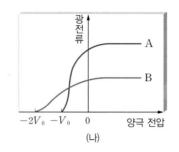

(가)   (나)

이에 대한 설명으로 옳은 것만을 보기에서 있는 대로 고른 것은? (단, $-e$는 전자의 전하량이고, h는 플랑크 상수이다.)

보기
ㄱ. A를 비출 때 방출되는 광전자의 최대 운동 에너지는 eV_0이다.
ㄴ. $f_B = 2f_A$이다.
ㄷ. 금속판의 일함수는 $hf_A - hf_B$이다.

① ㄱ   ② ㄴ   ③ ㄱ, ㄷ   ④ ㄴ, ㄷ   ⑤ ㄱ, ㄴ, ㄷ

• 광전 효과에서 광전자의 최대 운동 에너지는 다음과 같다.
$$E_k = eV_{정지} = hf - W$$

06 › 빛의 입자성

그림은 복사기에 'E'라는 글자가 쓰인 종이를 놓고 작동시켰을 때 빛이 종이에서 반사되어 (+)전하로 대전된 드럼에 도달하는 것을 나타낸 것이다. 아래 종이에는 'E'라는 글자가 복사된다.
이에 대한 설명으로 옳은 것만을 보기에서 있는 대로 고른 것은?

보기
ㄱ. 드럼에 도달한 빛은 광전 효과를 일으켜 드럼이 전하를 띠게 한다.
ㄴ. 토너 가루는 드럼의 글자 부분과 반대 전하로 대전되어 있다.
ㄷ. 토너 가루는 전기력에 의해 드럼에 달라붙게 된다.

① ㄱ   ② ㄴ   ③ ㄷ   ④ ㄴ, ㄷ   ⑤ ㄱ, ㄴ, ㄷ

• 복사기는 광전 효과를 이용하는 장치로, 글자가 없는 부분에서 반사된 빛이 드럼이 띤 (+)전하를 없애면 (−)전하를 띤 토너 가루가 달라붙지 않고, 글자 부분에만 토너 가루가 달라붙는다.

07 ▶ 입자의 파동성

그림 (가)는 균일한 전기장 속에서 금속박으로부터 높이 H인 곳에서 가만히 놓은 입자가 금속박으로 가속 운동을 하는 것을 나타낸 것이고, (나)는 (가)에서 같은 입자를 계속 반복하여 가만히 놓았을 때 형광판에 생긴 원형 무늬를 나타낸 것이다.

• 회절은 파동의 성질이며, 다른 조건이 같을 때 파동의 파장이 짧을수록 회절이 덜 일어난다.

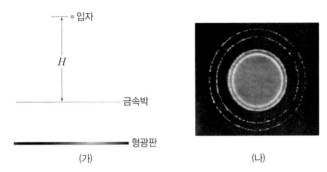

(가)   (나)

이에 대한 설명으로 옳은 것만을 보기에서 있는 대로 고른 것은? (단, 공기 저항은 무시한다.)

> 보기
> ㄱ. 입자가 금속박을 통과할 때 파동성을 나타낸다.
> ㄴ. 낙하하는 동안 입자의 물질파 파장은 점점 감소한다.
> ㄷ. 다른 조건은 그대로 두고 H만 증가시키면 (나)의 원형 무늬의 반지름이 증가한다.

① ㄱ   ② ㄷ   ③ ㄱ, ㄴ   ④ ㄴ, ㄷ   ⑤ ㄱ, ㄴ, ㄷ

08 ▶ 불확정성 원리

그림 (가)는 지름이 D인 전파 망원경으로 A 지점에 있는 별에서 방출되는 전파를 수신하는 것을 나타낸 것이고, (나)는 지상에 전파 망원경 여러 대를 배열한 VLA(Very Large Array)를 나타낸 것이다.

• 불확정성 원리에서 위치와 운동량의 불확정량은 다음과 같다.
$$\Delta x \Delta p \geq \frac{\hbar}{2}$$

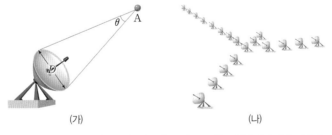

(가)   (나)

이에 대한 설명으로 옳은 것만을 보기에서 있는 대로 고른 것은? (단, h는 플랑크 상수이고, $\hbar = \dfrac{h}{2\pi}$이다.)

> 보기
> ㄱ. (가)에서 D가 클수록 전파의 위치의 불확정량은 커진다.
> ㄴ. (가)에서 전파의 운동량의 불확정량은 $\dfrac{\hbar}{2D}$보다 크다.
> ㄷ. VLA는 전파 망원경의 분해능을 높이는 역할을 한다.

① ㄱ   ② ㄷ   ③ ㄱ, ㄴ   ④ ㄴ, ㄷ   ⑤ ㄱ, ㄴ, ㄷ

01 그림과 같이 반사율이 **100 %**인 거울면에서 위쪽으로 d만큼 떨어진 곳에 슬릿이 있고, 슬릿에서 x만큼 떨어진 곳에 스크린이 있다. (단, d는 x에 비해 매우 작다.)

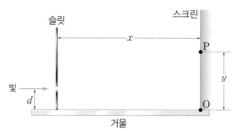

(1) 파장이 λ인 빛을 슬릿에 비추면 슬릿에서 직접 오는 빛과 반사된 빛에 의해서 스크린 위에 간섭무늬가 나타난다. 첫 번째 밝은 무늬가 생기는 지점 P와 거울 사이의 거리 y를 d, x, λ로 나타내고, 풀이 과정도 함께 서술하시오. (단, $y \ll x$이다.)

(2) 첫 번째 밝은 무늬가 생기던 위치에 어두운 무늬가 생기게 하려면 스크린을 슬릿 쪽으로 최소한 얼마만큼 움직여야 하는지를 풀이 과정과 함께 서술하시오.

KEYWORDS
(1) • 영의 실험에서 보강 간섭 조건
   • 반사에 의한 위상 변화
(2) • 영의 실험에서 상쇄 간섭 조건

02 그림과 같이 굴절률(n)이 **1.5**인 기름이 얇고 균일하게 물 위에 퍼져 있는 곳에 파장이 6.3×10^{-7} **m**인 빛을 공기 중에서 **60°**의 입사각으로 입사시켰다. 기름막의 두께를 점점 증가시켰더니 반사광의 세기가 변하였다.

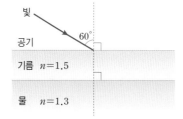

반사광의 세기가 최대에서 최소로 되었다가 다시 최대가 되는 동안에, 기름막의 두께는 대략 몇 **m**나 증가하는지를 풀이 과정과 함께 서술하시오. (단, 공기의 굴절률은 1, 물의 굴절률은 1.3이고, $\sqrt{6} \doteqdot 2.45$이다.)

KEYWORDS
• 얇은 막에 의한 간섭
• 반사에 의한 위상 변화

KEYWORDS
(1) • 마하 원뿔
(2) • 충격파

03 그림은 v_S의 일정한 속도로 날아가는 비행기에서 발생한 소리의 파면을 일정한 시간 간격으로 나타낸 것이다. O 지점에서 발생한 소리가 P 지점에 도달할 때 비행기의 음원은 S 지점을 지나간다. 소리의 속력은 v로 일정하고, $\overline{OS}$와 $\overline{PS}$가 이루는 각은 θ이다.

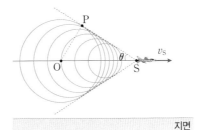

지면

(1) v와 v_S의 관계를 식으로 쓰시오.

(2) $\overline{PS}$와 같이 파면이 중첩된 원뿔 모양의 면에서 나타나는 현상을 서술하시오.

KEYWORDS
(1) • 회로 임피던스
    • 유도 리액턴스
(2) • 전압과 전류의 위상
(3) • 유도 기전력
    • 자체 유도 현상

04 다음은 형광등의 원리에 대한 설명이다.

> 그림과 같은 구조의 형광등에서 스위치를 켜면 스타트 전구에서 먼저 방전이 시작되어 1~2초 후에 내부 바이메탈이 휘며 접점에 붙게 된다. 이때 형광등 양쪽의 필라멘트가 가열되며 형광등 내부의 수은을 기화시킨다. 이후 스타트 전구의 접점이 떨어지면서 형광등이 방전되어 불이 켜진다.

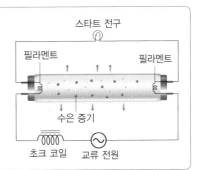

위의 형광등에 최댓값이 200 V이고, 진동수가 50 Hz인 교류 전압을 걸어 주었더니 형광등이 켜지기 전에 회로에 최댓값이 0.5 A인 전류가 흘렀다. 초크 코일의 저항은 25 Ω이고, 형광등이 켜지기 전 형광등의 필라멘트와 스타트 전구에 걸리는 전압의 최댓값은 100 V이었다.

(1) 초크 코일의 유도 리액턴스를 구하는 식을 쓰고, 대략 몇 Ω인지 구하시오.

(2) 전압과 전류의 위상차 ϕ에서 $\tan\phi$를 구하는 식을 쓰고, 그 값을 구하시오.

(3) 형광등은 처음에는 높은 전압에서 방전되고, 한번 방전이 되면 낮은 전압에서도 방전이 유지된다고 한다. 이때 직렬로 연결된 초크 코일은 스타트 전구와 함께 어떤 역할을 하는지 서술하시오.

05 그림은 물의 깊이가 12 cm인 물통의 바닥에 동전이 놓여 있고, 이 동전의 바로 위의 수면에서 6 cm 되는 곳에 초점 거리가 10 cm인 볼록 렌즈가 수평으로 놓여 있는 것을 나타낸 것이다.

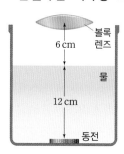

KEY WORDS
• 볼록 렌즈에 의한 상
• 겉보기 깊이

볼록 렌즈에 의한 동전의 상은 수면에서 높이 몇 cm인 곳에 생기는지를 풀이 과정과 함께 구하시오. (단, 물의 굴절률은 $\dfrac{4}{3}$ 이다.)

06 그림은 파장이 λ인 광자가 정지해 있는 질량 m인 전자와 충돌한 후 파장 λ'가 되어 θ의 각도로 산란하여 진행하고, 전자는 속력 v로 ϕ의 각도로 튀어나가는 것을 나타낸 것이다. (단, 빛의 속력은 c, 플랑크 상수는 h이다.)

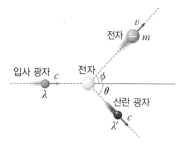

KEY WORDS
(1) • 광자의 운동량
    • 운동량 보존 법칙
(2) • 에너지 보존 법칙

(1) 광자와 전자의 운동량 보존 법칙을 수식으로 쓰시오.

(2) 상대론을 고려한 에너지와 운동량의 관계식은 $E^2=(mc^2)^2+p^2c^2$이다. 산란된 광자의 파장 변화량과 산란각 사이의 관계식이 $\lambda'-\lambda=\dfrac{h}{mc}(1-\cos\theta)$가 되는 것을 유도하시오.

07 그림 (가)는 니켈 결정에 의해 산란되는 전자선의 세기를 측정하는 실험 장치를 나타낸 것이고, (나)는 물질파 파장이 λ인 전자가 원자 사이의 거리가 D인 니켈 결정에서 산란될 때 경로를 나타낸 것이다.

KEY WORDS
(1) • 드브로이의 물질파
(2) • 브래그 회절

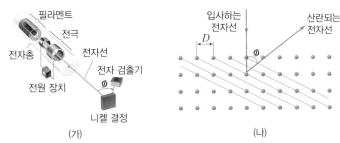

(가)

(나)

(1) (가)에서 정지한 전자가 54 V의 전압으로 가속될 때, 전자의 물질파 파장을 풀이 과정과 함께 구하시오. (단, 전자의 질량은 9.11×10^{-31} kg, 플랑크 상수는 6.63×10^{-34} J·s, 전자의 전하량은 1.60×10^{-19} C이다.)

(2) (나)에서 전자가 54 V로 가속되고, $D=0.215$ nm일 때, 산란된 전자선의 세기가 가장 센 각도 ϕ를 풀이 과정과 함께 구하시오. (단, 184쪽의 삼각함수표를 참고하시오.)

08 그림은 불확정성 원리를 설명하기 위한 현미경 사고 실험을 모식적으로 나타낸 것이다. 물체의 크기 x가 빛의 파장 λ에 비해 클 때, 물체에 충돌한 빛이 물체에서 θ의 각으로 벌어진 지름이 D인 렌즈로 진행하였다.

KEY WORDS
(1) • 위치의 불확정량
(2) • 운동량의 불확정량
(3) • 위치와 운동량의 불확정성
(4) • 불확정성 원리

(1) 물체의 위치 불확정량 Δx의 최솟값은 얼마가 되는지 서술하시오.

(2) 렌즈로 진행하는 광자의 운동량의 크기가 p일 때, 렌즈에 도달하는 광자의 운동량의 불확정량은 얼마가 되는지 서술하시오.

(3) 물체에 충돌하여 렌즈로 진행하는 빛은 단일 슬릿에서처럼 회절 현상이 나타난다. 각 θ일 때 빛이 상쇄된다고 하면 $\Delta x \sin\theta = \lambda$이다. 물체의 운동량의 불확정량 Δp를 λ와 Δx로 나타내시오.

(4) 물체의 위치와 운동량의 불확정성을 유도하고, 불확정성 원리가 성립하는지 쓰시오.

예시 문제

다음 제시문을 읽고, 물음에 답하시오.

● 출제 의도
전자기파의 발생과 수신 원리를 정확히 이해하고, 이를 적용할 수 있는지를 평가한다.

〈제시문 1〉 전자기파는 전기장과 자기장이 서로 진동하면서 퍼져 나가는 파동으로, 전하가 가속 운동할 때, 도선에 흐르는 전류가 변할 때, 전기 방전이 일어날 때 발생한다.

〈제시문 2〉 그림 (가)와 같이 LC 회로에서 스위치를 A에 연결하여 축전기를 완전히 충전시킨 후 스위치를 B에 연결하였다. 이때 축전기와 코일 사이에서는 전류가 주기적으로 진동하는 전기 진동이 일어났다. 전지의 전압은 V_0, 축전기의 전기 용량은 C, 코일의 자체 유도 계수는 L이다.

〈제시문 3〉 그림 (나)는 안테나를 이용하여 전자기파를 수신하는 전기 회로를 간략히 나타낸 것이다. 전자기파에 의해 안테나에 전류가 흐르면 상호 유도에 의해 코일과 축전기가 연결된 회로에 전류가 흐른다. AM 방송은 진동수가 kHz 단위인 전자기파를 사용하고 FM 방송은 MHz 단위인 전자기파를 사용하는데, AM 방송과 FM 방송을 수신할 때는 코일의 자체 유도 계수를 변화시켜 구분하고, 축전기의 전기 용량을 조정하여 원하는 진동수의 전자기파를 수신한다.

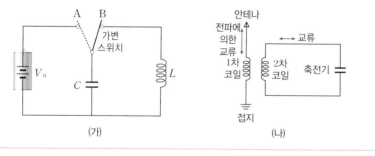

(가)   (나)

1 〈제시문 1〉을 토대로 도선에 일정한 세기의 직류가 흐를 때와 전류의 최댓값이 일정한 교류가 흐를 때, 도선 주위에서 일어나는 현상을 비교하여 서술하시오.

2 〈제시문 2〉의 LC 회로에서 코일의 전기 용량 C와 축전기의 자체 유도 계수 L이 전기 진동의 진동 주기에 어떻게 영향을 주는지 서술하고, 전기 진동의 진동수를 식으로 나타내시오.

3 〈제시문 2〉에서 전기 진동이 일어날 때 에너지 손실이 없다고 가정했을 때와 에너지 손실이 있을 때, 회로에 흐르는 전류를 그래프로 각각 나타내시오. (단, 가로축에는 주기를 표시하시오.)

4 〈제시문 3〉에서 특정 진동수의 전자기파만을 수신하기 위한 방법을 서술하고, 진동수가 **90 MHz**인 전자기파를 수신하기 위해서 필요한 축전기의 전기 용량은 몇 F인지 구하시오. (단, 코일의 자체 유도 계수는 3 H와 3×10^{-6} H 중 고를 수 있다.)

문제 해결 과정

1 도선에 전류가 흐르면 자기장이 생기는데, 자기장이 변할 때 전기장이 유도되어 전자기파가 발생한다.

2 전기 진동은 축전기와 코일 사이에 에너지가 서로 전환되어 나타나는 현상이다. 이때 축전기의 전기 용량이 크고, 코일의 자체 유도 계수가 클수록 진동이 서서히 일어나 진동 주기가 길어진다.

3 에너지 손실이 없을 때는 전류의 최댓값이 일정하게 유지되지만, 에너지 손실이 있을 때는 진폭이 감소하면서 진동이 일어난다. 이때 진동 주기는 변화가 없다.

4 전자기파를 수신하려면 전자기파의 진동수와 수신 회로의 공명 진동수를 일치시켜야 한다.

● 축전기와 코일로 이뤄진 LC 회로에서 전기 진동이 일어날 때 진동수는 축전기의 전기 용량 C와 코일의 자체 유도 계수 L이 클수록 작다.

● 저항, 축전기, 코일로 이루어진 교류 회로에서 공명 진동수는 다음과 같다.

$$f = \frac{1}{2\pi\sqrt{LC}}$$

예시 답안

1 도선에 일정한 세기의 직류가 흐를 때는 그 주위에 자기장이 생기지만 자기장의 세기와 방향의 변화가 없으므로 전자기파가 발생하지 않는다. 그러나 도선에 교류가 흐를 때는 전류의 세기와 방향이 변하고, 그에 따라 도선 주위 자기장의 세기와 방향도 변하므로, 전기장이 유도되어 전자기파가 발생한다.

2 전기 진동이 일어날 때 코일의 자체 유도 계수 L이 크면 전류가 증가하거나 감소할 때 자체 유도 현상에 의해 이를 억제하므로 전류의 변화가 서서히 일어나게 되고 진동 주기는 길어진다. 또, 축전기의 전기 용량 C가 크면 축전기가 완전히 충전되는 데 더 많은 시간이 걸리므로 진동 주기는 길어진다. 이때 전기 진동의 진동수 $f = \frac{1}{2\pi\sqrt{LC}}$이다.

3 에너지 손실이 없을 때는 전류의 최댓값이 일정하게 유지되므로 그림 (가)와 같은 형태가 된다. 이때 진동 주기 $T = \frac{1}{f} = 2\pi\sqrt{LC}$이다. 그러나 저항 등에 의한 에너지 손실이 있을 때는 전류의 최댓값이 계속 감소하므로 그림 (나)와 같은 형태가 된다. 이때 진동 주기 T는 변하지 않는다.

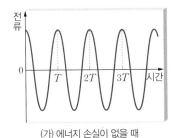
(가) 에너지 손실이 없을 때

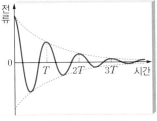
(나) 에너지 손실이 있을 때

4 진동수가 90 MHz인 전자기파를 수신하려면 수신 회로의 공명 진동수가 90 MHz가 되어야 한다. 90 MHz는 FM 방송에서 사용하는 진동수이므로, 코일의 자체 유도 계수가 작은 3×10^{-6} H(헨리)를 선택하여야 한다. 제시된 값을 대입하면, 필요한 축전기의 전기 용량은 다음과 같다.

$$90 \times 10^6 \text{ Hz} = \frac{1}{2\pi\sqrt{3 \times 10^{-6} \text{ H} \times C}}, \quad \therefore C \fallingdotseq 1.04 \times 10^{-12} \text{ F}$$

실전 문제

> 정답과 해설 179쪽

1 다음 제시문을 읽고 물음에 답하시오.

(가) 빛이 진행하다 굴절률이 작은 매질에서 굴절률이 큰 매질로 입사하면서 반사할 때는 고정단 반사가 일어나고, 반사 광선의 위상은 반대가 된다. 반면 빛이 굴절률이 큰 매질에서 굴절률이 작은 매질로 입사하면서 반사할 때는 자유단 반사가 일어나고, 반사 광선의 위상은 변하지 않는다.

(나) 그림은 태양 광선의 세기를 빛의 파장에 따라 나타낸 것으로, 파장이 580 nm 근처인 빛의 세기가 가장 세다.

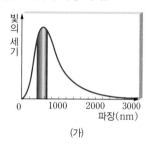

(가)

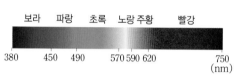

(나)

(다) 망원경, 사진기, 안경과 같은 광학 기기는 코팅을 하여 빛이 반사되는 것을 방지한다. 빛이 반사되지 않게 하려면 그림과 같이 코팅의 윗부분에서 반사되는 빛 A와 코팅과 렌즈(유리)의 경계면에서 반사되는 빛 B가 상쇄 간섭을 일으키게 하면 된다. 공기의 굴절률 $n_1=1$, 코팅 물질의 굴절률 $n=1.36$, 유리의 굴절률 $n_2=1.43$이다.

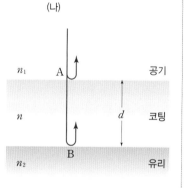

(1) 렌즈가 햇빛을 반사하지 않도록 하려면 코팅의 두께를 몇 μm로 하면 되는지 계산하고, 그렇게 계산한 까닭을 서술하시오.

(2) 일반적으로 코팅된 렌즈의 표면을 비스듬히 관찰하면 보라색으로 엷게 빛이 난다. 그 까닭을 서술하시오.

답안

_____

_____

_____

_____

_____

_____

* **출제 의도**
  파장별 빛의 세기를 토대로 가장 효율적인 반사 방지 코팅의 두께를 정확히 구할 수 있는지 평가한다.

* **문제 해결을 위한 배경 지식**
  · **간섭 조건:** 위상 변화가 없다면 보강 간섭이 일어나기 위해서는 광로차가 반파장의 짝수 배가 되어야 하고, 상쇄 간섭이 일어나기 위해서는 광로차가 반파장의 홀수 배가 되어야 한다.

2 다음 제시문을 읽고, 물음에 답하시오.

> (가) 전자선을 단일 슬릿에 쏘아 통과시키면 스크린에 회절 무늬를 만든다. 다른 조건이 같다면 회절 무늬의 너비는 전자의 물질파 파장이 길수록 크다.
>
> (나) 슬릿의 폭이 d인 단일 슬릿을 통과하는 전자에 불확정성 원리를 적용하면, y축 방향의 위치의 불확정량 Δy와 운동량의 불확정량 Δp_y는 $\Delta y \Delta p_y \geq \dfrac{h}{2}$이다. 이때 위치의 불확정량 Δy는 슬릿의 폭과 같은 d이고, d가 작을수록 회절이 더 잘 되므로 Δp_y는 증가한다.
>
>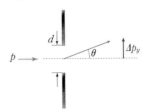
>
> (다) 사냥꾼이 총을 쏠 때 총알이 총구를 빠져나가는 것은 전자가 단일 슬릿을 통과하는 것과 유사하다고 볼 수 있다. 플랑크 상수가 매우 작기 때문에 총알에서 불확정성 원리는 크게 문제가 되지 않는다. 그러나 플랑크 상수가 현재 값(6.6×10^{-34} J·s)보다 매우 크다면 총알에서도 불확정성 원리가 적용될 것이다.

(1) 플랑크 상수가 현재 값보다 매우 크다면, 사냥꾼이 목표물을 정확히 맞힐 수 있을지 제시문 (가)와 관련지어 서술하고, 이때 사냥꾼이 총을 어떻게 쏘아야 하는지 서술하시오.

(2) 플랑크 상수가 현재 값보다 매우 크다면, 사냥꾼이 목표물을 정확히 조준하고 총을 쏘았을 때 사냥꾼이 목표물을 맞히기 어려운 까닭을 제시문 (나), (다)와 관련지어 서술하시오.

답안

• **출제 의도**
플랑크 상수가 매우 작아 거시 세계에서는 불확정성 원리가 무시되지만, 플랑크 상수가 매우 크다면 거시 세계에서도 적용될 수 있다. 플랑크 상수가 매우 크다고 가정할 때, 사냥에서 불확정성 원리를 적용할 수 있는지 평가한다.

• **문제 해결을 위한 배경 지식**
• **불확정성 원리:** 입자의 위치와 운동량을 동시에 정확히 측정할 수 없으며, $\Delta x \Delta p \geq \dfrac{h}{2}$이다.

answers & solutions

정답과 해설

3권 **III 파동과 물질의 성질**

1. 전자기파와 통신   152

2. 빛과 물질의 이중성   164

III 파동과 물질의 성질

1. 전자기파와 통신

01 전자기파의 간섭과 회절

개념 모아 **정리하기**　24쪽~25쪽

❶ 위상　❷ π　❸ 2π　❹ 하위헌스
❺ 같은　❻ 작아　❼ 상쇄　❽ 비례
❾ $\dfrac{L\lambda}{d}$　❿ $2nd\cos\theta$　⓫ 1　⓬ 2
⓭ 상쇄　⓮ $\dfrac{\lambda}{2\tan\theta}$　⓯ 길　⓰ 어두운
⓱ 밝은　⓲ 회절격자

개념 **기본 문제**　26쪽~27쪽

01 ㄱ, ㄴ, ㄷ　　**02** ㄴ　　**03** ㄱ, ㄴ, ㄷ　　**04** ㄱ, ㄴ, ㄷ
05 (1) 2.5λ (2) $\dfrac{dx}{2.5L}$ (3) 해설 참조　　**06** 붉은 빛: 6 mm,
푸른 빛: 4.5 mm　　**07** ㄱ, ㄴ　　**08** 250 nm　　**09** 해설 참조
10 ㄷ　　**11** 1.2×10^{-6} m　　**12** 1.2배　　**13** ㄱ, ㄴ, ㄷ

01 ㄱ. 파면 위의 각 점은 새로운 점파원이 되어 구면파를 만들고, 구면파에 공통으로 접하는 면이 다음 순간의 파면이 된다.
ㄴ. 파동의 진행 방향과 파면은 항상 직각을 이룬다.
ㄷ. 파동은 한 주기 동안 한 파장만큼 진행하므로, PQ 사이의 거리는 파장과 같다.

02 ㄴ. 동일한 두 파동이 같은 위상으로 중첩되면 보강 간섭을 하므로 합성파의 진폭이 커진다.
바로 알기 ㄱ. 파동이 중첩되면 합성파의 진폭이 변한다.
ㄷ. 파장과 진동수가 동일한 두 파동이 반대 위상으로 중첩되어 상쇄 간섭을 할 때, 중첩되는 두 파동의 진폭이 동일할 때만 합성파의 진폭이 0이 된다.

03 ㄱ, ㄴ. P, Q에서 두 물결파는 같은 위상(마루와 마루, 골과 골)으로 중첩되므로, 보강 간섭이 일어난다. 따라서 수면은 물결파 진폭의 2배로 계속 진동한다.
ㄷ. R에서 마루와 골이 중첩되므로 상쇄 간섭이 일어난다. 따라서 수면은 계속 진동하지 않고 잔잔하다.

04 ㄱ. 이중 슬릿을 통과한 마이크로파가 수신기에 도달할 때 수신기의 각도에 따라 상대적 세기가 변하는 까닭은 마이크로파가 이중 슬릿을 통과하면서 회절하여 서로 간섭하기 때문이다.
ㄴ. 상대적 세기가 0인 각도에서는 상쇄 간섭이 일어나고, 상대적 세기가 강한 각도에서는 보강 간섭이 일어난다.
ㄷ. 마이크로파의 상대적 세기가 0이 되는 최소 각도는 두 슬릿으로부터의 경로차가 반파장이 되는 각도이다. 마이크로파의 파장이 길수록 경로차가 반파장이 되는 지점의 각도가 커지므로, 상대적 세기가 0이 되는 최소 각도는 증가한다.

05 (1) 이중 슬릿을 지난 두 단색광이 상쇄 간섭하는 곳에서 어두운 무늬가 생기므로, 어두운 무늬가 나타날 조건은 다음과 같다.
$$\Delta=\frac{\lambda}{2}(2m+1)\,(m=0,\,1,\,2,\,\cdots)$$
P는 중앙에서 세 번째 어두운 무늬가 생긴 지점이므로, $m=2$인 지점으로 두 슬릿으로부터의 경로차는 2.5λ이다.
(2) 이중 슬릿에 의한 간섭무늬에서 이웃한 밝은 무늬 사이의 간격 $\Delta x=\dfrac{L\lambda}{d}$이다. 그림에서 이웃한 밝은 무늬 사이의 간격이 $\Delta x=\dfrac{x}{2.5}$이므로, 단색광의 파장 λ는 다음과 같다.
$$\lambda=\frac{d\Delta x}{L}=\frac{d\dfrac{x}{2.5}}{L}=\frac{dx}{2.5L}$$
(3) **모범 답안** 밝은 무늬 사이의 간격은 단색광의 파장 λ가 길수록, 이중 슬릿 사이의 간격 d가 작을수록, 이중 슬릿에서 스크린까지의 거리 L이 클수록 커진다.

채점 기준	배점(%)
3가지를 모두 옳게 서술한 경우	100
2가지만 옳게 서술한 경우	60
1가지만 옳게 서술한 경우	30

06 이중 슬릿에 의한 빛의 간섭에서 첫 번째 보강 간섭이 일어나는 지점은 두 슬릿에서 나온 빛의 경로차가 λ가 되는 곳이다.
$$\Delta=\frac{dx}{L}=\lambda \;\Rightarrow\; x=\frac{L\lambda}{d}$$
따라서 붉은 빛과 푸른 빛이 각각 첫 번째 보강 간섭을 하는 지점이 스크린의 중앙에서 떨어진 거리 x_1, x_2는 다음과 같다.

• 붉은 빛: $x_1=\dfrac{L\lambda_1}{d}=\dfrac{2\text{ m}\times6\times10^{-7}\text{ m}}{2\times10^{-4}\text{ m}}=6\times10^{-3}\text{ m}$

• 푸른 빛: $x_2=\dfrac{L\lambda_2}{d}=\dfrac{2\text{ m}\times4.5\times10^{-7}\text{ m}}{2\times10^{-4}\text{ m}}=4.5\times10^{-3}\text{ m}$

07 ㄱ. 비누 막의 무지개 색의 띠는 얇은 비누 막의 앞면과 뒷면에서 반사된 두 빛이 간섭하여 나타난다.

ㄴ. 막의 두께에 따라 반사한 두 빛의 경로차가 달라지므로 보강 간섭이 일어나는 빛의 파장이 달라진다.

바로 알기 ㄷ. 붉게 보이는 곳은 붉은 색 빛이 보강 간섭을 한 곳이다.

08 단색광을 평면 유리에 수직으로 비추면 평면 유리 사이 공기층의 양쪽 면에서 반사한 두 빛이 간섭하여 간섭무늬가 나타난다. 공기층의 두께를 d라고 하면, 두 빛이 상쇄 간섭을 할 조건은 다음과 같다.

$$2d = \frac{\lambda}{2}(2m) = \lambda m \ (m = 0, 1, 2, \cdots)$$

A, B를 m번째와 $m+1$번째 상쇄 간섭이 일어나는 지점이라고 하면, $(d_2 - d_1)$은 다음과 같다.

$$2(d_2 - d_1) = \lambda(m+1) - \lambda m = \lambda$$

$$(d_2 - d_1) = \frac{\lambda}{2} = \frac{500 \ \text{nm}}{2} = 250 \ \text{nm}$$

09 **모범 답안** (가)와 (나)에서 슬릿의 폭이 작은 (가)의 물결파가 더 넓게 회절하므로, 파장이 같을 때 슬릿의 폭이 작을수록 회절이 잘 일어난다는 것을 알 수 있다. (가)와 (다)에서 물결파의 파장이 긴 (가)의 물결파가 더 넓게 회절하므로, 슬릿의 폭이 같을 때 파장이 길수록 회절이 잘 일어난다는 것을 알 수 있다.

채점 기준	배점(%)
2가지를 모두 옳게 서술한 경우	100
1가지만 옳게 서술한 경우	50

10 회절은 슬릿의 폭이 작을수록 잘 일어난다. 문제의 사진을 보면 단일 슬릿을 통과한 레이저 빛의 회절 무늬 간격이 상하보다 좌우가 더 넓으므로, 단일 슬릿의 폭은 상하보다 좌우가 더 좁은 것을 알 수 있다. 따라서 단일 슬릿은 ㄷ과 같이 가로가 더 좁은 직사각형 모양이다.

11 단일 슬릿의 폭을 2등분 하였을 때 슬릿의 중앙과 끝부분에서 나온 빛의 경로차 $\frac{\lambda}{2}$가 되는 각도 θ에서 첫 번째 어두운 무늬가 나타난다. 단일 슬릿의 폭을 a라고 하면, 첫 번째 어두운 무늬가 나타날 조건은 다음과 같다.

$$\frac{a}{2}\sin\theta = \frac{\lambda}{2} \implies a\sin\theta = \lambda$$

따라서 단일 슬릿의 폭은 다음과 같다.

$$a = \frac{\lambda}{\sin\theta} = \frac{600 \ \text{nm}}{\sin 30°} = 1200 \ \text{nm} = 1.2 \times 10^{-6} \ \text{m}$$

12 슬릿에서 스크린까지의 거리가 L이고, 폭이 a인 단일 슬릿에 의한 빛의 회절에서 가운데 밝은 무늬의 폭은

$$D = 2\Delta x = \frac{2L\lambda}{a}$$이므로, 빛의 파장 λ에 비례한다.

$$\frac{D_1}{D_2} = \frac{\lambda_1}{\lambda_2} = \frac{600 \ \text{nm}}{500 \ \text{nm}} = 1.2$$

13 ㄱ. CD 표면의 무지갯빛은 CD 표면의 작은 홈에서 반사한 빛이 간섭하여 생긴 것이다.

ㄴ. 공작새 깃털의 여러 가지 색은 깃털의 작은 구조물에서 반사한 빛들이 간섭하여 생긴 것이다.

ㄷ. 장애물이 많은 지역에서 FM 방송보다 AM 방송이 잘 들리는 까닭은 AM 방송에 사용하는 전파의 파장이 더 길어서 회절이 잘 되기 때문에 장애물 뒤쪽까지도 전파가 잘 전달되기 때문이다.

바로 알기 ㄹ. 프리즘을 통과한 햇빛이 무지개 색의 띠를 이루는 까닭은 빛의 진동수에 따라 프리즘의 굴절률이 달라져서 빛의 색깔에 따라 굴절하는 정도가 달라지기 때문이다.

개념 적용 문제 28쪽~31쪽

01 ③ **02** ③ **03** ④ **04** ② **05** ③ **06** ③
07 ⑤ **08** ①

01 P는 마디선 위의 한 점이므로, 상쇄 간섭이 일어나는 지점이다. 중앙의 Q는 경로차가 0인 점으로 보강 간섭이 일어나고, R는 중앙에서 첫 번째 떨어진 보강 간섭이 일어나는 점으로, 경로차가 물결파의 파장 λ와 같다.

ㄱ. a, b에서 발생한 물결파의 위상이 반대가 되면, 경로차가 0인 Q에서 서로 반대 위상의 물결파가 중첩되어 상쇄 간섭이 일어난다. 따라서 Q에서 수면은 계속 잔잔하다.

ㄴ. 수면을 두드리는 주기가 2배가 되면 새로운 물결파의 파장은 2λ가 된다. 따라서 경로차가 λ였던 R는 경로차가 $\frac{1}{2} \times 2\lambda = \lambda$로, 새로운 물결파 파장의 $\frac{1}{2}$배가 된다. 이때 a, b의 위상이 반대이므로, R에서 두 물결파는 같은 위상으로 만나게 되어 보강 간섭이 일어난다.

바로 알기 ㄷ. P는 경로차가 $1.5\lambda = \frac{3}{4} \times 2\lambda$로 새로운 물결파 파장의 $\frac{3}{4}$배이다. 파원 a, b의 위상이 반대이므로 두 물

결과는 P에서 $\dfrac{\lambda}{4}$의 차이로 중첩되어, 수면은 작게 진동한다. 반면, R에서는 보강 간섭이 일어나므로, 파원에서 발생한 물결파 진폭의 2배로 진동한다. 따라서 P에서의 진폭은 R에서의 진폭보다 작다.

02 ㄱ. (가)에서 O는 중앙의 밝은 무늬가 생긴 곳이므로, 두 슬릿 S_1, S_2로부터의 경로차가 0이다. 따라서 $\overline{OS_1}$과 $\overline{OS_2}$는 같다.

ㄷ. (다)에서 이중 슬릿을 아래로 이동시키면 단일 슬릿에서 S_1을 지나 O까지의 경로가 S_2를 지나는 경로보다 작아진다. 중앙의 밝은 무늬는 전체 경로차가 0인 점에 생기므로, 스크린에서 O보다 아래에 생긴다.

바로 알기 ㄴ. (나)에서 S_1 앞에 굴절률이 n인 얇은 막을 놓으면 단색광의 파장이 $\dfrac{\lambda}{n}$로 감소하여 광로가 증가한다. 따라서 광로차가 0이 되는 중앙의 밝은 무늬는 위쪽으로 이동한다. 광로차가 변할 뿐 밝은 무늬 사이의 간격은 Δx로 변화가 없다.

03 ① 밝은 무늬는 두 슬릿에서 온 단색광이 보강 간섭을 하여 생긴다.

② 어두운 무늬는 두 슬릿에서 온 단색광이 상쇄 간섭을 하여 생긴다.

③, ⑤ 밝은 무늬 사이의 간격 $\Delta x = \dfrac{L\lambda}{d}$이므로, 파장 λ가 긴 빛을 사용할수록, 슬릿 사이의 간격 d가 좁을수록(➡ ④), 슬릿에서 스크린까지의 거리 L이 길수록 Δx는 증가한다.

04 ㄷ. 공기 중에서 빛의 파장을 λ라 할 때 굴절률이 n인 액체 속에서 빛의 파장 λ'는 다음과 같다.

$$\lambda' = \dfrac{\lambda}{n} = \dfrac{\lambda}{1.5}$$

즉, 액체 속에서 빛의 파장이 $\dfrac{\lambda}{1.5}$로 감소하므로, 액체 속에서 밝은 무늬 사이의 간격 $\Delta x'$는 다음과 같이 달라진다.

$$\Delta x' = \dfrac{L\lambda'}{d} = \dfrac{L}{d} \times \dfrac{\lambda}{1.5} = \dfrac{1}{1.5} \times \dfrac{L\lambda}{d} = \dfrac{\Delta x}{1.5}$$

따라서 이웃한 밝은 무늬 사이의 간격도 $\dfrac{1}{1.5}$배로 감소한다.

바로 알기 ㄱ. 빛의 진동수는 매질이 달라지더라도 변하지 않는다. 즉, 액체 속에서 빛의 진동수는 공기 중에서의 진동수와 같다.

ㄴ. 스크린의 중앙 O에서 세 번째 밝은 무늬가 있던 지점 P는 두 슬릿으로부터의 경로차가 3λ이다. 굴절률이 1.5인 액체에서 실험하면 파장이 $\lambda' = \dfrac{\lambda}{1.5}$로 감소하므로 P는 경로차가

$$\Delta = 3\lambda = 4.5 \times \dfrac{\lambda}{1.5} = 4.5\lambda'$$

으로 액체 속에서 단색광 파장의 4.5배가 된다. 따라서 P에서는 상쇄 간섭이 일어나 어두운 무늬가 생긴다.

05 ㄱ. a는 굴절률이 작은 물질에서 큰 물질로 진행하며 반사되므로 고정단 반사가 일어난다. 따라서 반사되는 순간 위상이 반대가 된다.

ㄴ. 빛의 대부분이 반사되지 않고 투과한다고 했으므로, 반사된 빛 a와 b는 상쇄 간섭을 일으킨다.

바로 알기 ㄷ. b는 굴절률이 큰 물질에서 작은 물질로 진행하면서 반사되므로 자유단 반사가 일어나 위상이 변하지 않는다. 따라서 a와 b가 상쇄 간섭 할 수 있는 얇은 막의 최소 두께를 d라 할 때 광로차 $2nd$가 공기 중에서 단색광의 파장 λ가 되어야 한다.

$$2nd = \lambda,\ 2 \times 1.5 \times d = 600\ \text{nm}, \therefore d = 200\ \text{nm}$$

06 ㄱ, ㄷ. (가)와 (나) 모두 슬릿을 통과하면서 물결파와 빛이 회절하여 나타난 현상이다. (가)에서 슬릿의 폭이 좁을수록 물결파의 회절이 잘 일어나므로, 슬릿을 통과한 후 더 넓게 퍼진다.

바로 알기 ㄴ. (나)에서 붉은색 레이저보다 파장이 짧은 초록색 레이저를 사용하면 빛이 슬릿을 지나며 회절이 덜 일어나므로, 스크린에 나타난 중앙의 밝은 무늬의 폭 D는 작아진다.

07 ㄱ. 회절 무늬는 중앙의 밝은 무늬의 폭이 그 다음 밝은 무늬 간격의 2배이다. 따라서 $\overline{OP}$는 $\overline{PR}$와 같다.

ㄴ. Q는 첫 번째 밝은 무늬가 나타난 곳으로, 슬릿을 3등분했을 때 이웃한 두 부분에서 나온 빛의 경로차가 $\dfrac{\lambda}{2}$가 되는 점이다. 따라서 A와 B로부터의 경로차는 1.5λ이다.

ㄷ. $\overline{OP}$는 회절 무늬의 간격과 같으므로, $\Delta x = \dfrac{L\lambda}{a}$이다.

08 ㄱ. 왼쪽의 두 그림은 이중 슬릿에 의한 빛의 간섭무늬이고, 오른쪽의 두 그림은 단일 슬릿에 의한 빛의 회절 무늬이다. 간섭무늬를 보면 청색광의 밝은 무늬 사이의 간격이 적색광의 밝은 무늬 사이의 간격보다 좁다는 것을 알 수 있다. 적색광보다 청색광의 파장이 짧으므로, 간섭무늬 사이의 간격은 파장이 짧을수록 좁다는 것을 알 수 있다.

바로 알기 ㄴ. 이 실험에서 슬릿의 폭을 변화시키면서 회절 무늬를 얻은 것이 없으므로, 슬릿의 폭에 따른 회절 무늬의

비교는 어렵다. 또한 실제로는 파장이 같을 때 단일 슬릿의 폭이 좁을수록 회절이 더 잘 일어난다.

ㄷ. 적색광과 청색광의 회절 무늬에서 가운데 밝은 무늬의 폭은 적색광이 더 넓다. 즉, 적색광이 청색광보다 회절이 더 잘 일어나므로, 물체의 그림자는 빨간색 조명 아래에 있을 때가 더 흐릿하다.

02 도플러 효과

집중 분석　　　　　　　　　　　　　　40쪽

유제 ②

유제 음원은 관찰자 쪽으로 이동하고, 관찰자는 음원으로부터 멀어지므로 철수가 듣는 사이렌 소리의 진동수 f'는 도플러 효과의 식을 적용하면 다음과 같다.

$$f' = \frac{340 \text{ m/s} - 40 \text{ m/s}}{340 \text{ m/s} - 10 \text{ m/s}} \times 660 \text{ Hz}$$

$$= \frac{300 \text{ m/s}}{330 \text{ m/s}} \times 660 \text{ Hz}$$

$$= 600 \text{ Hz}$$

개념 모아 정리하기　　　　　　　　41쪽

❶ 도플러　　❷ 감소　　❸ $\dfrac{v}{v-v_s}$　　❹ 증가

❺ $\dfrac{v-v_o}{v}$　　❻ 적색 이동　　❼ 접근할　　❽ 적색

❾ 멀리　　❿ 빠를　　⓫ 마하 수

개념 기본 문제　　　　　　　　42쪽~43쪽

01 ㄱ, ㄴ　**02** (1) A: 805 Hz, B: 795 Hz (2) 2배　**03** $\dfrac{(V+v)^2}{(V-v)^2}$

04 ㄷ　**05** (1) $\dfrac{V}{V-v}f$ (2) $\dfrac{V+v}{V-v}f$　**06** (가)-A, (나)-C,

(다)-B　**07** ㄱ, ㄴ, ㄷ　**08** ㄱ, ㄴ　**09** ㄱ, ㄴ, ㄷ

01 ㄱ. (가)에서 파면을 한 주기 간격으로 나타냈으므로, 이웃한 파면 사이의 거리는 한 주기 동안 파동이 이동한 거리인 파장을 나타낸다.

ㄴ. (나)에서 A에게 도달하는 소리의 이웃한 파면 사이의 거리가 (가)에서보다 증가하므로, (나)에서 A가 듣는 소리의 파장은 (가)에서보다 증가한다.

(바로 알기) ㄷ. (나)에서 B가 듣는 소리의 파장이 (가)에서보다 감소하므로, (나)에서 B가 듣는 소리의 진동수는 (가)에서보다 증가한다.

02 (1) A가 음원 쪽으로 접근하므로, A가 듣는 소리의 진동수 f_A는 도플러 효과에 의해 다음과 같이 증가한다.

$$f_A = \frac{340 \text{ m/s} + 2 \text{ m/s}}{340 \text{ m/s}} \times 800 \text{ Hz} \fallingdotseq 805 \text{ Hz}$$

B는 음원에서 멀어지므로, B가 듣는 소리의 진동수 f_B는 도플러 효과에 의해 다음과 같이 감소한다.

$$f_B = \frac{340 \text{ m/s} - 2 \text{ m/s}}{340 \text{ m/s}} \times 800 \text{ Hz} \fallingdotseq 795 \text{ Hz}$$

(2) 소리의 속력을 v, A, B의 속력을 v_o라고 하면, A는 음원 쪽으로 v_o의 속력으로 다가가므로, A가 듣는 소리의 진동수 $f_A = \dfrac{v + v_o}{v}f$이다. B는 음원으로부터 v_o의 속력으로 멀어지므로, B가 듣는 소리의 진동수 $f_B = \dfrac{v - v_o}{v}f$이다. 따라서 $f_A - f_B$는 다음과 같다.

$$f_A - f_B = \frac{v + v_o}{v}f - \frac{v - v_o}{v}f = \frac{2v_o}{v}f$$

$f_A - f_B$는 A, B의 속력 v_o에 비례하므로, v_o가 2배가 되면 A, B가 듣는 소리의 진동수 차도 2배가 된다.

03 (가)에서 음원과 음파 측정기가 서로 접근하므로, 음파 측정기에서 측정되는 소리의 진동수 $f_{(가)}$는 도플러 효과에 의해

$$f_{(가)} = \frac{V+v}{V-v}f$$

가 된다. (나)에서는 음원과 음파 측정기가 서로 멀어지므로, 음파 측정기에서 측정되는 소리의 진동수 $f_{(나)}$는

$$f_{(나)} = \frac{V-v}{V+v}f$$

가 된다. 따라서 $\dfrac{f_{(가)}}{f_{(나)}}$는 다음과 같다.

$$\frac{f_{(가)}}{f_{(나)}} = \frac{\dfrac{V+v}{V-v}f}{\dfrac{V-v}{V+v}f} = \frac{(V+v)^2}{(V-v)^2}$$

04 ㄷ. 철수가 듣는 소리의 진동수는 버저가 Q를 지날 때는 f보다 작고 R를 지날 때는 f와 같고, S를 지날 때는 f보다 크다. 따라서 철수가 듣는 소리의 진동수는 점점 증가한다.

바로 알기 ㄱ. 버저가 Q를 지날 때는 음원(버저)이 관찰자인 철수로부터 멀어지므로, 철수가 듣는 소리의 진동수는 f보다 작다.

ㄴ. 버저가 P를 지날 때는 버저와 철수를 잇는 직선 방향의 속도(시선 속도)가 0이므로, 철수가 듣는 소리의 진동수는 f이다.

05 (1) 음원이 벽 쪽으로 v의 속력으로 접근하므로 벽에 도달하는 소리의 진동수는 $\dfrac{V}{V-v}f$로 증가한다.

(2) 벽에 도달한 소리의 진동수가 $\dfrac{V}{V-v}f$이므로, 반사된 소리의 진동수도 $\dfrac{V}{V-v}f$이다. 이 소리를 자동차에 탄 관찰자가 v의 속력으로 접근하면서 측정하므로, 관찰자가 측정한 소리의 진동수 f'는 다음과 같다.

$$f' = \frac{V+v}{V} \times \frac{V}{V-v}f = \frac{V+v}{V-v}f$$

06 별이 지구로부터 멀어질 때는 도플러 효과에 의해 지구에서 관측한 별에서 온 빛의 파장이 길어지므로, (가)와 같이 스펙트럼이 붉은색 쪽으로 이동하는 적색 이동이 일어난다. 반대로 별이 지구에 가까워질 때는 도플러 효과에 의해 지구에서 관측한 별에서 온 빛의 파장이 짧아지므로, (다)와 같이 스펙트럼이 푸른색 쪽으로 이동하는 청색 이동이 일어난다. 따라서 (가)는 지구로부터 멀어지는 별(A), (나)는 지구로부터 일정한 거리에 있는 별(C), (다)는 지구 쪽으로 가까워지는 별(B)의 흡수 스펙트럼이다.

07 ㄱ. 스피드 건은 마이크로파를 발사한 후 야구공에서 반사되어 오는 마이크로파의 진동수를 측정하고, 이 값을 비교하여 도플러 효과를 이용해 야구공의 속력을 구한다.

ㄴ. 기상 레이더는 라디오파를 발사한 후 공기 중의 입자에서 반사되어 오는 라디오파의 진동수를 측정하여 비교한다. 이를 이용해 대기의 운동을 측정하고, 구름이나 태풍의 속도 등을 알아낸다.

ㄷ. 은하로부터 오는 빛의 스펙트럼을 관측하여 빛의 진동수가 얼마나 변했는지를 알면 은하의 후퇴 속도를 구할 수 있다.

바로 알기 ㄹ. 천체 망원경 표면을 코팅하여 반사되는 빛을 줄이는 것은, 반사된 빛의 상쇄 간섭을 이용하는 것이다.

08 ㄱ. 소리의 속력을 V, 먹이가 멀어지는 속력을 v라고 할 때 박쥐에 도달하는 반사파의 진동수 f는 다음과 같다.

$$f = \frac{V}{V+v}f_0$$

따라서 먹이가 멀어지는 속력 v가 클수록 박쥐에 도달하는 반사파의 진동수 f는 작아진다.

ㄴ. 먹이가 박쥐 쪽으로 접근하면 먹이에서 반사된 초음파는 마치 음원이 박쥐 쪽으로 접근할 때와 같다. 따라서 도플러 효과에 의해 박쥐에 도달하는 반사파의 진동수는 f_0보다 크다.

바로 알기 ㄷ. 초음파의 전파 속력은 매질인 공기에 의해 정해지므로, 먹이의 속력과 무관하다.

09 ㄱ. (가)에서는 S에서 발생한 소리의 파면이 S가 이동하는 곳에서 모두 겹쳐지므로, S의 속력은 소리의 속력과 같다.

ㄴ. (가)에서는 S에서 발생한 소리의 파면이 한 점에서 겹쳐지므로, 이곳에는 매우 강한 음파가 만들어진다.

ㄷ. (나)는 S의 속력이 소리의 속력보다 클 때로, 음원에서 발생한 음파의 파면에 의해 S를 정점으로 하는 마하 원뿔이 형성되므로 충격파가 발생한다.

개념 적용 문제 44쪽~45쪽

01 ② **02** ③ **03** ④ **04** ④

01 구급차의 속력을 v, 소리의 속력을 V라고 하자. 0~t_0 동안 음원인 구급차가 철수를 향해 접근하므로, 철수가 듣는 소리의 진동수 f_1은 다음과 같다.

$$f_1 = \frac{V}{V-v}f_0$$

t_0 이후에는 음원인 구급차가 철수로부터 v의 속력으로 점점 멀어지므로, 이때 철수가 듣는 소리의 진동수 f_2는 다음과 같다.

$$f_2 = \frac{V}{V+v}f_0$$

따라서 0~t_0 동안에는 $f_1 > f_0$이고, t_0 이후에는 $f_2 < f_0$이므로 그래프는 ② 또는 ③과 같다. 그런데 철수가 측정한 진동수와 원래 진동수의 차를 비교하면 $(f_1 - f_0) > (f_0 - f_2)$이므로, 철수가 듣는 소리의 시간에 따른 진동수 그래프는 ②와 같다.

02 음원인 자동차와 관찰자인 벽이 모두 운동하면서 서로 접근하므로, 벽에 도달하는 소리의 진동수 $f_{벽}$은 다음과 같다.

$$f_{벽}=\frac{V+v}{V-v_0}f_0$$

벽에서는 도달한 소리가 그대로 반사되므로, 벽에서 반사되는 소리의 진동수도 $f_{벽}$이 된다. 자동차에 탄 관찰자가 이 소리를 들을 때 음원인 벽이 관찰자 탄 자동차 쪽으로 v의 속력으로 접근하고 자동차도 v_0의 속력으로 접근하므로, 자동차에 탄 관찰자가 듣는 소리의 진동수 f는 다음과 같다.

$$f=\frac{V+v_0}{V-v}\times f_{벽}$$
$$=\frac{V+v_0}{V-v}\times\frac{V+v}{V-v_0}f_0=\frac{(V+v_0)(V+v)}{(V-v)(V-v_0)}f_0$$

03 ㄱ. 진동수는 1초 동안 진동하는 횟수이므로, 음파 발생기에서 t_0초 동안 10개의 펄스가 연속적으로 발생할 때 소리의 진동수는 $f_0=\frac{10}{t_0}$이다.

ㄷ. 음파 수신기에서 측정하는 음파의 진동수는 $f=\frac{11}{t_0}$이므로, 소리의 속력을 v라고 하면 다음과 같다.

$$f=\frac{v+V}{v}f_0$$
$$\frac{11}{t_0}=\frac{v+V}{v}\times\frac{10}{t_0}, \quad \therefore v=10V$$

바로 알기 ㄴ. 소리의 속력이 v이고 음파 수신기가 V의 속력으로 음파 발생기에 접근할 때 t_0초 동안 음파 수신기를 지나가는 전체 펄스의 길이는 vt_0+Vt_0가 된다. 펄스의 파장을 λ라고 할 때 총 11개의 펄스가 음파 수신기를 지나가므로 $vt_0+Vt_0=11\lambda$이고 $vt_0=10\lambda$이므로 펄스의 파장 $\lambda=Vt_0$가 된다.

04 ㄱ. O에서 발생한 소리가 P에 도달하는 동안 음원은 O에서 Q까지 이동하므로 걸린 시간을 t라고 하면 $v_s t=\overline{OQ}$, $vt=\overline{OP}$이다. 따라서 소리의 속력 $v=\frac{\overline{OP}}{\overline{OQ}}v_s$이다.

ㄷ. R는 여러 파면이 중첩된 원뿔 모양의 충격파가 지나는 곳이다. 따라서 R에서는 급격한 압력 변화가 나타나므로, R에 있는 사람은 매우 큰 폭발음을 듣게 된다.

바로 알기 ㄴ. $\sin\theta=\frac{\overline{OP}}{\overline{OQ}}=\frac{v}{v_s}$이므로, 음원의 속력 v_s가 커질수록 $\sin\theta$가 감소하므로 θ도 감소한다.

03 전자기파의 발생과 수신

탐구 확인 문제 57쪽

01 (1) ○ (2) × (3) ○　**02** (가)

01 (1), (3) 압전 소자를 누르면 구리 선 사이에 높은 전압이 걸려 방전이 일어난다. 이때 방전에 의해 전자기파가 발생하여 퍼져 나가게 되고, 원형 안테나에서 전자기파를 수신하여 유도 전류가 흐르면 네온관에 불이 켜진다.

(2) 압전 소자를 누르면 구리 선 사이에 순간적으로 높은 전압이 걸렸다가 방전되므로, 순간적으로 강한 전기장이 형성되었다가 사라진다.

02 전자기파의 자기장이 진동하는 방향이 원형 안테나의 단면에 수직인 방향으로 놓일 때 원형 안테나를 지나는 자기 선속의 변화가 커서 원형 안테나에 가장 센 유도 전류가 흐른다.

집중 분석 58쪽

유제 ②

유제 코일과 축전기가 교류 전원에 연결된 교류 회로의 공명 진동수는 다음과 같다.

$$f_0=\frac{1}{2\pi\sqrt{LC}}$$
$$=\frac{1}{2\pi\sqrt{2\times10^{-6}\,\text{H}\times8\times10^{-6}\,\text{F}}}$$
$$=\frac{1}{2\pi\times4\times10^{-6}}\,\text{Hz}≒39.8\,\text{kHz}$$

상호 유도에 의해 2차 코일에는 1차 회로의 공명 진동수와 동일한 전류가 유도되므로, 안테나에서 발생하는 전자기파의 진동수는 1차 회로의 공명 진동수와 같은 39.8 kHz이다.

개념 모아 정리하기 59쪽

❶ 전자기파　❷ 커　❸ 작아　❹ 빠르다

❺ 느리다　❻ $\left(\omega L-\dfrac{1}{\omega C}\right)^2$　❼ 최소

❽ $\dfrac{1}{2\pi\sqrt{LC}}$　❾ 공명 진동수　❿ 진폭　⓫ 복조

⓬ 안테나

01 ㄱ, ㄷ　**02** ㄴ, ㄹ　**03** A: 축전기, B: 코일　**04** 저항:
14 Ω, 유도 리액턴스: $14\sqrt{3}$ Ω　　　**05** (1) 50 V (2) 0.5 A
06 ㄱ, ㄷ　**07** (1) V_0 (2) $\dfrac{f_0}{\sqrt{2}}$　**08** ㄴ, ㄷ　**09** ㄱ, ㄴ
10 ㄱ, ㄴ　**11** (1) × (2) ○ (3) ×

01 ㄱ. 전자기파의 진행 방향과 전기장, 자기장의 진동 방향은
서로 수직이다. 전자기파는 $+x$ 방향으로 진행하고, 전기장
은 xy 평면상에서 진동하므로, 자기장은 이에 수직인 xz 평
면상에서 진동한다.

ㄷ. 진공 중에서 전자기파의 전파 속력은 빛의 속력과 같은
$c(≒3\times10^8$ m/s)이다.

바로 알기 ㄴ. 전자기파가 진행할 때 전기장이 최대일 때 자
기장도 최대이다.

02 전자기파는 전하가 가속 운동을 할 때, 도선에 흐르는 전류가
변할 때, 변위 전류가 흐를 때, 전기 방전이 일어날 때 발생한다.

바로 알기 ㄴ, ㄹ. 도선에 일정한 전류가 흐르거나 전하가 일
정한 속도로 운동할 때는 전자기파가 발생하지 않는다.

03 A는 교류 전원의 진동수를 높일수록 전류의 세기가 증가하
므로, 진동수가 클수록 전류가 잘 통과하는 축전기이다. 또,
B는 교류 전원의 진동수를 높일수록 전류의 세기가 감소하
므로, 진동수가 클수록 전류가 잘 통과하지 못하는 코일이다.

04 (가)와 같이 전지에 연결하면 코일에 흐르는 전류의 세기가
변하지 않으므로 코일은 저항 역할을 하지 않는다. 28 V인
직류 전원에 연결했을 때 2 A의 전류가 흐르므로, 저항의 저
항값 R는 다음과 같다.

$$I=\frac{V}{R}=\frac{28\text{ V}}{R}=2\text{ A}, \quad ∴ R=14\text{ Ω}$$

(나)와 같이 교류 전원에 연결하면 코일에 흐르는 전류의 세
기가 변하므로, 코일은 전류의 흐름을 방해하여 저항 역할을
한다. 이때 회로 전체의 임피던스 $Z=\dfrac{28\text{ V}}{1\text{ A}}=28$ Ω이므로,
코일의 유도 리액턴스 X_L은 다음과 같다.

$$Z=\sqrt{R^2+X_L^2}=\sqrt{(14\text{ Ω})^2+X_L^2}=28\text{ Ω}$$

$$X_L=14\sqrt{3}\text{ Ω}$$

05 (1) 저항, 코일, 축전기에 걸린 전압의 최댓값을 각각 V_R,
V_L, V_C라고 하면, 교류 전원의 전압의 최댓값 V_0은 전압 위

상자들의 벡터 합으로 계산해야 하므로, 다음과 같다.

$$V_0^2=V_R^2+(V_L-V_C)^2$$
$$=(40\text{ V})^2+(50\text{ V}-80\text{ V})^2=(50\text{ V})^2$$

$$∴ V_0=50\text{ V}$$

(2) 이 교류 회로의 임피던스는

$$Z=\sqrt{(80\text{ Ω})^2+(100\text{ Ω}-160\text{ Ω})^2}=100\text{ Ω}$$

이고, 전압의 최댓값이 50 V이므로, 회로에 흐르는 전류의
최댓값 I_0은 다음과 같다.

$$I_0=\frac{V_0}{Z}=\frac{50\text{ V}}{100\text{ Ω}}=0.5\text{ A}$$

06 ㄱ. 교류 전원의 진동수가 RLC 직렬 회로의 공명 진동수와
같을 때 임피던스가 최소가 되어 회로에 가장 센 전류가 흐
른다.

RLC 직렬 회로의 임피던스 $Z=\sqrt{R^2+\left(2\pi fL-\dfrac{1}{2\pi fC}\right)^2}$

이므로, $2\pi fL=\dfrac{1}{2\pi fC}$일 때 임피던스가 최소가 된다. 따라
서 회로에 흐르는 전류의 최댓값은 교류 전원의 진동수가

$f_0=\dfrac{1}{2\pi\sqrt{LC}}$일 때 가장 크다.

ㄷ. 축전기의 극판 사이에 변위 전류가 생기므로, 전자기파가
발생한다.

바로 알기 ㄴ. 축전기에 걸리는 전압의 위상은 저항에 걸리는
전압의 위상(= 전류의 위상)보다 $\dfrac{\pi}{2}$만큼 늦다. 따라서 저항
에 걸리는 전압이 최대일 때 축전기에 걸리는 전압은 0이 된다.

07 (1) 교류 전원의 진동수가 f_0일 때 전류의 세기가 최대이므
로, (가) 회로의 공명 진동수는 f_0이다. (가)에서 교류 전원
의 진동수가 회로의 공명 진동수 f_0일 때 코일의 유도 리액턴
스 X_L과 축전기의 용량 리액턴스 X_C가 같으므로, 임피던스
$Z=R$로 최소가 된다. 교류 회로에 가장 센 전류가 흐를 때
저항에 가장 큰 전압이 걸리므로, 교류 전원의 진동수가 f_0일
때 저항에 가장 큰 전압이 걸린다. 이때 교류 회로에 흐르는
최대 전류 $I_0=\dfrac{V_0}{Z}=\dfrac{V_0}{R}$이고, 저항에 걸리는 전압의 최댓값
$V_R=I_0R=\dfrac{V_0}{R}\times R=V_0$로 교류 전원의 전압의 최댓값 V_0
과 같다.

(2) (가) 회로의 공명 진동수 $f_0=\dfrac{1}{2\pi\sqrt{LC}}$이다. 따라서 자체
유도 계수 L이 2배가 되면, 공명 진동수는 $\dfrac{f_0}{\sqrt{2}}$이 된다.

08 ㄴ. 축전기의 극판 사이에 형성된 변하는 전기장에 의해 자기장이 유도되고, 유도된 자기장의 세기와 방향이 변하면서 전기장이 다시 유도된다. 이처럼 교류 회로에 연결된 축전기에서는 전기장과 자기장이 서로 유도되면서 공간을 퍼져 나가는 전자기파가 발생하게 된다.

ㄷ. 축전기의 극판 사이에서 발생한 전자기파의 진동수는 교류 전원의 진동수와 같은 f이다.

바로 알기 ㄱ. 교류 전원에 의해 회로에 교류 전류가 흐르므로, 축전기에서는 계속 충전과 방전이 반복되면서 축전기의 극판 사이에 형성되는 전기장의 방향과 세기가 계속 변한다.

09 ㄱ. 전자기파가 직선형 안테나에 도달하면 직선형 안테나 속에 있는 전자는 전자기파의 전기장으로부터 전기력을 받아 진동한다.

ㄴ. 전자기파에 의해 안테나 내의 전자들이 진동할 때, 전자의 운동 방향과 반대 방향으로 전류가 흐르므로 안테나에는 교류 전류가 흐른다.

바로 알기 ㄷ. 전자기파의 진동수와 수신 회로의 공명 진동수가 같을 때 공명이 일어나 수신 회로에 흐르는 전류의 세기는 최대가 된다.

10 ㄱ. 안테나로 들어오는 전파의 진동수와 LC 회로의 공명 진동수가 같을 때 LC 회로에 강한 전류가 흘러 방송이 정상적으로 들리게 된다. 따라서 A의 방송이 들릴 때 LC 회로의 공명 진동수는 A의 진동수와 같은 f_A이다.

ㄴ. B의 진동수 f_B가 f_A보다 작으므로 B의 방송을 들으려면 LC 회로의 공명 진동수$\left(f_0=\dfrac{1}{2\pi\sqrt{LC}}\right)$를 감소시켜야 한다. 따라서 가변 축전기의 전기 용량을 증가시켜야 한다.

바로 알기 ㄷ. 코일을 자체 유도 계수 L이 큰 것으로 교체하면 LC 회로의 공명 진동수는 감소한다.

11 (1) 전파의 진동수는 교류 신호로 정해지고, 라디오의 안테나 회로의 공명 진동수와 전파의 진동수가 같을 때 공명이 일어나 방송이 정상적으로 들린다. ㉠은 송신할 정보를 담은 전기 신호로, 변조 과정을 통해 교류 신호에 첨가된다.

(2) 진폭 변조(AM) 방식은 음성 신호에 따라 송신할 신호의 세기(진폭)를 변화시키는 변조 방식이므로, 변조한 교류 신호의 진동수는 일정하다.

(3) 라디오에서 음성을 재생하기 위해서는 안테나에 수신된 신호에서 원래의 음성 정보가 담긴 전기 신호만을 구분해 내는 과정이 필요한데, 이를 복조라고 한다.

01 ㄴ. 전자기파의 세기가 클수록 전자가 더 큰 전기력을 받으므로 안테나에 더 센 전류가 흐른다.

ㄷ. 전자기파의 전기장이 진동하여 안테나의 전자들도 진동하므로, 전자기파의 진동수와 안테나에 흐르는 교류 전류의 진동수는 같다.

바로 알기 ㄱ. 전자기파의 전기장에 의해 안테나 내부의 전자가 전기력을 받아 진동하여 교류 전류가 흐른다.

02 ㄱ. 코일의 유도 리액턴스 $X_L=\omega L=2\pi fL$로, 교류 전원의 진동수에 비례한다. 따라서 진동수가 큰 소리가 출력될 때는 코일의 유도 리액턴스가 커지고, 코일이 연결된 스피커 (나)로 흐르는 전류의 세기는 약해진다.

ㄴ. 축전기의 용량 리액턴스 $X_C=\dfrac{1}{\omega C}=\dfrac{1}{2\pi fC}$로, 교류 전원의 진동수에 반비례한다. 따라서 진동수가 작은 소리가 출력될 때는 축전기의 용량 리액턴스는 커지고, 축전기가 연결된 스피커 (가)로 흐르는 전류의 세기는 약해진다.

바로 알기 ㄷ. 고음의 소리는 진동수가 크므로, (가)의 용량 리액턴스는 작아지고, (나)의 유도 리액턴스는 커진다. 따라서 고음의 소리는 주로 (가)를 통해 발생한다.

ㄹ. 저음의 소리는 진동수가 작으므로, (가)의 용량 리액턴스는 커지고, (나)의 유도 리액턴스는 작아진다. 따라서 저음의 소리는 주로 (나)를 통해 발생한다.

03 ㄱ. V_L과 V_C의 크기가 같으면 X_L과 X_C가 같다. 이때 임피던스 $Z=\sqrt{R^2+(X_L-X_C)^2}=R$이므로, 교류 회로에 흐르는 전류의 최댓값은 $\dfrac{V_0}{R}$이 된다.

ㄷ. 교류 전원의 주파수가 $\dfrac{\omega}{2\pi}$이므로, 각진동수는 ω가 된다. 따라서 $X_L=\omega L$, $X_C=\dfrac{1}{\omega C}$이므로, 회로의 임피던스는 다음과 같다.

$$Z=\sqrt{R^2+(X_L-X_C)^2}=\sqrt{R^2+\left(\omega L-\dfrac{1}{\omega C}\right)^2}$$

바로 알기 ㄴ. 저항값이 R인 저항에서는 전력이 소비되지만, 코일과 축전기는 단지 전류의 흐름을 방해하는 역할을 할 뿐 실제 전력 소비가 일어나지는 않는다.

04 ㄱ. 회로의 임피던스는 다음과 같다.

$$Z=\sqrt{R^2+(X_L-X_C)^2}$$
$$=\sqrt{(40\ \Omega)^2+(20\ \Omega-50\ \Omega)^2}=50\ \Omega$$

ㄷ. 교류 회로에서는 저항만 전력을 소비하고, 코일이나 축전기에서는 실제 전력 소비가 일어나지 않는다. 저항은 센 전류가 흐를수록 평균 소비 전력이 증가하므로, 교류 전원의 진동수가 회로의 공명 진동수와 같아질 때까지 저항의 평균 소비 전력은 계속 증가한다. 교류 전원의 진동수가 $50\ Hz$이므로, 코일의 자체 유도 계수 L과 축전기의 전기 용량 C는 다음과 같다.

$$X_L=2\pi fL=2\pi\times50\ Hz\times L=20\ \Omega$$
$$\therefore L=\frac{1}{5\pi}\ (H)$$
$$X_C=\frac{1}{2\pi fC}=\frac{1}{2\pi\times50\ Hz\times C}=50\ \Omega$$
$$\therefore C=\frac{1}{5000\pi}\ (F)$$

따라서 이 RLC 직렬 회로의 공명 진동수는 다음과 같다.

$$f_0=\frac{1}{2\pi\sqrt{LC}}=\frac{1}{2\pi\sqrt{\frac{1}{5\pi}\ H\times\frac{1}{5000\pi}\ F}}=25\sqrt{10}\ Hz$$

따라서 교류 전원의 진동수가 $25\sqrt{10}\ Hz$가 될 때까지 평균 소비 전력은 증가한다.

바로 알기 ㄴ. 회로에 흐르는 전류의 최댓값은 다음과 같다.

$$I_0=\frac{V_0}{Z}=\frac{100\ V}{50\ \Omega}=2\ A$$

교류 회로에서 코일과 축전기는 전력을 소비하지 않으므로, 전체 평균 전력은 저항의 평균 전력과 같다.

$$P=\frac{1}{2}I_0^2R=\frac{1}{2}\times(2\ A)^2\times40\ \Omega=80\ W$$

05 ㄱ. 저항에 걸리는 전압의 최댓값이 $20\ V$이고, 저항값이 $20\ \Omega$이므로 저항에 흐르는 전류의 최댓값은 $\frac{20\ V}{20\ \Omega}=1\ A$이다.

ㄴ. 저항에 걸리는 전압의 최댓값이 교류 전원의 전압의 최댓값과 같으므로, 교류 전원의 진동수는 회로의 공명 진동수와 같다. 이때 임피던스는 저항값인 $20\ \Omega$이고, $X_L=X_C$가 되어 축전기와 코일에 걸리는 전압의 크기는 같고 위상은 반대가 된다. 따라서 a와 b 사이에 걸리는 전압의 최댓값은 $\sqrt{20^2+15^2}=25(V)$이다.

ㄷ. 코일에 걸리는 전압의 최댓값이 $15\ V$이고, 전류의 최댓값이 $1\ A$이므로, 코일의 유도 리액턴스는 다음과 같다.

$$X_L=\frac{V_0}{I_0}=\frac{15\ V}{1\ A}=15\ \Omega$$

06 ㄱ. 송신 회로에 연결된 교류 전원에 의해 원형의 안테나에 시간에 따라 변하는 자기장이 발생하므로 안테나에서 전자기파가 방출된다. 따라서 송신 회로의 교류 전원의 진동수와 안테나에서 방출된 전자기파의 진동수는 같다.

ㄴ. 수신 회로에서는 회로의 공명 진동수와 진동수가 같은 전자기파를 수신할 때 가장 센 전류가 흐른다. (나)에서 진동수가 f_0인 전자기파를 수신할 때 전류가 최대가 되었으므로, 수신 회로의 공명 진동수는 f_0이다.

ㄷ. (나)에서 전자기파의 진동수가 f_0보다 크거나 작으면, 수신 회로의 공명 진동수와 같지 않아 공명(전자기파 공명)이 일어나지 않으므로 수신 회로에 흐르는 전류의 세기는 급격하게 줄어든다.

07 ㄱ. 스위치를 A에 연결하여 축전기를 전압이 V인 전지에 연결하면, 전기 용량이 C인 축전기에는 V의 전압이 걸리므로 전하량 $Q=CV$가 충전된다. 축전기가 완전히 충전되었을 때 축전기에 저장된 전기 에너지는 최대가 되며, 그 값은 다음과 같다.

$$W=\frac{1}{2}QV=\frac{1}{2}CV^2$$

바로 알기 ㄴ. 축전기와 코일이 연결된 회로에서 전기 진동이 일어날 때 전류의 진동수 $f=\frac{1}{2\pi\sqrt{LC}}$이므로, 진동 주기는 다음과 같다.

$$T=\frac{1}{f}=2\pi\sqrt{LC}$$

ㄷ. LC 회로에서 전기 진동이 일어날 때 (나)와 같이 시간이 지남에 따라 전류의 세기는 감소하지만, 전류의 진동 주기는 변하지 않는다.

08 ㄱ. 1차 회로에 흐르는 교류 전류에 의해 1차 코일에 시간에 따라 변하는 자기장이 발생하고, 2차 코일에는 상호 유도에 의해 진동하는 유도 전류가 발생한다.

ㄷ. 2차 코일에 진동하는 전류가 흐르므로, 안테나에 전하가 진동하게 된다. 진동하는 전하는 시간에 따라 변하는 전기장을 계속 발생시키므로, 동시에 시간에 따라 변하는 자기장이 유도되어 전자기파가 발생한다.

바로 알기 ㄴ. 상호 유도에 의해 2차 코일에 유도 전류가 흐를 때 1차 코일과 2차 코일에 흐르는 전류의 진동수는 같다. 안테나의 전하는 2차 코일에 흐르는 전류와 같은 진동수로 진동하므로, 1차 회로에 흐르는 전류와도 동일한 진동수로 진동한다.

04 볼록 렌즈에 의한 상

개념 모아 **정리하기**　　　　　　　　　　　　　**77쪽**

❶ 실상　　　　❷ 허상　　　　❸ 초점　　　　❹ 초점

❺ 광축　　　　❻ 중심　　　　❼ 같은 크기의 도립 실상

❽ $\dfrac{1}{f}$　　　　❾ $-\dfrac{b}{a}$　　　❿ 볼록　　　⓫ 오목

⓬ 도립　　　⓭ 정립 허상　⓮ 오목　　　⓯ 원시안

⓰ $-\dfrac{f_o}{f_e}$

개념 기본 문제　　　　　　　　　　　　　**78쪽~79쪽**

01 해설 참조　**02** ㄱ, ㄴ, ㄷ　**03** ㉠　**04** (1) × (2) × (3) ○

(4) ×　**05** ㄷ, ㄹ, ㅁ, ㅂ　**06** ㄴ, ㄷ　**07** (1) 24 cm (2) $\dfrac{2}{3}$ 배

08 ㄱ　**09** 상의 크기는 커지며 물체의 크기에 가까워지고,

상의 위치는 2f인 지점에 접근한다.　**10** (1) d (2) 허상, 6 cm

11 (1) -57.5 (2) -575　**12** (1) -197 (2) 99 cm

01 광축에 나란하게 진행하는 빛은 볼록 렌즈를 지나면서 굴절
한 후 모두 초점을 지난다. 볼록 렌즈를 향해 진행하는 빛과
굴절 후의 빛을 진행 방향으로 다시 나타내면 다음 그림의
화살표와 같다. 파면은 빛의 진행 방향에 수직이므로, 파면
의 모습은 그림과 같이 나타난다.

모범 답안

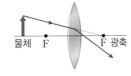

02 ㄱ. 광축에 평행하게 입사한 빛은 볼록 렌즈에서 굴절 후 초
점을 지난다.

ㄴ. 볼록 렌즈의 초점을 지나 입사한 빛은 굴절 후 광축에 평
행하게 진행한다.

ㄷ. 볼록 렌즈의 중심으로 입사한 빛은 그대로 직진한다.

바로 알기 ㄹ. 볼록 렌즈의 반
대편 초점을 향해 입사한 빛은
그림과 같이 아래쪽으로 굴절
한다.

03 공기 중에서 초점을 지나 입사한 빛은 볼록 렌즈를 지나며 굴

절하여 광축에 평행하게 진행한다. 그러나 공기에 대한 유리
의 상대 굴절률보다 물에 대한 유리의 상대 굴절률이 더 작으
므로, 물속에서 빛은 ㉠과 같이 진행한다.

04 (1) 실상은 볼록 렌즈에 의해 만들어지는데, 실물보다 크거나
같거나 작을 수 있다.

(2) 오목 렌즈에 의해서는 항상 축소된 허상이 만들어지지만,
볼록 렌즈에 의해서는 확대된 허상이 생긴다.

(3) 사진기 필름에 맺히는 상은 실제로 빛이 모여서 생겨야 하
므로 항상 실상이다.

(4) 볼록 렌즈에 의해서는 실상과 허상이 모두 생긴다.

05 볼록 렌즈나 오목 렌즈에 의한 상에서 정립상은 모두 허상이
고, 도립상은 모두 실상이다. 따라서 ㄱ, ㄴ, ㄷ은 허상이고,
ㄹ, ㅁ, ㅂ은 모두 실상이다.

볼록 렌즈에 의한 상은 축소되고 뒤집힌 실상(ㅂ), 같은 크기
의 뒤집힌 실상(ㅁ), 확대되고 뒤집힌 실상(ㄹ), 확대되고 똑
바로 선 허상(ㄷ) 네 가지가 생긴다.

06 오목 렌즈에 의해서는 항상 축소된 정립 허상이 생긴다.

07 (1) 렌즈 방정식에 의해 볼록 렌즈의 초점 거리 f는 다음과
같다.

$$\frac{1}{60 \text{ cm}} + \frac{1}{40 \text{ cm}} = \frac{1}{f}, \therefore f = \frac{120}{5} \text{ cm} = 24 \text{ cm}$$

(2) 배율 $m = -\dfrac{b}{a} = -\dfrac{40 \text{ cm}}{60 \text{ cm}} = -\dfrac{2}{3}$이므로, 물체 크기의

$\dfrac{2}{3}$배인 도립 실상이 생긴다.

08 ㄱ. 광축에 나란하게 입사한 빛은 볼록 렌즈에서 굴절 후 초
점을 지나므로, Q점은 볼록 렌즈의 초점이다.

바로 알기 ㄴ. P점에 생긴 상은 실제로 빛이 모여서 생긴 상
이 아니라, 빛의 경로를 반대로 연장하여 만난 곳에 생긴 상
이므로 허상이다. 허상은 실제 빛이 모여서 생긴 상이 아니므
로, 스크린을 놓아도 상이 나타나지 않는다.

ㄷ. 물체를 렌즈에 가까이 하면 렌즈 중심을 지나는 선이 시
계 방향으로 더 기울어지므로, 허상의 크기가 더 작아진다.
볼록 렌즈에 의한 상의 크기는 실상이든 허상이든 물체가 초
점에 가까이 갈수록 커진다.$\left(\dfrac{1}{a} + \dfrac{1}{b} = \dfrac{1}{f}$에서 a가 f에 가까

워질수록 b는 커진다. 렌즈에 의한 배율 $m = -\dfrac{b}{a}$이므로, b

가 커질수록 상의 크기는 커진다.$\right)$

09 물체가 초점 거리의 2배인 2F 지점에 있을 때 볼록 렌즈에 의한 상을 작도하면 다음과 같다.

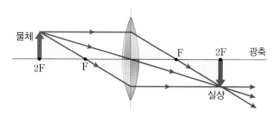

즉, 렌즈의 반대편 2F 지점에 물체와 크기가 같은 도립 실상이 생긴다. 렌즈 방정식을 사용하여 구하면 $a=2f$이므로, b는

$$\frac{1}{2f}+\frac{1}{b}=\frac{1}{f}, \quad \therefore b=2f$$

이다. 따라서 $2f$인 지점에 실상이 생기며, 배율 $m=-\frac{b}{a}=$

$-\frac{2f}{2f}=-1$이므로, 물체와 크기가 같은 도립 상이 생긴다.

10 (1) 볼록 렌즈 A에 평행하게 입사한 광선은 굴절 후 초점을 지난다. 또, 볼록 렌즈 B에서 굴절하여 나온 광선이 광축에 평행하려면 입사하는 광선이 초점을 지나야 한다. 따라서 A의 초점 거리 f_A와 B의 초점 거리 f_B의 합이 $4d$이다. 또, 아래 그림에서 삼각형 ㉠, ㉡은 닮은꼴이므로, 두 초점 거리의 비는 두 광선 사이의 거리에 비례한다. 따라서 f_A, f_B는 다음과 같다.

$$f_A+f_B=4d, f_A : f_B=a : 3a$$
$$\therefore f_A=d, f_B=3d$$

(2) P점에 물체를 놓았을 때, A에 의해 상이 생기는 위치 b를 렌즈 방정식으로 구하면 다음과 같다.

$$\frac{1}{3d}+\frac{1}{b}=\frac{1}{d}, \quad \therefore b=1.5d$$

A의 배율 $m_A=-\frac{b}{a}=-\frac{1.5d}{3d}=-\frac{1}{2}$이므로, 물체의 길이가 2 cm일 때 A에 의한 상의 길이는 $2 \text{ cm}\times\frac{1}{2}=1 \text{ cm}$가 된다.

A에 의한 상은 B의 초점 안쪽인 B의 중심에서 $2.5d$만큼 떨어진 지점에 생기므로, B에 의한 최종 상은 허상이 된다. 이때 B에 의해 허상이 생기는 위치 b'를 렌즈 방정식으로 구하

면 다음과 같다.

$$\frac{1}{2.5d}+\frac{1}{b'}=\frac{1}{3d}, \quad \therefore b'=-15d$$

B의 배율 $m_B=-\frac{b'}{a'}=-\frac{-15d}{2.5d}=6$이므로, B에 의한 최종 상의 길이는 $1 \text{ cm}\times6=6 \text{ cm}$가 된다.

11 (1) 현미경에서 대물렌즈에 의한 배율은 다음과 같다.

$$m_o\approx-\frac{L}{f_o}=-\frac{23 \text{ cm}}{0.4 \text{ cm}}=-57.5$$

(2) 접안렌즈에 의한 배율은 다음과 같다.

$$m_e=\frac{25 \text{ cm}}{f_e}=\frac{25 \text{ cm}}{2.5 \text{ cm}}=10$$

따라서 현미경 전체의 배율은 다음과 같다.

$$m=m_o\times m_e=-57.5\times10=-575$$

12 (1) 케플러 망원경의 배율은 접안렌즈의 초점 거리에 대한 대물렌즈의 초점 거리의 비로, 다음과 같다.

$$m=-\frac{f_o}{f_e}=-\frac{985 \text{ mm}}{5 \text{ mm}}=-197$$

(2) 케플러 망원경은 매우 먼 곳에 있는 물체로부터 오는 빛이 대물렌즈에 의해 굴절하여 상이 맺히므로, 대물렌즈에 의한 상은 거의 초점 거리에 맺힌다. 또, 케플러 망원경이 최대 배율을 얻기 위해 접안렌즈에 의한 상의 거리는 무한대가 되어야 하므로, 대물렌즈에 의한 상은 접안렌즈의 초점에 생기게 한다. 따라서 두 렌즈 사이의 거리인 망원경의 경통의 길이는 대물렌즈와 접안렌즈의 초점 거리의 합과 같다.

$$L=f_o+f_e=985 \text{ mm}+5 \text{ mm}=990 \text{ mm}=99 \text{ cm}$$

개념 적용 문제   80쪽~83쪽

01 ④   **02** ②   **03** ③   **04** ③   **05** ④   **06** ③
07 ④   **08** ⑤

01 ㄱ. 스크린에 맺힌 상은 빛이 모여 만든 상이므로 실상이다.
ㄷ. 스크린을 볼록 렌즈 쪽으로 움직이면, 상이 흐려진다. 즉, 상이 뚜렷하게 맺히는 위치는 상황에 따라 다를 수 있지만, 그 위치는 여러 군데가 아니라 오직 한 군데이므로 스크린을 움직이면 스크린의 상은 흐려진다.

바로 알기 ㄴ. 스크린을 치우면 스크린이 있던 위치에 상이 맺히며, 이 상은 마치 실물처럼 허공에 존재한다. 따라서 철수는 스크린에 맺혔던 동일한 상을 볼 수 있다.

02 ㄱ. a가 20 cm일 때 b가 20 cm로 같은데, 이는 a가 $2f$(초점 거리의 2배)일 때이다. a가 초점보다 먼 곳에 있다가 초점에 가까이 가는 동안 상의 크기는 계속 커진다.

ㄴ. 이 볼록 렌즈의 초점 거리 $f=10$ cm이므로, $a=15$ cm일 때 상의 위치 b는 렌즈 방정식에 의해 다음과 같다.

$$\frac{1}{15 \text{ cm}}+\frac{1}{b}=\frac{1}{10 \text{ cm}}, \quad \therefore b=30 \text{ cm}$$

따라서 배율 $m=-\dfrac{b}{a}=-\dfrac{30 \text{ cm}}{15 \text{ cm}}=-2$이므로, 종이에 크기가 촛불의 2배인 도립 상이 생긴다.

바로 알기 ㄷ. 볼록 렌즈의 초점 거리는 10 cm이다. 참고로 a가 5 cm일 때는 물체가 초점 안에 있으므로 허상이 생긴다. 따라서 종이에 상이 나타나지 않는다.

03 ㄱ. (가)에서 P를 지난 광선이 볼록 렌즈에서 굴절한 후 광축에 나란하게 진행하므로, P는 초점이다. 또, 광축에 나란하게 진행한 빛이 렌즈에서 굴절한 후 Q를 지나므로 Q도 볼록 렌즈의 초점이다.

ㄴ. (가)에서 상의 크기가 물체의 크기의 $\dfrac{2}{3}$배이므로, 배율 $m=-\dfrac{b}{a}=-\dfrac{2}{3}$이다. 즉, 렌즈 중심에서 물체까지의 거리 a는 렌즈 중심에서 상까지의 거리 b의 1.5배이다.

바로 알기 ㄷ. (나)에서 검은 종이로 렌즈의 일부를 가리더라도 나머지 부분을 통과한 빛이 한 점에 모이기 때문에 상이 원래의 자리에 그대로 생긴다. 단지 렌즈를 가리면 모이는 빛이 적어져서 상이 어두워질 뿐이다.

04 ㄱ. (가)에서 렌즈 방정식 $\dfrac{1}{a}+\dfrac{1}{b}=\dfrac{1}{f}$에 대입하면 렌즈의 중심에서 A′까지의 거리 b는 다음과 같다.

$$\frac{1}{15 \text{ cm}}+\frac{1}{b}=\frac{1}{10 \text{ cm}}, \quad \therefore b=30 \text{ cm}$$

ㄴ. (나)에서 렌즈의 중심에서 물체까지의 거리가 20 cm로 증가하면 렌즈에서 상까지의 거리는 다음과 같다.

$$\frac{1}{20 \text{ cm}}+\frac{1}{b}=\frac{1}{10 \text{ cm}}, \quad \therefore b=20 \text{ cm}$$

따라서 상이 생기는 위치가 30 cm에서 20 cm로 감소하므로, 상은 A′에서 렌즈 쪽으로 10 cm 이동한 지점에 생긴다.

바로 알기 ㄷ. (가)에서 배율 $m=-\dfrac{b}{a}=-\dfrac{30 \text{ cm}}{15 \text{ cm}}=-2$이므로, 상의 크기는 20 cm이다. (나)에서 배율 $m=-\dfrac{b}{a}=$

$-\dfrac{20 \text{ cm}}{20 \text{ cm}}=-1$이므로, 상의 크기는 10 cm이다. 따라서 (나)에서 상의 크기는 (가)에서의 $\dfrac{1}{2}$배이다.

05 ㄴ. (나)에서 렌즈 방정식에 대입하면 상이 생기는 위치 b는

$$\frac{1}{0.8f}+\frac{1}{b}=-\frac{1}{f}, \quad \therefore b=-\frac{4}{9}f$$

이므로, 상의 배율 $m=-\dfrac{b}{a}=-\dfrac{-\dfrac{4}{9}f}{0.8f}=\dfrac{5}{9}$배이다.

ㄷ. (가)에서는 물체가 초점 안에 있으므로 확대된 정립 허상이 생기고, (나)에서는 축소된 정립 허상이 생긴다. 따라서 (가)와 (나)에서 생긴 상은 모두 정립 허상이다.

바로 알기 ㄱ. (가)에서 렌즈 방정식 $\dfrac{1}{a}+\dfrac{1}{b}=\dfrac{1}{f}$을 사용하면, 상이 생기는 위치 b는 다음과 같다.

$$\frac{1}{0.8f}+\frac{1}{b}=\frac{1}{f}, \quad \therefore b=-4f$$

따라서 렌즈의 중심에서 물체 쪽으로 $4f$ 떨어진 위치에 정립 허상이 생긴다.

06 ㄱ, ㄴ. (가), (나) 모두 축소된 도립 실상이 생겼으므로 물체에서 렌즈 또는 수정체까지의 거리는 렌즈 또는 수정체의 초점 거리의 2배보다 크다. (가)의 디지털 카메라는 볼록 렌즈와 CCD 사이의 거리를 조절할 수 있다. 물체에서 렌즈까지의 거리가 더 멀어지면 상은 렌즈에 더 가까운 위치에 생기므로, 선명한 상을 맺으려면 볼록 렌즈에서 CCD까지의 거리를 줄여야 한다. 즉, $\dfrac{1}{a}+\dfrac{1}{b}=\dfrac{1}{f}$에서 $a>f$일 때 a가 증가하면 b는 감소하여야 한다. 이때 배율의 크기 $|m|=\left|-\dfrac{b}{a}\right|$도 감소하므로, (가)에서 상의 크기는 감소한다.

(나)의 눈은 수정체와 망막까지의 거리는 변하지 않는다. 따라서 (나)에서 선명한 상을 맺으려면 $\dfrac{1}{a}+\dfrac{1}{b}=\dfrac{1}{f}$에서 b는 일정하므로 a가 증가하면 f도 증가하여야 한다. 이때 배율의 크기 $|m|=\left|-\dfrac{b}{a}\right|$는 감소하므로 (나)에서 상의 크기는 감소한다.

바로 알기 ㄷ. (나)에서 수정체의 초점 거리가 증가하려면 수정체의 가운데 부분을 얇게 해야 한다. 즉, 눈에서 가까운 물체를 볼 때는 수정체의 가운데 부분이 두꺼워져 초점 거리가 짧아지고, 먼 물체를 볼 때는 수정체의 가운데 부분이 얇아져 초점 거리가 길어져야 선명한 상을 맺을 수 있다.

07 ㄴ. 대물렌즈에 의한 상 A는 물체보다 축소되고 뒤집힌 형태이므로 실상이다. 접안렌즈에 의한 상 B는 상 A와 같은 쪽에 있으므로 허상이다(➡ ㄱ). 볼록 렌즈에서 렌즈의 중심과 물체 사이의 거리가 초점 거리보다 짧을 때 허상이 생기므로, 접안렌즈의 중심에서 상 A까지의 거리는 접안렌즈의 초점 거리보다 작다.

ㄷ. 렌즈 방정식 $\frac{1}{a}+\frac{1}{b}=\frac{1}{f}$에서 a가 f에 접근하면 b는 무한대가 된다. 상의 배율 $m=-\frac{b}{a}$이므로 a가 f에 접근하면 상의 크기는 커진다. 그러나 $a=f$가 되면 $b=\infty$가 되어 상이 맺히지 않으므로, 실제 망원경에서는 a가 f까지는 가지 않고 그전에 적당한 배율에서 물체를 보게 된다.

08 ㄱ. 볼록 렌즈 A에서 $a=3$ cm, $f=2$ cm이므로 렌즈 방정식을 사용하면 A에 의한 상의 위치 b는 다음과 같다.

$$\frac{1}{3 \text{ cm}}+\frac{1}{b}=\frac{1}{2 \text{ cm}}, \quad \therefore b=6 \text{ cm}$$

즉, A에 의한 상은 A의 중심으로부터 오른쪽으로 6 cm 떨어진 곳에 생긴다.

ㄴ. B에 의한 상의 위치를 마찬가지로 렌즈 방정식에 대입하여 구하면 $a=8$ cm-6 cm$=2$ cm이고, $f=3$ cm이므로 상의 위치 b'는 다음과 같다.

$$\frac{1}{2 \text{ cm}}+\frac{1}{b'}=\frac{1}{3 \text{ cm}}, \quad \therefore b'=-6 \text{ cm}$$

b'가 $(-)$값을 가지므로 상은 렌즈를 기준으로 A에 의한 상 쪽에 생기는 허상이다. 따라서 B에 의한 상은 볼록 렌즈 B의 중심으로부터 왼쪽으로 6 cm 떨어진 곳에 생긴다.

ㄷ. A에 의한 배율은 $-\frac{6 \text{ cm}}{3 \text{ cm}}=-2$이고, 볼록 렌즈 B에 의한 배율은 $-\frac{-6 \text{ cm}}{2 \text{ cm}}=3$이다. 따라서 눈으로 보는 상은 물체보다 2배$\times 3$배$=6$배만큼 확대되므로, 상의 높이는 1 mm$\times 6=6$ mm이다.

---

2. 빛과 물질의 이중성

01 빛의 입자성

탐구 확인 문제   95쪽

01 ㄱ, ㄷ

01 ㄱ. 접합면 부근인 공핍층에는 n형 반도체 쪽에 $(+)$전하, p형 반도체 쪽에 $(-)$전하를 띤 영역이 존재하여 전기장이 형성된다. 따라서 빛에 의해 전자와 양공 쌍이 생성되면 전기력을 받아 분리되어 이동한다. 이때 $(+)$전하를 띠는 n형 반도체 쪽으로 이동하는 A는 전자이고, $(-)$전하를 띠는 p형 반도체 쪽으로 이동하는 B는 양공이다.

ㄷ. 빛의 세기가 셀수록 단위 면적당 입사하는 광자의 수가 더 많다. 따라서 더 많은 전자와 양공 쌍이 생성되므로, 전구에 흐르는 전류의 세기는 증가한다.

바로 알기 ㄴ. $(-)$극으로 이동한 전자가 광전지에 연결된 도선을 따라 $(+)$극 쪽으로 이동하므로, 전류는 이와 반대 방향인 $(+)$극에서 전구를 지나 $(-)$극 쪽으로 흐른다.

집중 분석   96쪽

유제 ③

유제 ㄱ. 광전자의 최대 운동 에너지는 금속판에 입사한 광자의 에너지에서 금속판의 일함수를 뺀 값과 같다. 광전자의 최대 운동 에너지와 빛의 진동수의 관계 그래프에서 광전관에 비춘 단색광의 진동수가 f일 때 광전자의 최대 운동 에너지가 0이므로, 이때 광자의 에너지는 금속판의 일함수와 같다. 따라서 광전관의 금속판의 일함수는 hf이다.

ㄷ. 진동수가 $2f$인 빛의 광자 1개의 에너지는 $2hf$이고, 금속판의 일함수는 hf이므로, 광전자의 최대 운동 에너지는 다음과 같다.

$$E_k=2hf-W=2hf-hf=hf$$

바로 알기 ㄴ. 금속판의 문턱 진동수가 f이므로, 진동수가 f보다 작은 단색광은 광자 1개의 에너지가 금속판의 일함수보다 작다. 따라서 이때는 아무리 센 단색광을 비추더라도 광전자가 방출되지 않는다.

❶ 빛   ❷ 광전자   ❸ 최대 운동 에너지

❹ 수   ❺ 진동수   ❻ 문턱 진동수   ❼ 광양자설

❽ hf ❾ $hf-W$ ❿ 일함수   ⓫ 수

⓬ 길어   ⓭ 빛   ⓮ 전기

01 ㄴ   **02** $t_2 \sim t_3$ **03** (1) eV_0 (2) $hf-eV_0$ (3) $\dfrac{I_0}{e}$ **04** (1) hf_0

(2) $2hf_0$ (3) $E_k = hf - hf_0$ **05** ㄴ, ㄷ   **06** ㄴ, ㄷ

07 (1) $\dfrac{h}{\lambda}$ (2) 파장은 증가하고, 속력은 같다. (3) ㄱ   **08** ㄴ, ㄷ

09 ㉠ 전도띠 ㉡ 양공   **10** ㄴ, ㄷ

01 ㄴ. 진동수가 문턱 진동수 이상인 빛은 그 세기가 증가할수록 광전류의 세기가 증가하는데, 이는 빛의 파동성으로도 설명이 가능하다. 나머지 현상은 모두 빛의 입자성으로만 설명이 가능하다.

02 광전자의 최대 운동 에너지는 입사한 광자의 에너지에서 금속의 일함수를 뺀 값과 같다. 광자의 에너지는 빛의 진동수에만 비례하므로, 진동수가 가장 큰 구간인 $t_2 \sim t_3$에서 광전자의 최대 운동 에너지가 가장 크다.

03 (1) 발생한 광전자의 최대 운동 에너지는 정지 전압이 전자에 한 일과 같으므로 eV_0이다.

(2) 광전자의 최대 운동 에너지 $E_k = hf - W$이므로, 금속판의 일함수 W는 광자의 에너지에서 광전자의 최대 운동 에너지를 뺀 값과 같다.

$W = hf - E_k = hf - eV_0$

(3) 광전류가 최대일 때는 방출된 광전자가 모두 양극에 도달할 때이다. 전류는 1초 동안 도선의 한 단면을 지난 전하량과 같으므로, 1초 동안 음극에서 방출된 광전자의 수 n은 다음과 같다.

$I_0 = ne \rightarrow n = \dfrac{I_0}{e}$

04 (1) f_0은 문턱 진동수이므로, 금속판의 일함수는 진동수가 문턱 진동수인 광자의 에너지 hf_0과 같다.

(2) 광전자의 최대 운동 에너지 $E_k = hf - W$이므로, 방출된 광전자의 최대 운동 에너지는 $3hf_0 - hf_0 = 2hf_0$이다.

(3) 광전자의 최대 운동 에너지−진동수 그래프에서 기울기는 $\dfrac{E_k}{f - f_0} = h$로 플랑크 상수를 의미하므로, 광전자의 최대 운동 에너지 $E_k = hf - hf_0$이다.

05 ㄴ. 전류계에 흐르는 전류의 세기가 0인 것은 금속판에서 광전자가 방출되지 않는 것을 의미한다. 즉, 단색광의 진동수가 금속판의 문턱 진동수보다 낮은 경우이므로, 비춰 주는 빛의 진동수를 증가시켜 문턱 진동수보다 높아지면 광전자가 방출되어 전류가 흐른다.

ㄷ. 금속판과 금속 막대에 역방향 전압을 걸어 주면 광전자가 금속판과 금속 막대 사이에 형성된 전기장에 의해 금속판 방향으로 전기력을 받게 된다. 따라서 광전자의 운동 에너지가 감소하여 금속 막대에 도달하는 광전자의 수가 감소하므로, 전류계에 흐르는 전류의 세기는 감소한다.

바로 알기 ㄱ. 방출되는 광전자의 수는 빛의 세기에 따라 결정된다. 금속판과 금속 막대 사이의 전압에 따라 달라지는 것은 광전류의 세기이다. 광전류의 세기는 방출된 광전자 중에 금속 막대에 도달하는 광전자의 수에 비례한다.

06 ㄴ. 광전류의 세기가 0이 되는 정지 전압이 a가 b보다 크므로, a를 비출 때 방출되는 광전자의 최대 운동 에너지가 b를 비출 때보다 크다. 즉, 광자 1개의 에너지는 a가 b보다 크므로, a의 진동수는 b의 진동수보다 크다.

ㄷ. b와 c는 정지 전압이 같으므로 진동수는 같다. 포화 광전류의 세기는 비춰 주는 빛의 세기에 비례하므로, b가 c보다 빛의 세기가 더 센 것을 알 수 있다.

바로 알기 ㄱ. a보다 진동수가 큰 빛을 비추면, 광자의 에너지가 커지므로 광전자의 최대 운동 에너지가 증가한다. 정지 전압은 광전자의 최대 운동 에너지에 비례하므로, 정지 전압은 V_0보다 커진다.

07 (1) 광자의 운동량은 $p = \dfrac{h}{\lambda}$로, 빛의 파장이 짧을수록 크다.

(2) 광자의 에너지 $E = hf = h\dfrac{c}{\lambda}$이고, 입사 광자와 전자가 탄성 충돌을 하는 경우 충돌 전후 에너지는 보존된다. 따라서 산란된 광자의 파장을 λ'라고 하면, 다음과 같다.

$h\dfrac{c}{\lambda} = \dfrac{1}{2}mv^2 + h\dfrac{c}{\lambda'}$

즉, 산란된 광자의 에너지는 입사 광자보다 작으므로, 파장은 증가한다. 빛의 속력은 일정하므로, 광자의 속력은 입사한 광자와 같다.

(3) 콤프턴 효과는 X선과 전자의 충돌에서 X선을 광자라는 입자로 간주하고 에너지 보존 법칙과 운동량 보존 법칙을 적용했을 때 이론적 계산과 실험적 결과가 일치함을 보임으로써 빛이 입자성을 가진다는 것을 증명하였다.

08 ㄴ. 콤프턴 효과는 전자에 의하여 산란된 빛의 파장이 길어지는 현상으로, 빛의 파동성으로는 해석할 수 없으며, 빛이 입자라는 광양자설로 설명할 수 있다.

ㄷ. 콤프턴 효과에서 광자와 전자의 에너지가 보존되므로, 광자와 전자의 충돌은 탄성 충돌이다.

바로 알기 ㄱ. 콤프턴 효과에서 산란된 빛은 입사한 빛보다 광자의 에너지가 감소하므로, 진동수가 작아진다.

09 광 다이오드에서 접합부 부근에 빛을 비추면 원자가 띠에 있는 전자가 전도띠로 전이하여 원자가 띠에는 전자의 빈 자리인 양공이 생긴다.

10 ㄴ. 대전되어 있던 드럼에서 (+)전하가 사라지는 것은 광전 효과에 의해 빛이 닿은 부분의 저항이 낮아지기 때문이다.

ㄷ. 드럼에 대전되어 있던 (+)전하 부분에 (−)전하로 대전된 토너 가루가 전기력에 의하여 달라붙는다.

바로 알기 ㄱ. 복사기의 드럼에서 빛이 비춰진 부분은 대전되어 있던 (+)전하가 광전 효과에 의하여 방전된다. 빛이 반사되지 않은 검은색 글자 부분은 (+)전하가 사라지지 않으므로, (−)전하로 대전된 토너가 전기력에 의해 드럼 표면에 달라붙게 된다.

개념 적용 문제
100쪽~103쪽

01 ①   **02** ⑤   **03** ⑤   **04** ④   **05** ①   **06** ④
07 ②   **08** ①

01 ㄱ. 광전류의 세기가 0이 되는 전압인 정지 전압 V_0은 방출된 광전자가 역방향 전압에 의해 운동 반대 방향으로 전기력을 받아 양극에 하나도 도달하지 못하게 되는 최소의 전압이다. 이때 정지 전압에 의한 전기적 퍼텐셜 에너지 eV_0은 광전자의 최대 운동 에너지와 같다.

바로 알기 ㄴ. (나)에서 광전류가 0일 때 금속판에서 광전자가 방출되지만, 역방향 전압에 의해 광전자가 운동 반대 방향으로 전기력을 받으므로 양극에 도달하지 않는다.

ㄷ. 광전류가 최대일 때에는 금속판에서 방출된 광전자가 양극에 모두 도달할 때이다. 따라서 금속판에서 방출된 광전자가 금속 막대 쪽으로 전기력을 받아야 하므로, 금속판은 전원 장치의 (−)극, 금속 막대는 전원 장치의 (+)극에 연결되어야 한다.

02 ㄱ. 광양자설에 따르면 방출되는 광전자의 최대 운동 에너지 $E_k=hf-W$이므로, 광자의 에너지 $hf=E_k+W$이다.

ㄴ. 광자의 에너지가 금속의 일함수 W보다 작으면 전자가 금속 내부의 양이온에 의한 인력을 거슬러 일을 할 만큼의 충분한 에너지를 얻지 못하므로, 금속판에서 광전자가 방출되지 않는다.

ㄷ. 일함수 W는 광전자가 금속에서 방출되기 위해 필요한 최소한의 에너지로, 금속의 종류에 따라 다르다.

03 ㄱ. 정지 전압에 의한 전기적 퍼텐셜 에너지는 광전자의 최대 운동 에너지와 같다. 금속판에 A를 비추었을 때 정지 전압은 6 V이므로, 이때 광전자의 최대 운동 에너지는 다음과 같다.
$$E_k=eV_s=6\text{ eV}$$

ㄴ. 금속판의 문턱 진동수를 f_0이라고 할 때 금속판의 일함수 $W=hf_0$이 되므로, 진동수가 f인 빛을 비출 때 광전자의 최대 운동 에너지는 $hf-hf_0$이다. 정지 전압이 V_s일 때 광전자의 최대 운동 에너지 E_k는 eV_s와 같으므로, $E_k=hf-hf_0=eV_s$이다. 따라서 A, B를 각각 비출 때 정지 전압이 각각 6 V, 3 V이므로, 광전자의 최대 운동 에너지는 각각
· A: 6 eV=$3hf-hf_0$
· B: 3 eV=$2hf-hf_0$
이 되어, 두 식에서 금속판의 문턱 진동수 $f_0=f$이다.

ㄷ. 위 식에서 3 eV=$2hf-hf_0=hf$이므로, B의 광자 1개의 에너지는 $2hf=6$ eV이다.

04 광전자의 최대 운동 에너지 $E_k=\dfrac{hc}{\lambda}-W$이고, 정지 전압에 비례한다. 실험 2와 실험 3에서 금속판이 B로 동일하므로 일함수가 같고, 정지 전압은 실험 2가 실험 3보다 크다.
$$\frac{hc}{\lambda_1}-W>\frac{hc}{\lambda_2}-W$$
따라서 빛의 파장은 $\lambda_1<\lambda_2$이다.
실험 1과 실험 2에서 금속판에 쪼인 빛의 파장이 같고, 실험 1에서 광전자의 최대 운동 에너지는 실험 2에서보다 작다.
$$\frac{hc}{\lambda_1}-W_A<\frac{hc}{\lambda_1}-W_B$$
따라서 금속의 일함수는 $W_A>W_B$이다.

05 ㄴ. (나)에서 A, B의 문턱 진동수가 각각 f_0, $2f_0$이므로 A, B의 일함수는 다음과 같이 A가 B보다 작다.(➡ ㄱ)

$W_A=hf_0$, $W_B=2hf_0$

진동수가 $3f_0$인 단색광을 비출 때 A, B에서 방출된 광전자의 최대 운동 에너지는 각각 다음과 같다.

• A: $E_k=3hf_0-hf_0=2hf_0$
• B: $E_k=3hf_0-2hf_0=hf_0$

따라서 A에서 방출된 광전자의 최대 운동 에너지는 B일 때의 2배이다.

바로 알기 ㄷ. 진동수가 $2f_0$인 빛은 음극판 A의 문턱 진동수 f_0보다 진동수가 크므로, 빛의 세기가 약해져도 광전자가 즉시 방출된다.

06 ㄴ. 광전자의 최대 운동 에너지 – 진동수 그래프의 식은 다음과 같다.

$E_k=hf-W$

즉, 그래프의 기울기는 플랑크 상수 h이므로, 금속의 종류에 관계없이 동일하다.

ㄷ. Q의 문턱 진동수보다 진동수가 큰 단색광을 비추면 P, Q에서 모두 광전자가 방출된다. P, Q의 일함수는 문턱 진동수에 비례하므로, 일함수는 Q가 P보다 크다. 따라서 같은 진동수의 단색광을 비추었을 때 방출되는 광전자의 최대 운동 에너지는 P가 Q보다 크다. 정지 전압이 V_s일 때 광전자의 최대 운동 에너지 $E_k=eV_s$로 정지 전압에 비례하므로, 정지 전압도 P가 Q보다 크다.

바로 알기 ㄱ. 광전 효과는 빛의 입자성을 보여 주는 결과이다.

07 ㄴ. 콤프턴 효과는 X선의 광자와 전자 사이의 탄성 충돌로 설명할 수 있다. 즉, 광자와 전자가 충돌할 때 X선의 입사 방향과 수직 방향의 운동량의 합이 0으로 보존되어야 한다. 파장이 λ'인 광자의 운동량은 $\dfrac{h}{\lambda'}$이므로, 다음 식이 성립한다.

$\dfrac{h}{\lambda'}\sin\phi-mv\sin\theta=0$ ➡ $\dfrac{h}{\lambda'}=mv\dfrac{\sin\theta}{\sin\phi}$

바로 알기 ㄱ, ㄷ. 입사한 X선의 광자가 정지해 있던 전자와 탄성 충돌할 때 충돌 전후 운동 에너지의 합은 보존된다. 파장이 λ인 X선 광자의 에너지는 $hf=\dfrac{hc}{\lambda}$이므로, 충돌 후 튀어나온 전자의 운동 에너지는 다음과 같다.

$\dfrac{hc}{\lambda}=\dfrac{1}{2}mv^2+\dfrac{hc}{\lambda'}$, $\therefore \dfrac{1}{2}mv^2=\dfrac{hc}{\lambda}-\dfrac{hc}{\lambda'}$

충돌 후 산란된 X선의 광자는 충돌 전 입사된 X선 광자보다 전자가 얻은 운동 에너지만큼 에너지가 감소하므로, 파장이 길어진다. 따라서 $\lambda<\lambda'$가 성립한다.

08 ㄱ. 태양 전지의 접합면 부근에 빛을 비추면 원자가 띠의 전자가 광자를 흡수하여 전도띠로 전이하며 전자·양공 쌍이 생성된다. 이것은 넓은 의미의 광전 효과이다.

바로 알기 ㄴ. 접합면 부근에서 전자·양공 쌍이 생성되면, 접합면 부근의 전위차에 의해 전기력을 받아 전자는 n형 반도체 쪽으로 이동하고, 양공은 p형 반도체 쪽으로 이동한다.

ㄷ. 전자는 n형 반도체 쪽으로 이동하고, 양공은 p형 반도체 쪽으로 이동하여 기전력이 발생하므로, 앞면 전극은 (−)극이 되고 뒷면 전극은 (+)극이 된다. 따라서 전류는 ⓒ 방향으로 흐른다.

02 입자의 파동성

개념 모아 정리하기 111쪽

❶ 물질파 ❷ 짧기 ❸ 보강 간섭 ❹ 감소
❺ 양자 조건 ❻ 정상파 ❼ n^2

개념 기본 문제 112쪽~113쪽

01 ㄷ, ㄹ **02** ㄱ, ㄴ **03** $\dfrac{1}{\sqrt{2}}$배 **04** $\dfrac{h}{\sqrt{2meV}}$ **05** ㄷ

06 ㄱ, ㄴ **07** (1) $\dfrac{d\Delta x}{L}$ (2) 감소한다. **08** $2d\sin\theta$

09 (1) 양자 조건 (2) 진동수 조건 **10** (1) $\dfrac{2h}{\pi r}$ $\dfrac{36hc}{5E_0}$

11 (1) 약 1.02×10^{-7} m (2) 약 1.21×10^{-7} m

01 반사와 굴절은 입자로도 설명할 수 있는 현상이지만, 간섭과 회절은 파동만이 나타낼 수 있는 현상이다.

02 드브로이의 물질파 이론을 확인할 수 있었던 실험은 톰슨의 전자선 회절 실험과 데이비슨·거머 실험이다. 영의 이중 슬릿 간섭 실험은 빛이 파동임을 뒷받침한다.

03 정지 상태에서 전압 V로 가속된 전자의 운동 에너지 $E_k=\frac{1}{2}mv^2=eV$에서 운동량 $p=mv=\sqrt{2meV}$ 이다. 따라서 전자의 물질파 파장은 다음과 같다.

$$\lambda=\frac{h}{p}=\frac{h}{\sqrt{2meV}}$$

P와 R 사이의 전압은 P와 Q 사이의 2배이므로, R에서 전자의 물질파 파장은 Q에서의 $\frac{1}{\sqrt{2}}$배이다.

04 전자의 전하량의 크기가 e이고 전압 V로 가속되므로 양극판을 통과할 때 운동 에너지 $E_k=\frac{1}{2}mv^2=eV$이다. 전자의 질량이 m이므로 운동량 $p=mv=\sqrt{2meV}$가 되어, 전자의 물질파 파장은 다음과 같다.

$$\lambda=\frac{h}{p}=\frac{h}{\sqrt{2meV}}$$

05 운동 에너지 $E_k=\frac{1}{2}mv^2$이므로, 운동량 $p=mv=\sqrt{2mE_k}$ 이다. 따라서 물질파 파장 $\lambda=\frac{h}{p}=\frac{h}{\sqrt{2mE_k}}$가 되므로, 그래 프는 ㄷ과 같다.

06 ㄱ. (가)는 빛의 간섭 현상이므로, 빛이 파동성을 가졌음을 알려 준다.

ㄴ. (나)는 전자 물질파의 간섭무늬이므로, 전자가 파동성을 가졌음을 알려 준다.

바로알기 ㄷ. 이중 슬릿에 의한 간섭에서 이웃한 밝은 무늬 사이의 간격은 다른 조건(이중 슬릿 사이의 간격 d, 슬릿에서 스크린까지의 거리 L)이 같을 때 $\Delta x=\frac{L\lambda}{d}$로 파장 λ가 클수록 크다. 따라서 이웃한 밝은 무늬 사이의 간격이 작은 (가)의 단색광의 파장이 (나)의 전자의 물질파 파장보다 작다.

07 (1) 이중 슬릿에 의한 간섭 실험에서 이웃한 밝은 무늬 사이의 간격 Δx와 파장 λ의 관계는 $\Delta x=\frac{L\lambda}{d}$이므로, 이 실험에 사용된 전자의 물질파 파장 $\lambda=\frac{d\Delta x}{L}$이다.

(2) V의 전압으로 가속된 전자의 물질파 파장은 $\lambda=\frac{h}{p}=\frac{h}{\sqrt{2meV}}$이다. 즉, 가속 전압 V를 크게 하면 전자의 운동 에너지가 커져서 전자의 운동량도 커지므로, 전자의 물질파 파장이 짧아진다. 따라서 Δx는 감소한다.

08 결정면의 윗면에서 반사한 빛과 아랫면에서 반사한 빛의 경로차 $\Delta=2d\sin\theta$이다. 반사한 두 빛의 경로차가 파장 λ와 같을 때 첫 번째 보강 간섭이 일어나므로, 입사한 전자선의 물질파 파장 $\lambda=2d\sin\theta$가 된다.

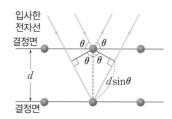

09 (1) 보어는 원자의 안정성을 설명하기 위하여 양자화된 특정한 원 궤도에 있는 전자는 전자기파를 방출하지 않고 안정한 상태에 있다는 양자 조건을 제시하였다.

(2) 보어는 원자 스펙트럼이 불연속적인 선 스펙트럼이라는 것을 설명하기 위하여 안정한 두 궤도 사이를 전이하는 전자는 두 궤도의 에너지 차이에 해당하는 빛을 방출 또는 흡수한다는 진동수 조건을 제시하였다.

10 (1) 보어 원자 모형에서 양자 조건에 의해 각 정상 상태는 전자의 물질파가 원 궤도의 둘레에서 정상파를 이루는 조건과 동일하다. 즉, 원 궤도의 둘레 $2\pi r$가 전자의 물질파 파장의 정수배가 되므로, (가)와 같이 양자수 $n=4$인 궤도를 도는 전자의 물질파 파장 λ는 다음과 같다.

$$2\pi r=4\lambda, \quad \therefore \lambda=\frac{\pi r}{2}$$

따라서 물질파의 정의에 의해 전자의 운동량은 다음과 같다.

$$p=\frac{h}{\lambda}=\frac{2h}{\pi r}$$

(2) (나)는 원둘레가 정상파 파장의 3배이고, (다)는 원둘레가 정상파 파장의 2배이므로 (나)와 (다)의 양자수는 각각 $n=3$, $n=2$이고, (나), (다)의 에너지 준위는 다음과 같다.

- (나): $-E_0\frac{1}{3^2}=-\frac{E_0}{9}$

- (다): $-E_0\frac{1}{2^2}=-\frac{E_0}{4}$

(나) 상태에서 (다) 상태로 전자가 전이할 때 두 에너지 준위의 차이에 해당하는 에너지를 가진 광자를 방출하므로, 전자가 전이하며 방출하는 광자의 파장 λ는 다음과 같다.

$$hf=\frac{hc}{\lambda}=-\frac{E_0}{9}-\left(-\frac{E_0}{4}\right)=\frac{5E_0}{36}$$

$$\therefore \lambda=\frac{36hc}{5E_0}$$

11 (1) $n=3$에서 $n=1$로 전이할 때 두 에너지 준위의 차이는

$$E_3-E_1=-1.5\text{ eV}-(-13.6\text{ eV})=12.1\text{ eV}$$
$$=12.1\times1.6\times10^{-19}\text{ J}=1.936\times10^{-18}\text{ J}$$

이므로, 이때 방출되는 빛의 파장은 다음과 같다.

$$\lambda=\frac{hc}{E_3-E_1}=\frac{(6.6\times10^{-34}\text{ J}\cdot\text{s})\times(3\times10^8\text{ m/s})}{1.936\times10^{-18}\text{ J}}$$
$$\fallingdotseq1.02\times10^{-7}\text{ m}$$

(2) $n=2$에서 $n=1$로 전이할 때 두 에너지 준위 차이는

$$E_2-E_1=-3.4\text{ eV}-(-13.6\text{ eV})=10.2\text{ eV}$$
$$=10.2\times1.6\times10^{-19}\text{ J}=1.632\times10^{-18}\text{ J}$$

이므로, 이때 방출되는 빛의 파장은 다음과 같다.

$$\lambda=\frac{hc}{E_2-E_1}=\frac{(6.6\times10^{-34}\text{ J}\cdot\text{s})\times(3\times10^8\text{ m/s})}{1.632\times10^{-18}\text{ J}}$$
$$\fallingdotseq1.21\times10^{-7}\text{ m}$$

개념 적용 문제 114쪽~117쪽

01 ④　　**02** ①　　**03** ③　　**04** ④　　**05** ④　　**06** ③

07 ③　　**08** ④

01 ㄴ. 회절은 파동의 특성이다. (나)는 전자선이 만든 회절 무늬이므로, 전자가 파동성을 가졌음을 보여 준다.

ㄷ. 파장이 길수록 회절이 잘 일어나므로, 회절 무늬의 반지름은 다른 조건이 동일할 때 파장이 길수록 크다. 그런데 두 회절 무늬의 반지름이 같다고 하였으므로, X선의 파장과 전자의 물질파 파장은 같다.

바로 알기 ㄱ. 회절은 파동의 특성이므로, 이 회절 무늬가 X선의 입자성을 보여 주지는 않는다.

02 ㄱ. 입자의 속력이 v_0으로 같을 때, 물질파 파장은 A가 B보다 크다. $\lambda=\frac{h}{mv}$이므로, 질량 $m=\frac{h}{v\lambda}$이다. 따라서 물질파 파장이 큰 A의 질량이 B의 질량보다 작다.

바로 알기 ㄴ. A, B의 물질파 파장이 λ_0으로 같으면, 운동량의 크기도 $p=\frac{h}{\lambda_0}$로 같다.

ㄷ. 물질파 파장이 λ_0으로 같을 때, A, B의 운동량이 같으므로 속력이 큰 A의 질량이 B의 질량보다 작다. 따라서 운동 에너지 $E_k=\frac{1}{2}mv^2=\frac{p^2}{2m}$이므로, 질량이 작은 A의 운동 에너지가 B의 운동 에너지보다 크다.

03 ㄱ. 양성자와 전자 모두 전압 V로 가속되므로 전압이 해 준 일이 eV이고, 일을 해 준 만큼 운동 에너지가 증가한다. 금속판에서 처음 두 입자의 운동 에너지는 0이고, 운동 에너지가 eV만큼 증가하므로 슬릿을 빠져나올 때 양성자와 전자의 운동 에너지는 모두 eV이다.

ㄷ. 물질파 파장 $\lambda=\frac{h}{p}$이고, 전자의 운동량이 양성자의 $\frac{1}{\sqrt{1837}}$배이므로, 전자의 물질파 파장은 양성자의 물질파 파장의 $\sqrt{1837}$배이다.

바로 알기 ㄴ. 운동량과 운동 에너지의 관계는 $p=\sqrt{2mE_k}$이고, 슬릿을 빠져나오는 순간 두 입자의 운동 에너지가 같다면 운동량은 $\sqrt{m}$에 비례한다. 따라서 운동량의 크기는 양성자가 전자의 $\sqrt{1837}$배이다.

04 ㄴ. (나)에서 50°의 각으로 산란되는 전자의 개수가 가장 많은 까닭은 54 V로 전자를 가속했을 때 50°에서 전자의 물질파가 보강 간섭을 하였기 때문이다.

ㄷ. 이 실험은 전자의 물질파가 니켈 결정에 의해 산란하면서 특정 각도에서 보강 간섭 한다는 것을 보여 준 것이므로, 전자의 파동성을 보여 준다. 특히, 54 V로 가속시킨 전자의 물질파 파장이 니켈 결정에 의해 50°의 각도로 보강 간섭 하는 파동의 파장과 일치함을 보임으로써, 드브로이의 물질파 이론이 옳다는 것을 뒷받침하였다.

바로 알기 ㄱ. (가)에서 가속 전압을 높이면 전자선의 물질파 파장이 짧아지므로, 보강 간섭을 일으키는 각도가 달라져 50° 각으로 산란되는 전자의 개수는 감소한다.

05 ㄱ. A와 B 사이를 이동하는 동안 전자가 V의 전압으로 가속되므로, 전압이 한 일 eV만큼 전자의 운동 에너지가 증가한다.

ㄷ. 전자의 물질파 파장은 A에서 $\lambda_A=\frac{h}{mv}$이고, B에서 $\lambda_B=\frac{h}{2mv}$이므로 A를 지날 때가 B를 지날 때의 2배이다.

바로 알기 ㄴ. A, B에서 전자의 속력이 각각 v, $2v$이므로 운동 에너지 증가량은

$$eV=\frac{1}{2}m(2v)^2-\frac{1}{2}mv^2=\frac{3}{2}mv^2$$

이다. 따라서 $mv=\sqrt{\frac{2meV}{3}}$이므로, A를 지날 때 전자의 물질파 파장은 다음과 같다.

$$\lambda_A=\frac{h}{mv}=h\sqrt{\frac{3}{2meV}}$$

06 이중 슬릿을 지나는 파동의 파장을 λ, 이중 슬릿에서 스크린까지의 거리를 L이라고 하면 슬릿의 간격이 d일 때, 이중 슬릿에 의한 간섭무늬에서 이웃한 무늬 사이의 간격 $\Delta x = \dfrac{L\lambda}{d}$이다. 물질파 파장 $\lambda = \dfrac{h}{p} = \dfrac{h}{mv}$이므로, 질량이 m이고 속력이 v인 입자가 이중 슬릿을 지날 때 밝은 무늬 사이 간격 Δx는 다음과 같다.

$$\Delta x = \frac{L\lambda}{d} = \frac{Lh}{dp} = \frac{Lh}{dmv}$$

ㄱ. 운동량이 $m \times \dfrac{1}{2}v = \dfrac{mv}{2}$이고, 슬릿의 간격이 d이므로, 간섭무늬 사이의 간격은 $\dfrac{Lh}{d \times \frac{mv}{2}} = 2\Delta x$이다.

ㄴ. 운동량이 $m \times v = mv$이고, 슬릿의 간격이 $\dfrac{d}{2}$이므로, 간섭무늬 사이의 간격은 $\dfrac{Lh}{\frac{d}{2} \times mv} = 2\Delta x$이다.

바로 알기 ㄷ. 운동량이 $2m \times v = 2mv$이고 슬릿의 간격이 d이므로, 간섭무늬 사이의 간격은 $\dfrac{Lh}{d \times 2mv} = \dfrac{\Delta x}{2}$이다.

07 ㄱ. (나)의 무늬는 서로 반대 방향으로 진행하는 두 파동이 간섭하여 정상파가 형성되었을 때 관찰될 수 있는 현상이므로, 원자가 파동성을 가지고 있기 때문에 나타난다.

ㄴ. 물질파 파장 $\lambda = \dfrac{h}{p}$이므로, 원자의 운동량이 커지면 원자의 물질파 파장은 짧아진다.

바로 알기 ㄷ. (나)에서 어두운 무늬는 두 파동이 상쇄 간섭하는 마디에 해당한다. 정상파의 마디와 이웃한 마디 사이의 거리는 정상파를 이루는 파동의 파장의 $\dfrac{1}{2}$배이다. 원자의 운동량이 커지면 물질파 파장이 짧아지므로, 마디 사이의 거리 d는 감소한다.

08 ㄴ. (나)에서 정상파가 4개 있으므로 양자수 $n=4$이고, 전자의 에너지 준위는 E_4이다.

ㄷ. 궤도 반지름 $r_n = a_0 n^2$이다. (나)에서 전자의 궤도 반지름 $r_4 = 16a_0$이고, (가)에서의 궤도 반지름 $r_2 = 4a_0$이므로, (나)에서가 (가)에서의 4배이다.

바로 알기 ㄱ. (가)에서 정상파가 2개 있으므로 양자수 $n=2$이다.

03 불확정성 원리

개념 모아 정리하기 131쪽

❶ 확률　❷ 파속　❸ 불확정성　❹ 동시에
❺ 감소　❻ 증가　❼ 긴　❽ 위치
❾ 운동량　❿ 불확정성　⓫ 슈뢰딩거　⓬ 확률 밀도
⓭ 주 양자수　⓮ 오비탈　⓯ 스핀　⓰ 파울리 배타
⓱ 화학적

개념 기본 문제 132쪽~133쪽

01 ㉠ $|\Psi|^2$ ㉡ $|\Psi|^2 dV$　**02** ㄱ, ㄴ, ㄷ　**03** 철수
04 5.25×10^{-24} m/s　**05** (1) ㄱ, ㄴ, ㄷ (2) ㄱ　**06** (1)
(나) (2) ㉠ 증가 ㉡ 커진다　**07** ㄱ, ㄴ, ㄷ　**08** ㄱ, ㄴ, ㄷ
09 (1) 9개 (2) 18개　**10** ㄴ, ㄷ

01 파동 함수 Ψ는 물질파의 진폭에 해당하는 양으로, 파동 함수 자체는 물리적 의미가 없지만, 진폭의 제곱인 확률 밀도 함수 $|\Psi|^2$은 그 지점에서 단위 부피당 입자가 발견될 상대적인 확률을 의미한다. 따라서 부피 요소 dV 내에서 입자가 발견될 확률은 $|\Psi|^2 dV$가 된다.

02 ㄱ. 입자의 위치 불확정량은 파속이 존재하는 영역에 해당한다. 따라서 파속의 폭이 좁을수록 입자의 위치 불확정량은 작아진다.

ㄴ. 파속은 여러 파장을 특정 위치에서 보강 간섭이 일어나도록 중첩한 것으로, 파속의 폭이 넓을수록 중첩된 파동의 파장 범위가 좁은 것을 의미한다. 입자의 물질파 파장이 λ일 때 입자의 운동량 $p = \dfrac{h}{\lambda}$이므로, 중첩된 파장의 범위 $\Delta\lambda$가 좁은 것은 운동량의 범위 Δp가 좁은 것을 의미한다. 따라서 파속의 폭이 넓을수록 운동량의 불확정량 Δp는 줄어든다.

ㄷ. 입자의 파동성에 의하여 입자를 파속으로 나타내면, 본질적으로 ㄱ, ㄴ과 같이 불확정성 원리가 존재한다.

03 ·철수: 입자의 위치와 운동량을 동시에 정확하게 측정하는 것은 불가능하다는 것이 불확정성 원리이다.

바로 알기 ·영희: 위치와 운동량의 불확정성으로부터 에너지와 시간의 불확정성을 유도할 수 있다. 즉, 불확정성 원리에 의해 입자의 에너지와 시간도 동시에 정확하게 측정하는 것은 불가능하다.

- 민수: 불확정성 원리는 입자의 파동성에 의해 본질적으로 나타나는 현상이며, 실험 장치의 한계 때문에 나타나는 현상이 아니다.

04 하이젠베르크 불확정성 원리에 의하여 $\Delta x \Delta p \geq \dfrac{\hbar}{2}$ 이므로, 구슬 속력의 최소한의 불확정량은

$$\Delta v \geq \frac{\hbar}{2m\Delta x} = \frac{1.05 \times 10^{-34}\ \text{J·s}}{2 \times (1\ \text{kg}) \times (1 \times 10^{-11}\ \text{m})}$$
$$= 5.25 \times 10^{-24}\ \text{m/s}$$

이며, 이것은 매우 작은 값이다.

05 (1) ㄱ. 빛이 현미경을 지나면서 회절하기 때문에 빛의 파장보다 더 정확히 전자의 위치를 측정할 수 없다.

ㄴ. 고전 물리학의 관점에서 빛은 전자에서 반사되어도 전자의 운동량을 변화시키지 않는다.

ㄷ. 현대 물리학의 관점에서는 불확정성 원리가 적용되므로, 전자의 위치와 운동량을 동시에 정확히 측정할 수 없다.

(2) ㄱ. 광자의 파장이 짧을수록 회절이 잘 일어나지 않으므로, 전자의 위치 불확정량이 작아진다.

바로 알기 ㄴ. 파장이 λ인 광자의 운동량 $p = \dfrac{h}{\lambda}$ 이다. 따라서 광자의 파장이 짧을수록 광자의 운동량이 커지고, 전자와 충돌할 때 전자에 이 정도 크기의 운동량 교란을 일으킨다. 따라서 광자의 파장이 짧을수록 전자의 운동량을 더 많이 변화시키므로 전자의 운동량의 불확정량은 커진다.

ㄷ. 가시광선 대신 파장이 짧은 자외선을 사용하면 전자의 위치의 불확정량은 감소하지만, 전자의 운동량의 불확정량은 증가한다. 불확정성 원리에 의해 전자의 위치와 운동량의 불확정량을 동시에 모두 줄일 수는 없다.

06 (1) 전자가 단일 슬릿을 지날 때 전자의 위치는 슬릿의 폭에 해당하는 범위 안에 있을 것이다. 따라서 슬릿을 지나는 전자의 위치의 불확정량은 슬릿의 폭과 같으므로, 전자의 위치의 불확정량은 슬릿의 폭이 큰 (나)가 (가)보다 크다.

(2) 전자의 물질파가 단일 슬릿을 지날 때 슬릿의 폭이 좁을수록 회절이 잘 일어나 스크린의 중앙에서 첫 번째 어두운 무늬까지의 거리 D가 커진다. 슬릿을 지나는 순간 전자의 운동량을 p라 할 때, 슬릿에 수직인 방향의 전자의 운동량 $p_y = p\sin\theta$가 된다. 이때 D가 클수록 p_y의 범위도 커지므로, 슬릿을 지나는 순간 전자가 가질 수 있는 운동량의 범위도 커져서 운동량의 불확정량은 커진다.

07 ㄱ. 보어 수소 원자 모형인 (가)에서 궤도 반지름 $r_n = a_0 n^2$으로, $n=2$일 때는 반지름이 $4a_0$이고, 전자는 이 궤도에서 정상파를 이루고 있다. 그러나 (나)에서는 전자의 위치가 확률로 표현되므로 전자는 다양한 궤도에 존재할 수 있다.

ㄴ. (가)에서 궤도 반지름은 한 값만을 가지므로 전자의 위치의 불확정량은 0이다.

ㄷ. (나)에서 확률 밀도는 전자가 위치할 확률을 나타내므로, 확률 밀도가 높을수록 그곳에 전자가 위치할 가능성이 크다.

08 ㄱ. 불확정성 원리에 따라 전자의 위치와 운동량을 동시에 정확하게 구할 수 없다.

ㄴ. 양자수에는 에너지와 관련된 주 양자수, 각운동량의 크기와 관련된 궤도 양자수, 각운동량의 방향과 관련된 자기 양자수, 그리고 스핀 양자수가 있다.

ㄷ. 원자 내에서 전자의 물질파를 파동 함수 Ψ로 나타내고, $|\Psi|^2$이 확률 밀도 함수이므로, 전자가 존재할 위치는 확률적으로만 알 수 있다.

09 (1) 주 양자수 $n=3$일 때 l은 0, 1, 2가 가능하다. l이 0일 때 m_l은 0만 가능하고, l이 1일 때 m_l은 -1, 0, 1이 가능하고, l이 2일 때 m_l은 -2, -1, 0, 1, 2가 가능하다. 따라서 가능한 양자수 (n, l, m_l)의 조합은 9개가 있다.

(2) (1)에서 구한 9개의 오비탈은 각각 스핀 양자수 $+\dfrac{1}{2}$, $-\dfrac{1}{2}$인 전자를 수용할 수 있으므로, 총 18개의 서로 다른 양자 상태가 존재한다. 동일한 양자 상태에는 파울리 배타 원리에 의해 1개의 전자만 들어갈 수 있으므로, $n=3$인 오비탈에는 18개의 전자가 들어갈 수 있다.

10 ㄴ. $n=2$일 때 l은 0, 1만을 가질 수 있으므로, 양자수 (n, l, m_l)의 조합은 $(2, 0, 0)$, $(2, 1, -1)$, $(2, 1, 0)$, $(2, 1, 1)$ 네 가지가 가능하다. 파울리 배타 원리에 따르면 한 원자에서 같은 양자 상태에 2개의 전자가 존재할 수 없는데, (가)의 $(2, 0, 0)$에는 스핀 양자수 $+\dfrac{1}{2}$과 $-\dfrac{1}{2}$이 더 있으므로 양자 상태는 $(2, 0, 0, +\dfrac{1}{2})$, $(2, 0, 0, -\dfrac{1}{2})$이 되어, 스핀 양자수까지 고려하면 (가)에는 2개의 양자 상태가 존재한다.

ㄷ. 확률 밀도 함수는 원자 내에서 전자가 발견될 확률을 나타낸 것으로, 확률의 전체 합은 1이다.

바로 알기 ㄱ. 수소 원자에서 에너지 준위는 주 양자수 n에 의해서만 결정되므로, (가), (나), (다), (라)의 에너지 준위는 모두 같다.

01 ㄱ. (가)에서 물질파의 파장이 정확한 값을 가지므로 에너지는

$$E = \frac{p^2}{2m} = \frac{\left(\frac{h}{\lambda}\right)^2}{2m}$$으로 정확한 값을 가진다. 따라서 에너지의

불확정량은 0이다.

ㄴ. (나)는 여러 파장의 물질파가 겹쳐져서 만들어진 파속이 므로 파장이 일정 범위의 값을 가진다. 따라서 파장을 정확히 알 수 없다.

ㄷ. (나)는 파장이 일정 범위의 값을 가지므로, 에너지도 일정

범위의 값을 갖는다. 불확정성 원리에 의해 $\Delta E \Delta t \geq \frac{\hbar}{2}$이므

로, ΔE가 유한한 값을 가지면 Δt도 일정 값 이상을 갖는다. 그러나 (가)에서 에너지의 불확정량이 0이면 시간의 불확정 량은 무한대가 되어야 하므로, 시간의 불확정량은 (가)에서 가 (나)에서보다 크다. 다시 말해 (가)에서는 일정한 물질파가 계속 지나가므로 입자가 지나간 시간을 알 수 없어 시간의 불 확정량은 무한대가 되지만, (나)에서는 시간의 불확정량이 파 속이 지나가는 시간으로 줄어들게 된다. 따라서 시간의 불확 정량은 (가)에서가 (나)에서보다 크다.

02 ㄱ. 자동차의 속력을 m/s 단위로 변환하면

$$144 \text{ km/h} = \frac{144000 \text{ m}}{3600 \text{ s}} = 40 \text{ m/s}$$

이므로, 자동차의 운동량은 다음과 같다.

$1500 \text{ kg} \times 40 \text{ m/s} = 60000 \text{ kg} \cdot \text{m/s}$

ㄴ. 자동차의 위치가 1 mm의 정확도로 나타나므로, 사진 촬영 시 자동차의 위치의 불확정량은 1 mm이다.

바로 알기 ㄷ. 위치의 불확정량 $\Delta x = 1$ mm일 때 불확정성 원리에 의해 운동량의 불확정량의 범위는

$$\Delta p \geq \frac{\hbar}{2\Delta x} = \frac{h}{2 \times 2\pi \times \Delta x}$$

$$= \frac{6.63 \times 10^{-34} \text{ J} \cdot \text{s}}{4 \times \pi \times 10^{-3} \text{ m}} \approx 5.28 \times 10^{-32} \text{ kg} \cdot \text{m/s}$$

가 되므로, 자동차 속력의 불확정량의 범위는 다음과 같다.

$$\Delta v = \frac{\Delta p}{m} \geq \frac{5.28 \times 10^{-32} \text{ kg} \cdot \text{m/s}}{1500 \text{ kg}} \approx 3.52 \times 10^{-35} \text{ m/s}$$

따라서 자동차 속력의 불확정량이 너무 작아 자동차의 속력 을 120 km/h 이하로 보는 것은 불가능하다.

03 ㄷ. 불확정성 원리에 따라 전자의 위치 불확정량과 운동량 불 확정량의 곱의 최솟값은 $\frac{\hbar}{2}$로 (가)와 (나)에서가 같다.

바로 알기 ㄱ. 빛이 회절하므로, 전자의 위치는 빛의 파장보 다 더 작은 값으로 정확히 측정하기 어렵다. 따라서 전자의 위치 불확정량은 긴 파장의 빛을 사용하는 (가)에서가 (나)에 서보다 크다.

ㄴ. 광자의 운동량 $p = \frac{h}{\lambda}$로, 파장이 길수록 운동량이 작다.

광자가 전자와 충돌할 때 자신의 운동량만큼의 교란을 전자 에 일으키므로, 전자의 운동량의 불확정량은 광자의 파장이 길수록 작아진다. 따라서 전자의 운동량의 불확정량은 빛의 파장이 긴 (가)에서가 (나)에서보다 작다.

04 ㄱ. 운동량이 p인 전자의 물질파 파장은 $\lambda = \frac{h}{p}$이다.

ㄴ. θ의 각에서 첫 번째 극소인 지점이 나타났으므로 대부분 의 전자는 슬릿을 지나며 $-\theta$에서 θ 사이의 각으로 진행한 다. 따라서 슬릿을 지나는 순간 전자의 운동량의 y축 방향 성 분 p_y의 범위는 대략 $-p\sin\theta \leq p_y \leq p\sin\theta$가 되므로, p_y의 불확정량은 다음과 같다.

$\Delta p_y = 2p\sin\theta$

ㄷ. 파장이 λ인 파동이 폭이 a인 단일 슬릿을 지나는 순간, 전자의 y축 방향의 위치의 불확정량 $\Delta y \approx a$가 되고, 첫 번째 어두운 무늬가 나타나는 각 θ는 $\sin\theta = \frac{\lambda}{a}$이므로, 다음의 관계가 성립한다.

$$\Delta p_y = 2p\sin\theta = \frac{2p\lambda}{a} = \frac{2p}{a} \times \frac{h}{p} = \frac{2h}{a}$$

따라서 슬릿을 지나는 순간 전자의 위치와 운동량 사이의 불 확정량의 곱은 다음과 같다.

$$\Delta y \Delta p_y = a \times \frac{2h}{a} = 2h$$

05 ㄱ. 고전 역학적으로 입자의 속력은 0부터 무한대까지 아무 값이나 가질 수 있으므로, 입자의 에너지는 연속적인 값을 가 질 수 있다.

바로 알기 ㄴ. 장벽의 퍼텐셜 에너지가 무한대이므로 입자는 장벽 밖으로 나올 수 없다. 따라서 $x > L$인 곳에서 입자를 발 견할 확률은 0이다.

ㄷ. $n = 2$일 때 파동 함수를 제곱하면 $0.25L$과 $0.75L$에 서 최댓값을 가지므로, 입자를 발견할 확률은 $x = 0.25L$과 $0.75L$에서 최대이고, $0.5L$인 곳에서 0이다.

06 ㄱ. 수소 원자에서는 에너지 준위가 주 양자수에 의해서만 결정되므로, 주 양자수 $n=2$인 (나)의 에너지 준위가 주 양자수 $n=1$인 (가)의 에너지 준위보다 높다.

바로 알기 ㄴ. (나)에서 확률 밀도가 r_1에서보다 r_2에서가 크므로, 전자가 발견될 확률은 r_1보다 r_2에서가 크다.

ㄷ. (나)는 $n=2$에서의 확률 밀도를 나타낸 것으로, 전자의 에너지는 r_1, r_2에서가 같다.

07 ㄱ. 바닥상태일 때에는 전자가 $1s$에 있을 때이므로, 전자가 발견될 확률이 가장 높을 때의 반지름이 가장 작다. 따라서 바닥상태일 때 수소 원자의 크기가 가장 작다.

ㄴ. 주 양자수 2, 궤도 양자수 0일 때는 전자가 $2s$ 상태이다. 이때 전자가 발견될 확률의 극댓값은 2개이므로, 전자껍질은 두 겹이다.

ㄷ. 전자가 발견될 확률이 가장 큰 지점까지의 거리는 $1s$일 때보다 $2s$일 때가 크다. 따라서 전자는 $1s$일 때보다 $2s$일 때가 원자핵에서 평균적으로 더 멀리 떨어져 있다.

08 ㄴ. 수소 원자는 전자가 하나이므로, 주 양자수 n에 의해서만 에너지 준위가 결정된다. 그러나 다전자 원자에서는 전자 사이의 전기적 상호 작용에 의해 궤도 양자수 l에 따라서도 에너지 준위가 변한다.

ㄷ. 원자가 바닥상태일 때는 전자들의 전체 에너지의 합이 가장 낮은 상태가 되도록 전자가 채워진다. 파울리 배타 원리에 의해 하나의 오비탈은 스핀이 반대인 2개의 전자까지만 수용할 수 있으며, 전자는 에너지가 낮은 준위부터 차례대로 채워진다.

바로 알기 ㄱ. 그림에서 에너지 준위의 순서를 보면 $4s$ 다음에 $3d$가 오므로, $4s$의 에너지 준위는 $3d$의 에너지 준위보다 작다.

통합 실전 문제   138쪽~141쪽

01 ③   **02** ④   **03** ④   **04** ③   **05** ①   **06** ④

07 ③   **08** ⑤

01 ㄱ. 밝은 무늬 사이의 간격 Δx는 단색광의 파장 λ가 클수록, 슬릿 사이의 간격 d가 작을수록, 슬릿에서 스크린까지의 거리 L이 클수록 크다. 즉, $\Delta x = \dfrac{L\lambda}{d}$이므로 $\lambda = \dfrac{d\Delta x}{L}$이다.

ㄷ. 두 슬릿으로부터의 경로차가 반파장의 짝수 배$\left(\dfrac{\lambda}{2}(2m), m=0, 1, 2, \cdots\right)$인 곳에 밝은 무늬가 생기고, 홀수 배$\left(\dfrac{\lambda}{2}(2m+1), m=0, 1, 2, \cdots\right)$인 곳에 어두운 무늬가 생긴다. 파장이 λ인 단색광을 비추었을 때 첫 번째 밝은 무늬가 생기는 지점은 경로차가 λ인 지점이다. 따라서 파장이 2λ인 단색광을 비추면 이 지점은 경로차가 $\lambda = \dfrac{2\lambda}{2}$로 파장($2\lambda$)의 $\dfrac{1}{2}$배가 되므로, 어두운 무늬가 생기게 된다.

바로 알기 ㄴ. 파장이 λ일 때 밝은 무늬 사이 간격 $\Delta x = \dfrac{L\lambda}{d}$이므로, 파장이 1.5λ인 단색광을 비추면 Δx는 1.5배로 커진다.

02 음원과 관찰자가 접근할 때 관찰자가 측정한 소리의 진동수가 증가하고, 음원과 관찰자가 멀어질 때 관찰자가 측정한 소리의 진동수는 감소한다. 도플러 효과의 식에 의해 (가)~(다)에서 관찰자 B가 측정한 소리의 진동수를 구하면 다음과 같다.

상황	A의 속도 (파원)	B의 속도 (관찰자)	B가 측정한 소리의 진동수
(가)	0	$-0.2v$	$f\dfrac{v+0.2v}{v}=1.2f$
(나)	$+0.4v$	$+0.2v$	$f\dfrac{v-0.2v}{v-0.4v}=\dfrac{4}{3}f \fallingdotseq 1.33f$
(다)	$+0.1v$	$-0.1v$	$f\dfrac{v+0.1v}{v-0.1v}=\dfrac{11}{9}f \fallingdotseq 1.22f$

따라서 B에서 측정한 소리의 진동수는 $f_{(나)}>f_{(다)}>f_{(가)}$ 순서로 크다.

03 ㄴ. 쌍극자 안테나에 분포하는 전하는 전기 쌍극자와 같은 형태를 띠므로 전기 쌍극자에 의한 전기장이 발생한다. 안테나에 분포하는 전하의 양이나 방향이 LC 진동자와 같은 진동수로 변하므로, 이에 따른 전기장의 크기와 방향도 LC 진동자와 같은 진동수로 변한다. 이렇게 변하는 전기장은 변하는 자기장을 만들어 낸다.

ㄷ. LC 회로에 진동하는 전류는 영원히 계속 진동하는 것이 아니라, 도선이나 기타 저항 등에 의해 발생하는 열에너지나 전자기파의 방출로 인해 에너지가 소모되어 계속 진동하지 못한다. 따라서 LC 진동자와 같은 진동수로 소모되는 에너지를 보충해 주어야 한다. 이러한 역할을 그림에서 교류 전원이 해 주는 것이다.

바로 알기 ㄱ. LC 진동자에 흐르는 진동 전류에 따라 전하가 안테나에 분포하므로, 안테나의 전하도 LC 진동자의 진동수와 같은 진동수로 진동한다.

04 ㄱ. 광축에 평행하게 입사한 광선이 A를 지난 후 한 점(초점)에 모이므로, A는 볼록 렌즈이다. 빛이 모인 점에서 나간 빛이 B를 지나면서 다시 광축에 평행하게 진행하므로, B도 볼록 렌즈이다.

ㄴ. A와 B 사이에서 빛이 모인 곳이 두 렌즈 A와 B의 초점이다. 초점에서 같은 각도로 퍼진 광선이 A쪽에서 2배 넓게 벌어지므로, A에서 초점까지의 거리는 B에서 초점까지의 거리의 2배이다. 따라서 A의 초점거리는 $\dfrac{2L}{3}$이고, B의 초점거리는 $\dfrac{L}{3}$이다.

바로 알기 ㄷ. B는 볼록 렌즈이므로, 물체와 렌즈 사이의 거리를 a라 하면, $a > 2f$(f: 초점 거리)일 때는 축소된 도립 실상, $f < a < 2f$일 때는 확대된 도립 실상, $0 < a < f$일 때는 확대된 정립 허상이 생긴다.

05 ㄱ. A를 비출 때 정지 전압이 V_0이므로, 방출되는 광전자의 최대 운동 에너지는 eV_0이다. 즉, 광전관에서 양극과 음극 사이의 전압에 의해 광전자가 운동 반대 방향으로 전기력을 받는데, 이때 전기력이 광전자에 한 일 eV_0만큼 광전자의 운동 에너지가 감소한다. 따라서 광전자의 최대 운동 에너지가 eV_0과 같으면 광전자가 양극에 도달하지 못하므로 광전류는 0이 된다.

바로 알기 ㄴ, ㄷ. 광전자의 최대 운동 에너지가 A를 비출 때는 $eV_0 = hf_A - W$ (W: 금속판의 일함수)이고, B를 비출 때는 $2eV_0 = hf_B - W$이므로, 두 식을 연립하여 풀면 금속판의 일함수 $W = 2hf_A - hf_B$가 된다. 그런데 $hf_B - W$의 값이 $hf_A - W$의 값의 2배, 즉 $2(hf_A - W) = hf_B - W$이므로 W가 0일 때만 $f_B = 2f_A$가 된다. 따라서 일함수 W는 0이 될 수 없으므로 $f_B = 2f_A$가 될 수 없다.

06 ㄴ, ㄷ. 글자가 없는 부분에서 반사된 빛이 (+)전하로 대전된 드럼에 도달하면 광전 효과에 의해 빛이 닿은 부분의 저항이 감소하여 (+)전하가 방전된다. (➡ ㄱ)

반면 검은색 글자 부분에서는 빛이 반사되지 않으므로, 드럼에서 글자 부분은 (+)전하를 계속 띠게 된다. 이때 (−)전하를 띤 토너 가루를 내보내면 전기력에 의해 글자 부분에 토너 가루가 달라붙게 된다.

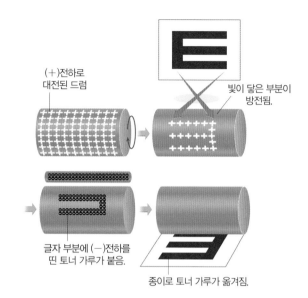

(+)전하로 대전된 드럼

빛이 닿은 부분이 방전됨.

글자 부분에 (−)전하를 띤 토너 가루가 붙음.

종이로 토너 가루가 옮겨짐.

07 ㄱ. (나)는 회절 무늬로, 회절은 파동의 특성이다. 따라서 입자가 금속박을 통과할 때 파동성을 나타냄을 알 수 있다.

ㄴ. 물질파 파장 $\lambda = \dfrac{h}{p}$이다. 입자가 중력을 받아 낙하하는 동안 운동량이 계속 증가하므로 물질파 파장은 점점 감소한다.

바로 알기 ㄷ. 질량이 m인 입자를 높이 H에서 가만히 놓아 떨어뜨리면 중력 퍼텐셜 에너지가 감소한 만큼 운동 에너지가 증가하므로, 금속박에 도달했을 때 입자의 운동량은 다음과 같다.

$$mgH = \frac{1}{2}mv^2 = \frac{p^2}{2m} \Rightarrow p = m\sqrt{2gH}$$

따라서 H를 증가시키면 입자의 운동량이 증가하므로, 입자의 물질파 파장은 짧아지고, 파장이 짧을수록 회절이 덜 되므로 원형 무늬의 반지름은 감소한다.

08 ㄱ. A에서 방출된 전파가 지름이 D인 전파 망원경에 도달하는데 정확히 어느 부분에 도달했는지 알 수는 없으므로, 전파의 위치의 불확정량은 D가 된다. 따라서 D가 클수록 전파의 위치의 불확정량은 커진다.

ㄴ. (가)에서 전파의 위치의 불확정량이 D이므로 운동량의 불확정량 Δp는 다음과 같다.

$$D\Delta p \geq \frac{\hbar}{2} \rightarrow \Delta p \geq \frac{\hbar}{2D}$$

ㄷ. 전파 망원경을 VLA처럼 배열하면 망원경의 지름을 확대하는 효과가 있다. 즉, 망원경의 지름이 클수록 전파의 회절이 덜 일어나므로, 망원경의 분해능은 증가한다. 이처럼 VLA는 전파 망원경의 분해능을 높이는 역할을 한다.

01 (1) 빛이 거울에서 반사될 때 고정단 반사를 하므로, 반사광의 위상은 반대가 된다. 따라서 O에서는 슬릿에서 회절하여 온 빛과 O에 접한 거울면에서 반사하여 위상이 반대가 된 빛이 상쇄 간섭 한다. 따라서 스크린상의 O에서는 어두운 무늬가 생긴다.

임의의 P점에서 슬릿 S_1로부터 온 빛과 S_1에서 나와 거울에서 반사한 빛이 간섭하는 것을 오른쪽 그림과 같이 슬릿 사이의 간격이 $2d$인 이

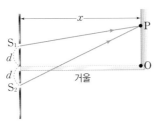

중 슬릿으로 생각할 수 있는데, 이때 거울에서 반사한 빛은 위상이 반대가 되므로, 보강 간섭이 일어날 조건은 다음과 같다.

$$\Delta = \frac{2dy}{x} = \frac{\lambda}{2}(2m+1)\,(m=0,\ 1,\ 2,\ \cdots)$$

P에서 첫 번째 보강 간섭이 일어나는 경우는 $m=0$일 때이므로, O에서 P까지의 거리 y는 다음과 같다.

$$\frac{2dy}{x} = \frac{\lambda}{2},\quad \therefore y = \frac{x\lambda}{4d}$$

(2) 스크린을 슬릿 쪽으로 옮겼을 때 슬릿과 스크린 사이의 거리를 x'라고 하면, P점에서 상쇄 간섭 하여 어두운 무늬가 나타날 조건은 다음과 같다.

$$\Delta = \frac{2dy}{x'} = \frac{\lambda}{2}(2m)\,(m=0,\ 1,\ 2,\ \cdots)$$

$m=0$일 때는 O 지점이므로, $m=1$을 대입하면, x'는 다음과 같다.

$$\frac{2dy}{x'} = \frac{\lambda}{2}(2\times1),\quad \therefore x' = \frac{2dy}{\lambda} = \frac{2d}{\lambda}\left(\frac{x\lambda}{4d}\right) = \frac{x}{2}$$

따라서 스크린을 움직여야 하는 거리는 다음과 같다.

$$x - x' = x - \frac{x}{2} = \frac{x}{2}$$

모범 답안 (1) 거울에서 반사한 빛은 위상이 반대가 되므로, P에서 첫 번째 보강 간섭이 일어날 때 O에서 P까지의 거리 y는 다음과 같다.

$$\frac{2dy}{x} = \frac{\lambda}{2},\quad \therefore y = \frac{x\lambda}{4d}$$

(2) 슬릿에서 스크린 사이의 거리가 x'일 때 P에서 두 번째 상쇄 간섭이 일어날 조건은 $\frac{2dy}{x'} = \frac{\lambda}{2}(2\times1)$이므로, $x' = \frac{2dy}{\lambda} = \frac{2d}{\lambda}\left(\frac{x\lambda}{4d}\right) = \frac{x}{2}$가 된다. 따라서 스크린을 움직여야 하는 거리는 $x - x' = \frac{x}{2}$이다.

채점 기준	배점(%)
(1) 반사에 의한 위상 변화를 고려하여 보강 간섭이 일어날 조건을 옳게 제시하고, y를 풀이 과정과 함께 옳게 나타낸 경우	50
반사에 의한 위상 변화를 고려하여 보강 간섭이 일어날 조건은 옳게 제시하였으나, y를 틀린 경우	30
(2) 상쇄 간섭이 일어날 조건을 옳게 제시하고, 스크린을 움직여야 하는 거리를 풀이 과정과 함께 옳게 구한 경우	50
상쇄 간섭이 일어날 조건은 옳게 제시하였으나, 스크린을 움직여야 하는 거리를 틀린 경우	30

02 그림과 같이 A 지점에서 반사하는 빛은 고정단 반사를 하므로, 반사광의 위상은 반대가 된다. 한편, 공기와 기름막의 경계면에서의 굴절각을 r라고 할 때

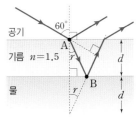

$$n = \frac{\sin i}{\sin r} = \frac{\sin 60°}{\sin r} = 1.5,\quad \therefore \sin r = \frac{\sqrt{3}}{3}\ \cdots ①$$

이 된다. B 지점에서 반사한 빛은 자유단 반사를 하여 위상이 변하지 않으므로, A와 B에서 반사한 빛이 보강 간섭 할 조건은 다음과 같다.

$$\Delta = 2nd\cos r = \frac{\lambda}{2}(2m+1)\,(m=0,\ 1,\ 2,\ \cdots)$$

m번째와 $m+1$번째 보강 간섭 할 때 기름막의 두께를 각각 d_m, d_{m+1}이라고 하면

$$2nd_m\cos r = \frac{\lambda}{2}[2m+1]\ \cdots ②$$

$$2nd_{m+1}\cos r = \frac{\lambda}{2}[2(m+1)+1]\ \cdots ③$$

이 되므로, m번째와 $m+1$번째 보강 간섭 하는 기름막의 두께의 차이는 다음과 같다.

$$\Delta d = d_{m+1} - d_m = \frac{\lambda}{2n\cos r}$$

①에서 $\cos r = \sqrt{1 - \sin^2 r} = \sqrt{1 - \left(\frac{\sqrt{3}}{3}\right)^2} = \frac{\sqrt{6}}{3}$이므로, Δd는 다음과 같다.

$$\Delta d = \frac{\lambda}{2n\cos r} = \frac{6.3\times10^{-7}\ \text{m}}{2\times1.5\times\dfrac{\sqrt{6}}{3}}$$

$$= \frac{6.3}{\sqrt{6}}\times10^{-7}\ \text{m} \fallingdotseq \frac{6.3}{2.45}\times10^{-7}\ \text{m}$$

$$\fallingdotseq 2.6\times10^{-7}\ \text{m}$$

모범 답안 두께가 d인 기름막의 윗면에서는 고정단 반사를 하고 아랫면에서는 자유단 반사를 하므로, 두 빛이 보강 간섭 하는 조건은 다음과 같다.

$$\varDelta = 2nd\cos r = \frac{\lambda}{2}(2m+1)\,(m=0,\,1,\,2,\,\cdots)$$

따라서 m번째와 $m+1$번째 보강 간섭 할 때 기름막의 두께 차이는

$$\varDelta d = d_{m+1} - d_m = \frac{\lambda}{2n\cos r} = \frac{6.3 \times 10^{-7}\ \text{m}}{2 \times 1.5 \times \frac{\sqrt{6}}{3}} \fallingdotseq 2.6 \times 10^{-7}\ \text{m이다.}$$

채점 기준	배점(%)
반사에 의한 위상 변화를 고려하여 기름막의 윗면과 아랫면에서 반사한 두 빛이 보강 간섭 할 조건을 옳게 제시하고, 기름막의 두께 차이를 풀이 과정과 함께 옳게 구한 경우	100
반사에 의한 위상 변화를 고려하여 기름막의 윗면과 아랫면에서 반사한 두 빛이 보강 간섭 할 조건은 옳게 제시하였으나, 기름막의 두께 차이를 구하지 못한 경우	50

03 (1) O에서 발생한 음파의 파면이 v의 속력으로 P에 도달하는 데 걸린 시간을 t라 할 때, 같은 시간 동안 비행기의 음원은 v_S의 속력으로 O에서 S까지 이동하므로,

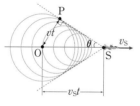

$$\overline{\text{OP}} = vt,\ \overline{\text{OS}} = v_S t$$

이다. $\overline{\text{PS}}$는 파면에 접하는 접선이므로, $\overline{\text{OP}}$와 $\overline{\text{PS}}$는 수직이 되어 v와 v_S의 관계는 다음과 같다.

$$\sin\theta = \frac{\overline{\text{OP}}}{\overline{\text{OS}}} = \frac{vt}{v_S t} = \frac{v}{v_S}$$

(2) 파면이 중첩된 원뿔 모양의 면은 소리의 파면이 겹친 부분이므로, 소리의 진폭이 매우 커서 이 면을 기준으로 큰 압력 변화가 일어나는 충격이 일어난다. 즉, 원뿔 모양의 파면에는 충격파가 존재하므로, 이 원뿔이 지면과 닿는 부분에서는 지면에서 매우 큰 소리를 들을 수 있다.

모범 답안 (1) $\sin\theta = \dfrac{v}{v_S}$

(2) 원뿔 모양의 파면이 지나갈 때 큰 폭발음이 발생한다.

채점 기준	배점(%)
(1) v와 v_S의 관계를 식으로 옳게 나타낸 경우	40
	v와 v_S의 관계를 옳게 나타내지 못한 경우	0
(2) 폭발음이나 충격파를 언급하며 옳게 서술한 경우	60
	소리의 파면이 중첩되어 있다고만 서술한 경우	30

04 (1) 이 회로의 임피던스 $Z = \dfrac{200\ \text{V}}{0.5\ \text{A}} = 400\ \Omega$이다. 형광등의 필라멘트와 스타트 전구의 저항의 합은 $R_1 = \dfrac{100\ \text{V}}{0.5\ \text{A}} = 200\ \Omega$이고, 초크 코일의 저항이 $25\ \Omega$이므로, 전체 저항 $R = 225\ \Omega$이다. 저항과 코일이 연결된 교류 회로에서 임피던스 $Z = \sqrt{R^2 + {X_L}^2}$이므로, 초크 코일의 유도 리액턴스는 다음과 같다.

$$X_L = \sqrt{Z^2 - R^2} = \sqrt{(400\ \Omega)^2 - (225\ \Omega)^2} \fallingdotseq 331\ \Omega$$

(2) 교류 회로에서 저항에 걸리는 전압은 전류와 위상이 같고, 코일에 걸리는 전압은 전류보다 $\dfrac{\pi}{2}$만큼 위상이 빠르므로, 다음과 같다.

$$\tan\phi = \frac{X_L}{R} = \frac{331\ \Omega}{225\ \Omega} \fallingdotseq 1.47$$

모범 답안 (1) $X_L = \sqrt{Z^2 - R^2} = \sqrt{(400\ \Omega)^2 - (225\ \Omega)^2} \fallingdotseq 331\ \Omega$

(2) $\tan\phi = \dfrac{X_L}{R} = \dfrac{331\ \Omega}{225\ \Omega} \fallingdotseq 1.47$

(3) 스타트 전구의 접점이 끊어질 때 그 전류의 변화로 인해 초크 코일에 높은 유도 기전력이 나타나고, 이 전압으로 형광등이 방전되어 불이 켜진다. 형광등이 방전된 후에는 코일은 자체 유도 현상에 의해 교류의 흐름을 방해하므로, 저항과 같이 전류의 세기를 낮춰 주는 역할을 한다.

	채점 기준	배점(%)
(1)	유도 리액턴스를 구하는 식을 옳게 쓰고, 그 값을 옳게 구한 경우	30
	유도 리액턴스를 구하는 식은 옳게 썼으나, 그 값을 옳게 구하지 못한 경우	10
(2)	$\tan\phi$를 구하는 식을 옳게 쓰고, 그 값을 옳게 구한 경우	30
	$\tan\phi$를 구하는 식은 옳게 썼으나, 그 값을 옳게 구하지 못한 경우	20
(3)	형광등이 방전되는 순간과 방전된 후의 역할을 모두 옳게 서술한 경우	40
	두 가지 중 한 가지만 옳게 서술한 경우	20

05 **모범 답안** 물속에 잠긴 동전의 겉보기 깊이에 6 cm를 더한 곳에 동전이 놓여 있다고 보고 볼록 렌즈에 의한 상을 찾는다. 먼저 동전의 겉보기 깊이는

$$\frac{h}{n} = \frac{12\ \text{cm}}{\frac{4}{3}} = 9\ \text{cm}$$

이다. 이때 볼록 렌즈로부터 동전까지의 거리 $a = 9\ \text{cm} + 6\ \text{cm} = 15\ \text{cm}$이므로, 렌즈의 공식을 적용하면 상이 생기는 거리 b는 다음과 같다.

$$\frac{1}{a}+\frac{1}{b}=\frac{1}{f}$$

$$\frac{1}{15 \text{ cm}}+\frac{1}{b}=\frac{1}{10 \text{ cm}}, \therefore b=30 \text{ cm}$$

따라서 볼록 렌즈에 의한 동전의 상이 생기는 위치는 수면으로부터 높이 $30 \text{ cm}+6 \text{ cm}=36 \text{ cm}$인 지점이다.

채점 기준	배점(%)
동전의 겉보기 깊이를 옳게 구하고, 렌즈 공식을 적용하여 상이 생기는 위치를 옳게 구한 경우	100
동전의 겉보기 깊이와 렌즈 공식은 옳게 적용하였으나, 상의 위치를 틀린 경우	50

06 (1) 파장이 λ인 광자의 운동량 $p=\dfrac{h}{\lambda}$이다. 광자가 입사하는 방향을 x 방향으로 하면, 충돌 전후 광자와 전자의 운동량의 합은 x 성분과 y 성분이 각각 보존된다.

(2) 에너지 보존 법칙이 성립하므로 전자의 운동 에너지 $E_k=\dfrac{hc}{\lambda}-\dfrac{hc}{\lambda'}$이다. 전체 에너지는 운동 에너지와 정지 에너지의 합이므로, $E=E_k+mc^2$이 됨을 이용하여 정리한다.

모범 답안 (1) $\dfrac{h}{\lambda}=\dfrac{h}{\lambda'}\cos\theta+mv\cos\phi,\ 0=\dfrac{h}{\lambda'}\sin\theta-mv\sin\phi$

(2) 운동량 보존의 식에서 $\dfrac{h}{\lambda}-\dfrac{h}{\lambda'}\cos\theta=mv\cos\phi$와 $\dfrac{h}{\lambda'}\sin\theta=mv\sin\phi$를 제곱하여 더하면 다음과 같다.

$$(mv)^2=\left(\frac{h}{\lambda}\right)^2+\left(\frac{h}{\lambda'}\right)^2-\frac{2h^2}{\lambda\lambda'}\cos\theta$$

$E^2=(mc^2)^2+p^2c^2$이고, 전자의 전체 에너지는 운동 에너지와 정지 에너지의 합이므로 $E=E_k+mc^2$이다. 따라서

$$E^2=(E_k+mc^2)^2$$
$$=(mc^2)^2+p^2c^2$$
$$\Rightarrow E_k^2+2E_kmc^2=p^2c^2$$

이다. 에너지 보존 법칙에 의해 전자의 운동 에너지 $E_k=\dfrac{hc}{\lambda}-\dfrac{hc}{\lambda'}$이므로,

$$\left(\frac{hc}{\lambda}-\frac{hc}{\lambda'}\right)^2+2\left(\frac{hc}{\lambda}-\frac{hc}{\lambda'}\right)mc^2=p^2c^2$$

이다. 전자의 운동량 $p=mv$이므로,

$$p^2=(mv)^2=\left(\frac{h}{\lambda}-\frac{h}{\lambda'}\right)^2+2\left(\frac{h}{\lambda}-\frac{h}{\lambda'}\right)mc$$

$$=\left(\frac{h}{\lambda}\right)^2+\left(\frac{h}{\lambda'}\right)^2-\frac{2h^2}{\lambda\lambda'}\cos\theta$$

이며, 이를 정리하면 다음과 같다.

$$2\left(\frac{h}{\lambda}-\frac{h}{\lambda'}\right)mc=\frac{2h^2}{\lambda\lambda'}(1-\cos\theta)$$

$$\therefore \lambda'-\lambda=\frac{h}{mc}(1-\cos\theta)$$

	채점 기준	배점(%)
(1)	운동량 보존의 식 2개를 모두 옳게 쓴 경우	30
	운동량 보존의 식을 1개만 옳게 쓴 경우	10
(2)	광자의 파장 변화량과 산란각의 관계식을 옳게 유도한 경우	70
	에너지 보존 법칙을 이용해 전자의 운동 에너지를 구하고, 이를 에너지와 운동량의 관계식에 대입하였으나, 광자의 파장 변화량과 산란각의 관계식을 유도하지 못한 경우	40

07 **모범 답안** (1) 정지한 전자를 54 V로 가속시킬 때 전자의 물질파 파장은 다음과 같다.

$$\lambda=\frac{h}{mv}=\frac{h}{\sqrt{2mE_k}}=\frac{h}{\sqrt{2meV}}$$

$$=\frac{6.63\times10^{-34} \text{ J·s}}{\sqrt{2\times(9.11\times10^{-31} \text{ kg})\times(1.60\times10^{-19} \text{ C})\times54 \text{ V}}}$$

$$\fallingdotseq 1.67\times10^{-10} \text{ m}=0.167 \text{ nm}$$

(2) 니켈 결정에 입사한 전자의 물질파가 Φ의 각으로 반사하여 보강 간섭 할 때, 반사하는 결정면 사이의 거리 $d=D\sin\left(\dfrac{\Phi}{2}\right)$

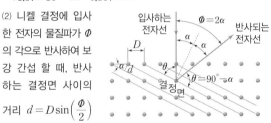

가 된다. 반사가 일어나는 결정면에 대한 전자의 물질파의 입사각 $\theta=90°-\dfrac{\Phi}{2}$가 되므로, 브래그 회절 식에 의해 첫 번째 보강 간섭이 일어나는 조건은 다음과 같다.

$$2d\sin\left(90°-\frac{\Phi}{2}\right)=\lambda$$

이 식에 위에서 구한 d값을 대입하면,

$$2\times D\sin\left(\frac{\Phi}{2}\right)\times\sin\left(90°-\frac{\Phi}{2}\right)=\lambda$$

$$2\times D\sin\left(\frac{\Phi}{2}\right)\times\cos\left(\frac{\Phi}{2}\right)=\lambda$$

$$D\sin\Phi=\lambda$$

54 V로 가속된 전자의 물질파 파장이 0.167 nm이고, 니켈 결정의 원자 사이의 간격 $D=0.215$ nm이므로, 첫 번째 보강 간섭이 일어나는 각도 Φ는 다음과 같다.

$$(0.215\times10^{-9} \text{ m})\times\sin\Phi=0.167\times10^{-9} \text{ m}$$

$$\sin\Phi\fallingdotseq0.78,\ \therefore \Phi\fallingdotseq51°$$

	채점 기준	배점(%)
	전자의 물질파 파장을 풀이 과정과 함께 옳게 구한 경우	50
(1)	전자의 물질파 파장 식은 옳게 세웠으나, 파장 값을 틀린 경우	20

(2)	보강 간섭이 일어나는 각도 ϕ를 풀이 과정과 함께 옳게 구한 경우	50
	보강 간섭이 일어나는 조건의 식은 옳게 제시하였으나, ϕ값을 틀린 경우	30

(3)	물체의 운동량의 불확정량을 λ, Δx를 모두 사용하여 옳게 나타낸 경우	30
	물체의 운동량의 불확정량을 λ만 사용하여 옳게 나타낸 경우	20
(4)	$\Delta x \Delta p$를 옳게 구하고, 불확정성 원리가 성립하는 까닭을 옳게 서술한 경우	40
	$\Delta x \Delta p$는 옳게 구하였으나, 불확정성 원리가 성립하는 까닭을 서술하지 못한 경우	20

08 (1) 렌즈에 도달하는 빛이 입자의 어느 부분에 충돌한 것인지 모르므로, 물체의 위치의 불확정량 Δx는 x이다.

(2) 물체에서 렌즈까지 진행하는 동안 퍼지는 것은 수평 방향의 운동량 때문이다.

(3) 물체에서 렌즈까지 진행하는 동안 렌즈의 폭만큼의 운동량이 불분명하다.

(모범 답안) (1) 물체의 크기가 x이고, 물체에 충돌하여 렌즈로 들어오는 빛은 어느 부분에 충돌하여 렌즈로 진행하는 것인지 알 수 없으므로 물체의 위치의 불확정량 Δx는 x이다. 즉, 물체의 크기가 x이면 물체는 적어도 x보다는 더 넓은 범위에 있게 되므로 물체의 위치의 불확정량 Δx는 x보다는 크게 된다.

(2) 물체에서 렌즈까지의 거리를 l이라고 하면 광자의 운동량 p와 운동량의 불확정량 $\Delta p_\text{광}$의 비 $p : \Delta p_\text{광} = l : \dfrac{D}{2}$이다. l이 D보다

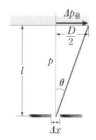

많이 크면 $\theta \approx \dfrac{\dfrac{D}{2}}{l} = \dfrac{D}{2l}$이므로, $\Delta p_\text{광} = \dfrac{pD}{2l} \approx p\theta$이다.

(3) 빛이 물체에 충돌하여 산란되는 것은 마치 슬릿의 폭이 a인 단일 슬릿에서 회절하는 것과 같다. 따라서 단일 슬릿의 회절 무늬에서 슬릿의 폭 a가 물체의 크기와 같은 Δx이므로, 첫 번째 어두운 무늬가 생기는 곳까지의 경로차는 λ이다. 즉, $\Delta x \sin\theta = \lambda$이다. θ가 작으면 $\sin\theta \approx \theta$이고, $\Delta x \sin\theta \approx \Delta x \theta = \lambda$이다. (2)의 값을 대입하면 광자의 운동량의 불확정량 $\Delta p_\text{광} \approx p\theta \approx p\dfrac{\lambda}{\Delta x}$이다. 광자가 물체에 충돌하여 $\Delta p_\text{광}$만큼의 운동량의 불확정량을 가지므로, 물체도 산란된 광자에 의해 $\Delta p = p\dfrac{\lambda}{\Delta x}$만큼의 운동량의 불확정량을 갖게 된다.

(4) 광자의 운동량 $p = \dfrac{h}{\lambda}$이므로, (3)의 결과에서 $\Delta x \Delta p \approx p\lambda$이므로 물체의 위치와 운동량의 불확정성은 $\Delta x \Delta p \approx p\lambda = \dfrac{h}{\lambda}\lambda = h$이다. 따라서 $\Delta x \Delta p \geq \dfrac{h}{2}$를 만족하므로, 불확정성 원리가 성립한다.

채점 기준		배점(%)
(1), (2)	(1), (2)를 모두 옳게 답한 경우	30
	(1), (2) 중 한 가지만 옳게 답한 경우	20

논구술 대비 문제

III. 파동과 물질의 성질

실전 문제 1

예시 답안 (1) 렌즈가 햇빛을 반사하지 않도록 하려면 햇빛 가운데 세기가 가장 센 580 nm 근처의 빛들이 상쇄 간섭을 일으키도록 하여야 한다. 공기의 굴절률이 코팅 물질보다 작고 코팅 물질의 굴절률이 유리보다 작으므로, 반사된 빛 A와 B는 모두 고정단 반사가 일어나 위상이 반대가 된다. 따라서 A와 B의 광로차가 반파장의 홀수 배가 될 때 상쇄 간섭이 일어나므로, 코팅 막의 두께를 d라고 하면, 코팅 물질의 굴절률이 n일 때 상쇄 간섭이 일어나는 빛의 파장 λ는 다음과 같다.

$$2nd = \frac{\lambda}{2}(2m+1) \, (m=0, 1, 2, \cdots)$$

코팅 막의 두께가 얇을수록 빛이 잘 투과하므로, $m=0$일 때 파장이 580 nm인 빛이 상쇄 간섭 하는 코팅 막의 두께 d를 구하면 다음과 같다.

$$2nd = \frac{\lambda}{2}, \quad 2 \times 1.36 \times d = \frac{580 \times 10^{-9} \, \text{m}}{2}$$

$$\therefore d = 1.07 \times 10^{-7} \, \text{m} = 0.107 \, \mu\text{m}$$

(2) 렌즈의 표면을 비스듬히 관찰할 때 보라색으로 보이는 까닭은 보라색 빛이 주로 반사되기 때문이다.

코팅 막의 두께가 (1)에서 구한 $d=1.07 \times 10^{-7}$ m일 때 보강 간섭을 일으키는 빛의 파장 λ를 구하면 다음과 같다.

$$2nd = \frac{\lambda}{2}(2m) \, (m=0, 1, 2, \cdots) \Rightarrow 2nd = \lambda$$

$$2 \times 1.36 \times 1.07 \times 10^{-7} \, \text{m} = \lambda$$

$$\therefore \lambda = 2.91 \times 10^{-7} \, \text{m} = 291 \, \text{nm}$$

291 nm는 자외선 영역이지만, 이 근처의 빛들이 반사가 잘 되므로 렌즈 표면이 엷은 보라색으로 보이게 되는 것이다.

실전 문제 2

예시 답안 (1) 운동량 p인 총알이 총구를 빠져나갈 때 총알의 물질파 파장 $\lambda = \frac{h}{p}$이다. 이때 플랑크 상수가 크다면 총알의 물질파 파장도 증가한다. 슬릿의 폭이 같을 때 파장이 길수록 회절이 잘 일어나므로, 목표물을 정확히 조준하여도 총알이 목표물 근처에 가지 못하는 확률이 높아질 것이다. 따라서 사냥꾼이 목표물을 맞히기 위해서는 훨씬 더 많은 수의 총알을 목표물 근처로 쏘아야 할 것이다.

(2) 사냥꾼이 목표물을 정확히 조준했다는 것은 목표물의 위치가 정확히 알려졌다는 것을 의미하므로, 목표물의 위치의 불확정량 Δy가 작다는 것을 의미한다. 불확정성 원리에 따르면 목표물의 운동량의 불확정량 $\Delta p_y \geq \frac{\hbar}{2\Delta y}$이고, 플랑크 상수가 크다면 Δp_y의 최솟값 또한 커질 것이다. Δp_y의 최솟값이 크다는 것은 목표물이 가질 수 있는 운동량의 범위가 커진다는 것을 의미한다. 따라서 사냥꾼이 목표물을 정확히 조준하고 쏘았더라도 총알이 목표물이 있던 지점에 도달할 때는 목표물이 움직여 더 이상 그

ㄱ

각속도	11
각운동량	108
간섭	12
갈릴레이 망원경	75
감쇠 진동	52
거머	106
고리 안테나	55
고정단 반사	16
공명 진동수	51
광 다이오드	93
광로차	15
광양자설	90
광전 효과	86
광전 효과 실험	86
광전 효과 실험 장치	86
광전관	86
광전자	86
광전자의 최대 운동 에너지	87
광전지	94
광축	67
교류	48
구면 거울	76
구면 거울의 공식	76
구면 수차	72
구조색	18
굴절	66
궤도 양자수	128
근시안의 교정	73
근점	73

ㄴ

뉴턴식 반사 망원경	75

ㄷ

단일 슬릿에 의한 빛의 회절	20
데이비슨	106
데이비슨·거머 실험	106
도플러	32
도플러 레이더	37
도플러 효과	32
돋보기	74
두 장의 평면 유리 사이에서의 간섭	18
드브로이	104
드브로이 파장	104
디옵터	72

ㄹ

라디안	10
레이저 프린터	94
레일리 기준	23
렌즈 방정식	70
렌즈 제작자 공식	72
렌즈의 수차	72
뤼드베리 상수	110

ㅁ

마디선	13
마하	39
마하 수	39
명시 거리	73
무반사 코팅	17
무선 통신	56
문턱 진동수	89
물결파의 간섭	13
물질파	104
물질파 파장	104

ㅂ

방송의 송·수신 과정	56
배율	70
뱃머리파	39
변위 전류	46
변조	56
보강 간섭	12
보어 원자 모형	108
보어의 수소 원자 모형	109
복사기	94
복조	56
복합 렌즈의 초점 거리	72
볼록 거울	76
볼록 렌즈	67
분해능	23
불확정량	119
불확정성 원리	119
브래그 회절	106
빛의 도플러 효과	36
빛의 파동성	104
빛의 회절	19

ㅅ

상	66
상쇄 간섭	12
색수차	72
소닉 붐	39
수소 원자의 궤도 반지름	109
수소 원자의 선 스펙트럼	110
수소 원자의 양자수	126
수소 원자의 에너지 준위	110
수소 원자의 파동 함수	127
슈뢰딩거	124
슈뢰딩거 방정식	124
스피드 건	37
스핀 양자수	128

시간에 무관한 슈뢰딩거 방정식 124
신호 56
실상 66
쌍극자 안테나 53, 55

ㅇ

아인슈타인 90
안테나 54
야기 안테나 55
얇은 렌즈 67
얇은 막에 의한 빛의 간섭 16
양자 조건 108
에너지와 시간의 불확정성 원리 120
영의 간섭 실험 14
오목 거울 76
오목 렌즈에 의한 상 71
오비탈 128
용량 리액턴스 50
원시안의 교정 73
원점 73
위상 11
위상 상수 11
위상자 48
유도 리액턴스 49
이중 슬릿에 의한 빛의 간섭 14
이중 슬릿에 의한 전자의 간섭 실험 107
일함수 91
임피던스 51

ㅈ

자기 양자수 128
자유단 반사 16
저항만을 연결한 교류 회로 48
적색 이동 38
전기 진동 52
전도 전자 93
전자기파 47

전자기파 발생 장치 53
전자기파 수신 장치 55
전자기파의 속력 53
전파의 간섭 18
정상 상태 108
정지 전압 87
조리개 72
주 양자수 128
주기율표 129
중첩 원리 12
직류 48
진동수 변조 56
진동수 조건 108
진폭 변조 56

ㅊ

청색 이동 38
체렌코프 복사 39
체외 충격파 쇄석술 39
초음파 진단기 38
초점 67
초점 거리 67
축전기만을 연결한 교류 회로 50
충격파 39

ㅋ

케플러 망원경 75
코일만을 연결한 교류 회로 49
콤프턴 92
콤프턴 효과 92

ㅌ

태양 전지 94
톰슨 107
톰슨의 전자 회절 실험 107

ㅍ

파동 함수 11, 118
파동의 독립성 12
파동의 회절 19
파면 11
파속 119
파수 10
파울리 배타 원리 129
포화 광전류 87
플랑크 90
플랑크의 양자설 90

ㅎ

하위헌스 11
하위헌스 원리 11
하이젠베르크 119
허상 66
허초점 71
현미경 74
홀극 안테나 55
확률 밀도 함수 118
회절 19
회절격자 22
흑체 90

AM 56
eV(전자볼트) 110
FM 56
$\hbar$ 119
LC 회로 52
RLC 직렬 회로 51

(1) 국제 단위계(SI)

① SI 기본 단위

물리량	이름	기호	정의
길이	미터(meter)	m	m는 진공 중에서 빛의 속력 c를 $m \cdot s^{-1}$ 단위로 나타낼 때 299792458이 되도록 정의된다.
질량	킬로그램(kilogram)	kg	kg은 플랑크 상수 h를 $J \cdot s$ 단위로 나타낼 때 $6.62607015 \times 10^{-34}$이 되도록 정의된다. 여기서 $J \cdot s$는 $kg \cdot m^2 \cdot s^{-1}$과 같은 단위이다.
시간	초(second)	s	세슘-133 원자가 갖는 바닥 상태의 두 초미세 준위 사이의 전이에 대응하는 복사선이 가지는 주기의 9192631770배 지속 시간이다.
전류	암페어(ampere)	A	A는 기본 전하 e를 C 단위로 나타낼 때 $1.602176634 \times 10^{-19}$이 되도록 정의된다. 여기서 C는 $A \cdot s$와 같은 단위이다.
열역학적 온도	켈빈(kelvin)	K	K은 볼츠만 상수 k를 $J \cdot K^{-1}$ 단위로 나타낼 때 1.380649×10^{-23}이 되도록 정의된다. 여기서 $J \cdot K^{-1}$은 $kg \cdot m^2 \cdot s^{-2} \cdot K^{-1}$과 같은 단위이다.
물질량	몰(mol)	mol	1 mol은 $6.02214076 \times 10^{23}$개의 구성 요소를 포함한다. 이 숫자는 아보가드로 상수 N_A를 mol^{-1} 단위로 나타낼 때 정해지는 수치로서 아보가드로수라고 부른다. 어떤 계의 물질량(기호: n)은 명시된 특정 구성 요소들의 수를 나타내는 척도이다. 특정 구성 요소들이란 원자, 분자, 이온, 전자, 그 외의 입자 또는 그런 입자들의 특정한 집합체가 될 수 있다.
광도	칸델라(candela)	cd	진동수가 540×10^{12} Hz인 단색광을 방출하는 광원의 복사율이 스테라디안당 1/683 W인 광도이다.

② SI 유도 단위

물리량	단위의 이름	기호	
진동수	헤르츠(hertz)	Hz	$1\ Hz = 1\ s^{-1}$
속력, 속도	미터 매 초	m/s	
각속도	라디안 매 초	rad/s	
힘	뉴턴(newton)	N	$1\ N = 1\ kg \cdot m/s^2$
압력	파스칼(pascal)	Pa	$1\ Pa = 1\ N/m^2$
일, 에너지, 열량	줄(joule)	J	$1\ J = 1\ N \cdot m$
일률, 전력	와트(watt)	W	$1\ W = 1\ J/s$
전하량	쿨롬(coulomb)	C	$1\ C = 1\ A \cdot s$
전위차, 기전력	볼트(volt)	V	$1\ V = 1\ W/A = 1\ J/C$
전기 저항	옴(ohm)	Ω	$1\ \Omega = 1\ V/A$
전기 용량	패럿(farad)	F	$1\ F = 1\ A \cdot s/V$
자기장, 자속 밀도	테슬라(tesla)	T	$1\ T = 1\ Wb/m^2$
전기력선속, 자기력선속	웨버(weber)	Wb	$1\ Wb = 1\ V \cdot s$
인덕턴스	헨리(henry)	H	$1\ H = 1\ V \cdot s/A$
엔트로피	줄/켈빈(kelvin)	J/K	

③ SI 추가 단위

물리량	단위의 이름	기호
각도	라디안(radian)	rad
입체각	스테라디안(steradian)	sr

④ SI접두어

접두어	인자	기호	접두어	인자	기호
엑사(exa)	10^{18}	E	데시(deci)	10^{-1}	d
페타(peta)	10^{15}	P	센티(centi)	10^{-2}	c
테라(tera)	10^{12}	T	밀리(milli)	10^{-3}	m
기가(giga)	10^{9}	G	마이크로(micro)	10^{-6}	μ
메가(mega)	10^{6}	M	나노(nano)	10^{-9}	n
킬로(kilo)	10^{3}	k	피코(pico)	10^{-12}	p
헥토(hecto)	10^{2}	h	펨토(femto)	10^{-15}	f
데카(deca)	10^{1}	da	아토(atto)	10^{-18}	a

(2) 차원(Dimension)

여러 가지 물리량의 유도 단위가 기본 단위와 어떤 관계가 있는가를 밝혀 보면 단위의 환산이 편리하고 방정식이 옳은가를 쉽게 알아낼 수 있다.

예를 들면 속도의 단위에는 1 m/s, 1 cm/s, 1 km/h, 1 km/min 등 여러 가지가 있으나 모두 길이의 단위를 시간의 단위로 나눈 것이다. 따라서 길이(length), 질량(mass), 시간(time)의 단위를 각각 [L], [M], [T]로 표시한다면 속도의 단위는 모두 $[LT^{-1}]$로 표시된다. 이와 같이 단위의 성질을 표시하는 식을 차원 또는 디멘션이라 한다.

① 차원식에서는 물리량의 단위를 L, M, T의 지수로 표시하여 [ ] 속에 쓴다.
   예를 들면 [가속도]=$[LT^{-2}]$, [힘]=$[MLT^{-2}]$, [운동량]=$[MLT^{-1}]$, [각]=$[L^0]$

② 각도는 [각]=[호/반지름]=[L/L]=$[L^0M^0T^0]$이며, 이와 같은 양을 무차원량이라고 한다.

③ 속도가 질량과 관계없음을 보이기 위해 그 차원식 $[LT^{-1}]$을 $[LM^0\,T^{-1}]$이라고 쓸 수도 있다.

④ 차원을 알면 그 물리량이 나타내는 것을 알 수 있다. 예를 들면 [압력×부피]의 경우 N/m²×m³=N·m이다. 이것은 (힘×거리)이므로 일 또는 에너지를 뜻한다.

⑤ 물리 방정식이 정당하다면 각 항의 차원은 같다. 즉, 물리량의 덧셈, 뺄셈에서는 차원이 같을 때 계산이 가능하다. 예를 들면 $2as=v^2-v_0^2$에서 각 항의 차원은 모두 $[L^2T^{-2}]$으로 같다.
   또 다른 예로 10 kg+500 g의 덧셈은 차원이 같아 계산 가능하지만 10 kg+2 m는 차원이 달라 계산할 수 없다.

⑥ 곱셈과 나눗셈은 차원이 달라도 계산한다. 예를 들면 10 m÷2 s=5 m/s가 된다.

⑦ 차원이 같은 물리량은 같은 물리학적 성질을 갖는다.

⑧ 방정식을 세웠을 때 그 식이 옳은가는 차원 또는 각 항의 단위를 조사함으로써 확인할 수 있다.

⑨ 단순한 수의 차원은 0이다.

θ	$\sin\theta$	$\cos\theta$	$\tan\theta$	θ	$\sin\theta$	$\cos\theta$	$\tan\theta$
0°	0.0000	1.0000	0.0000	45°	0.7071	0.7071	1.0000
1°	0.0175	0.9998	0.0175	46°	0.7193	0.6947	1.0355
2°	0.0349	0.9994	0.0349	47°	0.7314	0.6820	1.0724
3°	0.0523	0.9986	0.0524	48°	0.7431	0.6691	1.1106
4°	0.0698	0.9976	0.0699	49°	0.7547	0.6561	1.1504
5°	0.0872	0.9962	0.0875	50°	0.7660	0.6428	1.1918
6°	0.1045	0.9945	0.1051	51°	0.7771	0.6293	1.2349
7°	0.1219	0.9925	0.1228	52°	0.7880	0.6157	1.2799
8°	0.1392	0.9903	0.1405	53°	0.7986	0.6018	1.3270
9°	0.1564	0.9877	0.1584	54°	0.8090	0.5878	1.3764
10°	0.1736	0.9848	0.1763	55°	0.8192	0.5736	1.4281
11°	0.1908	0.9816	0.1944	56°	0.8290	0.5592	1.4826
12°	0.2079	0.9781	0.2126	57°	0.8387	0.5446	1.5399
13°	0.2250	0.9744	0.2309	58°	0.8480	0.5299	1.6003
14°	0.2419	0.9703	0.2493	59°	0.8572	0.5150	1.6643
15°	0.2588	0.9659	0.2679	60°	0.8660	0.5000	1.7321
16°	0.2756	0.9613	0.2867	61°	0.8746	0.4848	1.8040
17°	0.2924	0.9563	0.3057	62°	0.8829	0.4695	1.8807
18°	0.3090	0.9511	0.3249	63°	0.8910	0.4540	1.9626
19°	0.3256	0.9455	0.3443	64°	0.8988	0.4384	2.0503
20°	0.3420	0.9397	0.3640	65°	0.9063	0.4226	2.1445
21°	0.3584	0.9336	0.3839	66°	0.9135	0.4067	2.2460
22°	0.3746	0.9272	0.4040	67°	0.9205	0.3907	2.3559
23°	0.3907	0.9205	0.4245	68°	0.9272	0.3746	2.4751
24°	0.4067	0.9135	0.4452	69°	0.9336	0.3584	2.6051
25°	0.4226	0.9063	0.4663	70°	0.9397	0.3420	2.7475
26°	0.4384	0.8988	0.4877	71°	0.9455	0.3256	2.9042
27°	0.4540	0.8910	0.5095	72°	0.9511	0.3090	3.0777
28°	0.4695	0.8829	0.5317	73°	0.9563	0.2924	3.2709
29°	0.4848	0.8746	0.5543	74°	0.9613	0.2756	3.4874
30°	0.5000	0.8660	0.5774	75°	0.9659	0.2588	3.7321
31°	0.5150	0.8572	0.6009	76°	0.9703	0.2419	4.0108
32°	0.5299	0.8480	0.6249	77°	0.9744	0.2250	4.3315
33°	0.5446	0.8387	0.6494	78°	0.9781	0.2079	4.7046
34°	0.5592	0.8290	0.6745	79°	0.9816	0.1908	5.1446
35°	0.5736	0.8192	0.7002	80°	0.9848	0.1736	5.6713
36°	0.5878	0.8090	0.7265	81°	0.9877	0.1564	6.3138
37°	0.6018	0.7986	0.7536	82°	0.9903	0.1392	7.1154
38°	0.6157	0.7880	0.7813	83°	0.9925	0.1219	8.1443
39°	0.6293	0.7771	0.8098	84°	0.9945	0.1045	9.5144
40°	0.6428	0.7660	0.8391	85°	0.9962	0.0872	11.4301
41°	0.6561	0.7547	0.8693	86°	0.9976	0.0698	14.3007
42°	0.6691	0.7431	0.9004	87°	0.9986	0.0523	19.0811
43°	0.6820	0.7314	0.9325	88°	0.9994	0.0349	28.6363
44°	0.6947	0.7193	0.9657	89°	0.9998	0.0175	57.2900
45°	0.7071	0.7071	1.0000	90°	1.0000	0.0000	∞